# Versailles à Stockholm

# VERSAILLES
# À STOCKHOLM

Dessins du Nationalmuseum
Peintures, Meubles et Arts Décoratifs
des Collections Suédoises et Danoises

*Exposition Organisée à l'Occasion du « Colloque Versailles »*
*Institut Culturel Suédois*
*Hotel de Marle, Paris ·*
*Septembre–Octobre 1985*

Nationalmuseums Skriftserie NS 5
Publié avec le concours du J Paul Getty Trust

Layout: Nils-Göran Hökby
Photo: Erik Cornelius, Alexis Daflos, Hans
Thorwid, Per-Magnus Persson, Nationalmuseum
Stockholm, et Lennart Larsen (DD 1–13)
La Couverture: Broderie pour la Salle D'Audience
 du Roi. Collection Tessin–Hårleman, THC 1554
© Guy Walton et Nationalmuseum
ISBN 91-7100-288-X
Imprimé en Suède par Bohusläningens Boktryckeri
AB, Uddevalla 1985

# Contenu de Catalogue

Introduction . . . . . . . . . . . . . . . . . . . . . .   7
Remerciements . . . . . . . . . . . . . . . . . . . .  13

1ère Partie: DESSINS DU NATIONAL-
MUSEUM DE STOCKHOLM

Note d'introduction . . . . . . . . . . . . . . . . .  19
Note sur le Nom des Artistes . . . . . . . . . . .  20
Note sur la provenance des dessins . . . . . . .  21
Liste des abréviations . . . . . . . . . . . . . . . .  22

  A   Grands plans du Château et du
      Parc . . . . . . . . . . . . . . . . . . . . . . .  23
  B   Les Jardins du Petit Parc de
      Versailles . . . . . . . . . . . . . . . . . . .  29
  C   Le Château de Versailles . . . . . . . .  57
  D   La Chapelle Royale (après 1682) . . .  81
  E   Les Petites et les Grandes
      Écuries . . . . . . . . . . . . . . . . . . . . .  99
  F   La Ville de Versailles . . . . . . . . . . . 103
  G   Clagny . . . . . . . . . . . . . . . . . . . . . 107
  H   Le Trianon . . . . . . . . . . . . . . . . . . 115
  I   La Ménagerie . . . . . . . . . . . . . . . . 127
  J   Marly . . . . . . . . . . . . . . . . . . . . . . 131
  K   Dessins, par Tessin le jeune, de
      Versailles, Marly etc . . . . . . . . . . . 141
  L   Le projet de Tessin le jeune pour
      « Un grand pavillon d'Apollon »
      (par Agneta Börtz-Laine) . . . . . . . 155
  M   Mobilier en Argent du Grand Appar-
      tement du Roi . . . . . . . . . . . . . . . . 163

  N   Argenterie et Services en Argent de
      la Table du Roi . . . . . . . . . . . . . . . 177
  O   Deux autres Groupes de dessins
      concernant l'Argenterie de Table . . . 189
  P   Consoles Dorés des Cabinets du Roi . 193
  Q   Importants dessins d'Argenterie par
      Nicolas de Launay . . . . . . . . . . . . . 199
  R   Projet de décoration de Jean Bérain
      pour le Carrosse de gala de Charles XI
      de Suède el le Carrosse de la duchesse
      d'Orléans (avec la collaboration de
      A. Tydén-Jordan) . . . . . . . . . . . . . 205
  S   Les Uniformes à Versailles . . . . . . . . 215
  T   Le Petit Trianon . . . . . . . . . . . . . . 

2ème Partie: OBJETS DÉCORATIFS DES
COLLECTIONS SUÉDOISES ET
DANOISES

AA  Les Meubles Bielke . . . . . . . . . . . . . 223
BB  Les Fauteuils de Bérain pour Carl
      Piper (avec la collaboration de Barbro
      Hovstadius) . . . . . . . . . . . . . . . . . 227
CC  Un Lustre suédois (par Barbro
      Hovstadius) . . . . . . . . . . . . . . . . . 229
DD  Service de Toilette de la duchesse
      Hedvig Sophia (par Mogens Bencard) 231
EE  Harnachement Français – partie de
      present politique de 1673 (par Astrid
      Tydén-Jordan) . . . . . . . . . . . . . . . 239
FF  D'autres Objets d'art . . . . . . . . . . . 243

# Introduction

Cette exposition est organisée dans le cadre d'un colloque international sur le château de Versailles. Le but des organisateurs a été de faire progresser les études sur ce sujet en permettant à un grand nombre de spécialistes, qui y ont travaillé ou qui y travaillent d'échanger des idées et des informations, non seulement au travers de leurs écrits, mais aussi dans le cadre de conversations moins officielles.

Des expositions importantes, publiques et privées ont également été organisées : elles devraient permettre des échanges intéressants à propos de nombreux problèmes concernant Versailles. Les institutions françaises ont été extrêmement coopératives. Le Cabinet des Dessins du Louvre présente une exposition de documents provenant des Fonds Le Brun et Mignard et ayant trait plus particulièrement à la construction du Château et de son parc. Des expositions, uniquement à l'intention des participants au Colloque, se dérouleront à l'intérieur même du Château. Le Musée de l'Histoire de France, aux Archives Nationales, organise à l'Hôtel de Soubise l'exposition de 195 dessins architecturaux tirés des collections des Bâtiments du Roi. Cependant, étant donné le caractère international de cette manifestation, il manquait à son programme une exposition de documents provenant de l'étranger. Après avoir étudié les différentes possibilités, il est apparu que, à défaut d'un emprunt à différentes collections internationales, qui aurait été impossible à réaliser et à financer, seule la qualité exceptionnelle des documents les plus importants contenus dans la collection du Nationalmuseum de Stockholm permettait de répondre aux exigences d'un Colloque sur Versailles.

La réputation de l'extraordinaire collection du Nationalmuseum de Stockholm est légendaire et concerne aussi bien l'architecture que l'ornementation et les arts décoratifs français. Le Département des Dessins comporte deux grandes collections : l'une appelée Tessin–Hårleman et l'autre Cronstedt. Ensemble, ces deux collections contiennent approximativement dix-neuf mille documents.

Cette exposition est la quatrième concernant ce sujet et se déroulant à Paris. Deux cent vingt et une planches, essentiellement de la main de Claude III Audran, ont été présentées à la Bibliothèque nationale en 1950[1]. L'année suivante, trois cents dessins ont été exposés au Château de Versailles[2]. Enfin, en 1972, à l'occasion de l'inauguration du Centre Culturel Suédois, on a pu voir soixante-dix documents illustrant l'histoire du Marais, des Invalides, et de la Place Vendôme[3].

Ces collections de Stockholm furent constituées au cours des dix-septième et dix-huitième siècles, pour que ceux qui travaillaient en Suède soient tenus au courant, et avec précision, de principales innovations de l'époque. D'ailleurs ces architectes suédois se trouvaient dans une situation exceptionnelle pour former ces collections. Les rois et les reines de Suède tenaient à s'entourer de dessinateurs et d'architectes bien formés et bien documentés. Tous les collectionneurs en question eurent la possibilité d'effectuer de longs séjours à l'étranger[4]. Ces collections ne furent donc pas constituées au hasard, et l'histoire de Daniel Cronström est exemplaire[5]. Il servit, en quelque sorte, d'agent artistique à Paris, entre 1693 et 1718. Sa correspondance avec Nicodème Tessin le jeune, l'architecte de Charles XI et Charles XII, décrit en détails les circonstances précises de l'acquisition de centaines de dessins et gravures. Ses remarques ajoutent à leur valeur en tant que documents d'histoire de l'art.

Les relations amicales qui régnaient alors entre la France et la Suède constituent un élément fondamental dans la formation de ces collections car les acheteurs connaissaient la France et l'Europe. Tessin fut sans doute le seul étranger à visiter Versailles de l'extérieur et de l'intérieur, tant du point de vue de l'architecte que du dessinateur. Ses dessins et ses notes sur Versailles et d'autres lieux en France constituent une partie importante de cette collection. La même cordialité dans les relations franco-suédoises et la même facilité d'accès aux dessins français subsistèrent pendant le dix-huitième siècle, culminant au moment des deux visites à Paris de Gustaf III. Toutefois l'intérêt du roi suédois se portait plus vers l'acquisition de travaux d'art décoratifs, de textiles, etc., que vers les dessins et son règne (1771–1792) marque la fin de la grande époque où les suédois collectionnaient les dessins d'architecture et les arts décoratifs.

Il est possible d'affirmer qu'il n'existe aucune collection de dessins comparable, en dehors de France, et que certaines de ces planches sont uniques, sans même de contre-partie dans les grandes collections françaises telles que les Archives Nationales (où se trouve le reste des matériaux des Bâtiments du Roi), le Cabinet des Estampes et l'Institut de France (qui possède le reste de la Collection Robert de Cotte) et le Cabinet des Dessins du Louvre (où se trouvent les dessins de Charles Le Brun et Pierre Mignard, saisis par Louis XIV, à la mort des artistes).

Même si les documents sur Versailles ne représentent qu'une petite partie de la collection de Stockholm, on peut affirmer qu'ils en constituent l'essentiel. Tout comme les créateurs de Versailles, les architectes suédois apportèrent une large contribution à la conception de palais royaux. Celui de Stockholm fut en construction de 1696 à 1753[6], et plus tard, d'autres modifications importantes furent encore apportées à l'intérieur. Les dessins des grands architectes et décorateurs de Versailles servirent d'inspiration pendant des décennies, au cours du dix-huitième siècle, jusqu'à ce que les prétentions autocratiques de la Reine Lovisa Ulrika et du Roi Gustaf III mettent l'archaïsme à la mode.

Pendant les premières années où les dessins architecturaux français furent si recherchés par les suédois, Versailles était sans aucun doute le lieu d'Europe d'où émanaient toutes les nouvelles tendances. C'est sans doute Tessin qui, de tous ses contemporains, rendit le plus grand hommage au patronage et aux réalisations de Louis XIV, en leur dédiant le dessin d'un temple d'Apollon qui devrait être construit à Versailles même (cf. cat. section L.)[7].

Alors que les années passaient, et que Paris rivalisait avec Versailles comme centre de la qualité du dessin français, tout ce qui y était réalisé, était étudié avec la plus grande attention. Hårleman et Jean Eric Rehn examinèrent, puis copièrent les dessins de Slodtz destinés à l'ameublement de la nouvelle salle du trône et Rehn alla jusqu'à exécuter des imitations pour celle de la Reine du Suède[8].

Le Nationalmuseum possède environ deux

cents dessins concernant directement Versailles. Ils sont d'une grande variété. Ce sont d'abord les dessins réalisés par Tessin pour illustrer les notes qu'il prit lors de ses premières visites (ces dessins eux-même offrent une grande variété de caractères et de dimensions, cf. cat. K.). De la même période, on trouve quelques feuilles qu'il reçut en présent ou qui lui furent envoyées après son retour en Suède. Une autre série de documents comprend des dessins avec des mesures minutieuses, faits par des dessinateurs professionnels, mais pas nécessairement des Bâtiments du Roi. Tessin en fit probablement la commande afin de préciser ses notes. Ceux qui représentent les bosquets aux alentours des fontaines de Versailles sont particulièrement nombreux.

Tessin vit Versailles, pour la dernière fois, en 1687 : une grande partie des travaux était alors terminée, mais certains chantiers étaient encore en pleine activité. Tout le restant de sa vie il continua de s'y intéresser. Le fait qu'il existe à Stockholm d'autres groupes de dessins que lui-même avait acquis, s'explique, car jamais il ne revint en France au cours des quarante dernières années de son existence. Le meilleur exemple, et le plus célèbre, de sa collection se trouve dans le plan du Grand Trianon, accompagné d'un mémoire écrit de la main de Le Nôtre lui-même (cat. H1, H1 bis).

L'intérêt de Tessin pour ce Trianon peut paraître surprenant. Dans son journal, célèbre source d'information quant à l'histoire brève de la construction du Grand Trianon, Tessin n'exprime que peu d'enthousiasme :

> J'ay esté plusieurs fois à Trianon et deux fois avec M<sup>r</sup> le Nôter, où le nouveau château se pousse à toutte vigeur, le corps du logis fût abbatu de rechef lors que j'y éstois, et il y a grand'apparence qu'il n'en sera fait (ja)mais quelque chose qui vaille…[9].

Tessin s'étonna, sans doute, de l'acceuil, dans l'ensemble favorable, fait à ce qui était réalisé et cela l'incita peut-être à demander à Le Nôtre, en 1694, un plan accompagné d'un commentaire. C'est ainsi qu'il essaya de se tenir informé.

Quand en 1693, Daniel Cronström fut envoyé à Paris comme une sorte de ministre de la culture, les choses prirent une allure systématique. Sa mission consistait non seulement à acquérir des gravures importantes qui devaient compléter les lacunes de l'assemblage de Tessin, mais également à se procurer ces dessins si les gravures n'etaient pas disponibles. Deux facteurs contribuèrent à sa réussite de grand collectionneur. Tout d'abord il s'efforça de créér des liens d'amitié avec tous ceux qui étaient, ou avaient été, aux Bâtiments du Roi. D'autre part, l'alliance franco-suédoise se consolidant toujours davantage et l'influence de Tessin sur le Roi de Suède étant presque officielle, on s'assura que toutes les facilités étaient accordées à son émissaire. On trouve un exemple peu ordinaire, important pour notre connaissance de Versailles, dans la décision du gouvernement de Louis XIV de permettre à plusieurs orfèvres parisiens de dessiner l'argenterie utilisée à la table du Roi à Versailles et à Marly en 1702 (cf. cat. section N.) ; cette autorisation fut accordée malgré l'opposition des membres de la Maison Royale.

C'est à cette époque que continua l'acquisition de nombreux dessins réalisés pour les Bâtiments du Roi. Une des principales sources se trouva dans la personne de Charles Perrault qui céda une partie des planches destinées au Grand Album, lequel était constitué afin de revendiquer l'attribution de la façade Est du Louvre à son frère[11]. L'album brûla au Louvre en 1870, donc ce qui se trouve à Stockholm est tout ce qui survécut de cette importante collection. Malheureusement, il n'est pas possible de déterminer exactement quels sont les dessins de Versailles qui seraient parvenus à Tessin de cette manière. Certes, il publia un catalogue en 1712, mais les descriptions qu'il nous donne sont bien trop générales pour permettre de nombreuses identifications.

L'apport de Carl Gustav Tessin, fils de Nicodème le jeune et l'un des meilleurs grands collectionneurs de dessins du dix-huitième siècle, n'est pas facile à préciser. Il séjourna à Paris entre 1715 et 1716 et a dù donner quelques conseils avisés à Cronström qui se trouvait encore dans la capitale française. Mais on ne possède guère de précisions sur les acquisitions de cette époque.

Carl Hårleman est peut-être le grand collaborateur méconnu qui aurait receuilli des documents de la plus haute qualité. Au cours de ses années de formation à Paris, entre 1721 et 1725, il passa son temps à copier et même à décalquer des planches de première importance (cf. cat. D. 19). Ses copies, en particulier de dessins de Le Nôtre qui sont perdus aujourd'hui, représente le plus grand accomplissement de ces années (cat. B 3). Elles furent probablement exécutées pendant qu'il travaillait assidûment à l'Académie Royale d'Architecture sous la direction de Claude Desgots et Jacques Cazés[12]. Mais on suppose qu'il acheta également un certain nombre de dessins qu'il ajouta à la collection de Tessin qui lui parvint au moment où il fut nommé *Surintendant des Bâtiments du Roi de Suède*, en 1728. Certains dessins de cette exposition ont parfois été attribués à Desgots (l'un d'entre eux est même signé de sa main). Cela tendrait à confirmer le rôle de Hårleman en tant que collectionneur de la *Versaillesiana*, ainsi que son sceau qui apparait sur un grand nombre de dessins de Stockholm (bien qu'il estampilla également les documents

que Tessin lui faisait parvenir).

La tâche de continuer les Collections de l'Office Bâtiments du Roi des Suédois n'aurait pu tomber en de meilleures mains que celles du successeur de Hårleman, Carl Johan Cronstedt, en 1753. A propos des études de Cronstedt à Paris, de 1731 à 1737, Moselius raconte : « Il se plongea avec une ardeur spéciale dans l'étude de l'architecture du grand siècle. Son intérêt se concentrait avant tout sur les châteaux et les jardins royaux : Versailles, Marly, Fontainebleau… »[13]. Ainsi, malgré l'arrivée du Rococo, et grâce à Cronstedt, Stockholm maintenait son intérêt pour Versailles.

En fait ce fut surtout pendant ses années d'études, plus qu'à l'époque où il fut architecte du Roi de Suède, que Cronstedt effectua les acquisitions les plus importantes. Il appartenait à une famille aisée, résidant au château de Fullerö, et son père, le comte Jacob Cronstedt, Conseiller du Royaume, était un grand bibliophile. Un des devoirs du jeune Cronstedt était d'enrichir la bibliothèque, et, naturellement, il achetait aussi des dessins. Le 10 aôut 1734, il écrivait à sa mère : « Je suis en train de négocier une affaire avec une succéssion. Il s'agit de l'achat d'une quantité de dessins laissée par un nommé Audran (Claude III Audran) qu'il a fait au cours de toute sa vie… »[14]. Ceci eut pour résultat l'acquisition de huit albums et d'un grand nombre de feuilles volantes, soit environ mille huit cent dessins.

Bien qu'Audran ait souvent travaillé en dehors des Bâtiments du Roi et qu'il ait entretenu des relations plus étroites avec Monseigneur le Dauphin qu'avec Louis XIV, et que seules quelques planches concernent Versailles, il était cependant toujours considéré comme un grand décorateur.[14] Tessin essaya même de le faire travailler en Suède et la collection Cronstedt–Audran est certainement un des joyaux de Stockholm. Bien qu'elle ait été insuffisamment étudiée auparavant, elle a fait le sujet de la première exposition à Paris de ces documents suédois. Elle n'a d'égal, dans le fini de la production d'un grand atelier sous Louis XIV, que le Fonds Le Brun, au Cabinet des Dessins.

L'intérêt de Cronstedt pour l'architecture et la planification, arts majeurs sous Louis XIV, l'amena à faire d'autres acquisitions. Parmi les documents Cronstedt, il est aujourd'hui difficile de distinguer ce qui fut dérobé à la Super-intendance de ce qui fut rééllement acheté par lui car on trouve un peu de chaque sorte dans sa collection. Quoi qu'il en soit, ses dessins de, ou pour, Versailles constituent l'essentiel de la collection et sont un élement majeur de cette exposition.

A l'exception peut-être de quelques planches qui entrèrent, presque par hasard, peu de choses furent ajoutées après le dix-huitième siècle. Personne ne chercha à acquérir ce qui aurait pu devenir disponible pendant la Révolution. Ce que nous voyons dans cette exposition aurait pu être montré du temps de Cronstedt.

Peter Thornton a récemment démontré l'importance fondamentale de plusieurs de ces dessins pour l'étude des plus belles pièces d'ameublement et de décoration intérieure du dix-septième siècle français. Etant donné l'absence d'autres sources et le fait que la compréhension de la documentation perdue dépend surtout de ces dessins, on ne pouvait donc être trop rigoureux pour leur sélection.

Il y a, bien sûr, à Stockholm, certains dessins de Versailles bien identifiés, tels que la célèbre série de Ballin-de Launay représentant le mobilier en argent massif du Château. On peut également voir dans cette exposition un certain nombre des dessins exceptionnels où figure la

table de Louis XIV, réalisée en 1702. Mais pour un nombre de documents, il est difficile de dire s'ils concernaient Versailles ou pas.

Les dessins d'art décoratifs présentés dans cette exposition sont une évocation de la façon dont Versailles était meublé à l'époque. En élargissant le contexte, il a été possible d'exposer et de publier ici, pour la première fois, une série de huit dessins, par le grand orfèvre Nicolas de Launay, pour un service de toilette, destiné non pas à Versailles, ni même à la France, mais à la Comtesse Oxenstierna à Stockholm. Ils sont représentatifs du dessin français de l'époque, à son plus haut niveau. Ils auraient été dignes de Versailles et représentent certainement le genre d'ouvrage qu'on aurait pu y trouver (voir Q).

Il nous a paru également justifié de montrer certains dessins de grands artisans, qui travaillaient à Versailles, et représentant des objets qui n'existent plus en France. Les célèbres dessins de Jean I Bérain, pour le Carrosse de Couronnement de Charles XI de Suède, en sont un exemple. Ils peuvent sans doute évoquer un aspect particulièrement éphémère, mais important de la vie à Versailles : les grands défilés de Rois et d'Ambassadeurs. (cf. cat. R) Mais ce genre d'ouvrage fait exception dans la ligne générale de l'exposition qui consiste à montrer des documents sur Versailles et ses dépendances immédiates.

Une autre exception à la règle a été faite afin de présenter un certain nombre d'objets qui permettaient de donner une idée plus tangible du type d'objets pour lesquels, ou d'après lesquels, certains dessins furent exécutés. Nous n'avons pas pu résister à exposer des tissus et des broderies du 17ème siècle, dont l'état de conservation est étonnant et qui ont doté la Suède d'une collection unique en son genre.

Le grand lit de Bielke apparemment un présent de Louis XIV à Nils Bielke, une des gloires (en parfait état) de la collection des arts décoratifs du Nationalmuseum, aurait été une belle pièce à exposer, mais il ne pouvait évidemment pas supporter les risques d'un transport. Toutefois ce lit fit envisager la possibilité d'exposer d'autres œuvres exceptionnels. Il a été possible de montrer des meubles que le Comte Bielke acheta en 1680, quand il était Ambassadeur à Paris. Ces objets, qui se trouvent habituellement à Salsta, comptent parmi les reliques les plus importantes du mobilier sous Louis XIV. Les fauteuils, les chaises et le lit de repos viennent d'une chambre à Salsta qui possède encore quatre portes apportées de France et, fait plus étonnant, ils sont assortis à la tapisserie de soie qui fut posée sur les murs vers 1680 (voir AA!). Ils sont peut-être un peu moins admirables que ceux qui étaient faits pour Versailles, mais ils furent réalisés par Lefèvre et Dufour en 1680. Ils contribuent à une meilleure compréhension de Versailles, car aucune documentation sur les sièges de la maison Royale n'a survécu et Lefèvre travailla pour l'Orangerie.

Il existe tant de présents royaux à Stockholm, qu'ils pourraient, à eux seuls, faire l'objet d'une exposition. Nous avons décidé d'en présenter un petit nombre, le sommet de l'iceberg pour ainsi dire, en particulier ceux pouvant évoquer l'aspect de Versailles sous l'Ancien Régime. A n'en point douter, les livrées de chevaux, offertes à Charles XI par Louis XIV, en 1673, mériteraient une mention spéciale (cat. EE). De telles pièces existent au Musée de l'Armée, mais aucune ne possède la qualité ni la variété de couleurs de celles de Stockholm et certaines de Stockholm sont encore accompagnées des pistolets de Jean Bérain qui faisaient partie du cadeau. Même les images des chevaux sont préservées dans des grandes pein-

tures de Ehrenstrahl, à Gripsholm.

Le Château de Rosenborg, à Copenhague, nous a généreusement prêté un service de toilette très rare, en argent, ayant appartenu à Hedvig Sophia, Duchesse de Gottorp et sœur de Charles XII, qu'elle reçut peut-être en cadeau de sa mère, Ulrika Eleonora, la Reine douairière. Ce service s'insère naturellement au sein d'une exposition qui présente de si nombreux dessins d'orfèvres français, y compris le service de toilette de de Launay.

Guy Walton
New York University

## Notes à l'Introduction

1. Weigert, Roger-Armand et autres, Catalogue d'exposition de la Bibliothèque Nationale, *Dessins du Nationalmuseum de Stockholm, Collections Tessin et Cronstedt, Claude III Audran (1658–1734), Dessins d'architecture et d'ornement*, Paris, 1950.
2. Château de Versailles, Catalogue d'Exposition, *Versailles et les châteaux de France, Trois Cents Dessins du Musée National de Stockholm*, Stockholm, 1951.
3. Johnsson, Ulf, Catalogue d'Exposition du Centre Culturel Suèdois, *Le Marais, Les Invalides, Place Vendôme*, Paris, 1972.
4. Sur les origines de cette tradition, voir Sirén, *Nicodemus Tessin d. y:s Studieresor*, Stockholm, 1914.
5. Weigert, R-A et Hernmarck, C, *L'Art en France et en Suède 1693–1718*, Stockholm, 1964.
6. Kommer, Björn R, *Nicodemus Tessin und das Stockholmer Schloss*, Heidelberg, 1974.
7. Börtz-Laine, Agneta, "Nicodemus Tessin d. y:s projekt till en *Grand pavillon d'Apollon* i Versailles", *Konsthistorisk tidskrift*, XLIX, pp 91–107.
8. Wahlberg, Anna-Greta, *Jean Eric Rehn*, Stockholm, 1983, pp. 31–39.
9. Tessin, N, le jeune, "Relation de la visite de Nicodème Tessin à Marly, Versailles, Clagny, Rueil et Saint-Cloud en 1687" *Revue de l'histoire de Versailles* n° 29, 1926, p. 291.
10. Voir note 5. pour la référence au livre qui publie les lettres de Cronström.
11. Laprade, Albert, *François d'Orbay*, Paris, 1960, pp. 302–303.
12. Cederlöf, Ulf, *Svenska Teckningar 1700-talet*, Stockholm, 1982, p. 50, et Strandberg, R, "André Le Nôtre et son école", *BSHAF*, 1960.
13. Moselius, David, Catalogue d'Exposition de la Bibliothèque Nationale, *Audran*, Paris, 1951, p. xv, voir note 1.
14. *Audran*, op. cit. p. xviii.

# Remerciements

Il y a trois ans, quand les grandes lignes du Colloque de Versailles étaient esquissées, j'ai demandé à Per Bjurström, Directeur du Nationalmuseum de Stockholm, s'il serait possible d'organiser en même temps une exposition des dessins les plus importants sur Versailles, qui se trouvent au Cabinet des dessins de son musée. Enthousiasmé par l'idée, il a proposé de contacter les Directeurs du Centre Culturel Suédois à Paris pour s'assurer de leur participation. Cette exposition en est le résultat. Avec Ragnar von Holten, Conservateur en Chef au Cabinet des dessins de Stockholm, ils ont accepté de me prêter tout le matériel que je désirais, dans la mesure de l'espace disponible à l'Hôtel de Marle. Cela nous a permis de réaliser une exposition où l'on peut voir la quasi totalité des dessins de Versailles, ainsi que ceux de Marly et Clagny, qui sont conservés à Stockholm. Cet événement sert donc de cadre propice à une rencontre d'experts venus du monde entier. Mais la contribution de M. Bjurström ne s'est pas limitée à notre accord : sans cesse, il a su nous apporter l'aide et les encouragements dont nous avions besoin.

Ulf G. Johnsson, Conservateur en Chef des Collections des Châteaux de Suède, a été notre principal soutien. Il n'est pas possible de faire ici la liste de ses nombreuses contributions. Nous nous contenterons donc de préciser qu'il occupe également les fonctions de Conservateur du musée Tessin à l'Hôtel de Marle et a ainsi facilité les contacts avec le Centre Cultu-

rel Suédois à Paris, planifié l'exposition et l'accrochage des dessins. De même, il a servi d'agent de liaison entre moi-même et d'autres collaborateurs qui travaillaient à Stockholm quand je n'y étais pas. Cette exposition est son œuvre autant que la mienne. Son collègue, Lars Sjöberg, Conservateur des Collections des Châteaux de Suède, nous a apporté des informations très importants sur les meubles Bielke et la Toilette Oxenstierna.

Un fardeau considérable s'est abattu sur les épaules du personnel permanent au Cabinet des dessins à Stockholm. Ragnar von Holten, Conservateur en Chef, ainsi que Börje Magnusson et Ulf Cederlöf, Conservateurs, ont aidé à résoudre des problèmes de tous ordres. Magnusson a effectué la transcription du texte allemand de cat. K 1. Je leur suis extrêmement reconnaissant pour leur patience et pour leur aide. Le Dr. Agneta Börtz-Laine, du Département d'Éducation au Nationalmuseum, a également joué un rôle important en acceptant d'écrire le texte de la section « L » du catalogue qui traite des dessins de Tessin pour le projet d'un Temple d'Apollon à Versailles. D'autres collaborateurs ont également participé à ce catalogue. Astrid Tydén-Jordan, Conservatrice au Livrustkammaren du Palais Royal, a écrit la plupart des articles concernant les carrosses et livrées ; Barbro Hovstadius, Conservatrice-adjointe au Département des Arts Décoratifs du Nationalmuseum, a fourni deux notices ; enfin, Mogens Bencard, Conservateur au Château Rosenborg à Copenhague a

13

écrit les introductions à la « toilette » en argent de la Duchesse de Gottorp.

Les suggestions préliminaires du Professeur Gerold Weber, du Dr. Robert Berger et du Dr. Ann Friedman m'ont grandement aidé à sélectionner les dessins à exposer. En outre, le Professeur Patrik Reuterswärd a su attirer mon attention sur de nombreuses de planches que j'aurais pu négliger.

Au cours de l'été 1984, j'ai reçu à Stockholm la visite de plusieurs experts qui m'ont aidé à évaluer certains dessins et à rédiger certains articles du catalogue. Les connaissances de Danielle Gallet, Conservatrice aux Archives Nationales et de Christian Baulex, Conservateur à Versailles, m'ont aidé à mieux comprendre les richesses de Stockholm et m'ont épargné de graves erreurs. Des questions utiles ont été soulevées par Sir Francis Watson, Conseiller de la Reine en matière d'œuvres d'art, ainsi que par Gillian Wilson, Conservatrice aux Arts Décoratifs du Musée J. Paul Getty et Michael Conforti, Conservateur des Arts Décoratifs au Minneapolis Institute of Arts. W. H. Adams m'a aidé à regarder les dessins des jardins. Cette visite ayant été brève, aucun de ces « conseillers » ne peut être blamé pour des erreurs que j'aurais commises. A peine une petite partie de ce matériel a-t-elle pu être discutée avec eux.

Je suis extrêmement reconnaissant au Directeur du Husgerådskammaren, Stig Fogelmarck, pour le temps qu'il a passé à discuter avec moi des possibilités de prêts. Je regrette seulement que l'Hôtel de Marle ait été trop petit pour accueillir les magnifiques Savonneries offertes à la Suède par les rois qui régnaient à Versailles. Qu'il nous soit possible d'exprimer ici notre profonde gratitude au Livrustkammaren, à la Bibliothèque Royale de Stockholm, à l'Université de Uppsala et à Rosenborgs Slott pour les prêts qu'ils nous ont accordés.

La rédaction de ce catalogue a constitué un travail de longue haleine, souvent soumis à des contraintes de temps. Ma secrétaire, M. J. Vogelsang a largement été à la hauteur de la tâche pour rendre intelligible un manuscript souvent peu soigné. Pour les mêmes raisons, ma traductrice Simone Manceau mérite une mention spéciale. Son excellent travail parle pour lui-même, sans négliger qu'elle a souvent eu affaire à des textes extrêmement difficiles. Gunilla de Ribaucourt, du Centre Culturel Suédois, a traduit les textes écrits par Agneta Börtz-Laine, Barbro Hovstadius, Ulf G. Johnsson et Astrid Tydén-Jordan. Claes Elleberg a étudié et enregistré les filigranes des dessins. Roland Bossard a fait une nouvelle transcription à partir des écrits de Tessin contenus dans son journal et reproduits dans ce catalogue. Celui-ci a été imprimé sous la supervision du Chef du Département d'Éducation au Nationalmuseum, Nils-Göran Hökby, que je tiens à remercier pour avoir mené à bien un travail long et parfois fastidieux.

Le Comité International pour le Colloque Versailles a apporté une contribution substantielle à cette exposition, en payant mes frais de voyage à Stockholm pour que je puisse sélectionner le matériel et écrire le catalogue. Il a également contribué aux dépenses de quelques uns des experts qui sont venus en consultation à Stockholm, en 1984. Je souhaiterais exprimer ici ma gratitude à certaines personnes et fondations qui ont contribué à ce Comité : La S. H. Kress Foundation, le L. A. Wallace Fund, Mme Charles Wrightsman, M. et Mme Gordon Getty, M. et Mme John Gutfreund, M. et Mme A. Alfred Taubman, Mme Fredrick M. Stafford et Mme Guy Walton. Le National Endowment for the Humanities (Washington,

D.C.) m'a accordé une bourse pour étudier Nicodème Tessin le jeune. Ces études se reflètent dans de nombreux articles de ce catalogue. Un congé sabbatique de six mois en 1983, de l'Université de New York, m'a laissé le temps d'étudier les dessins de Versailles à Stockholm.

Le J. Paul Getty Trust (Los Angeles, California) nous a généreusement accordé la subvention qui a permis la publication de ce catalogue. Je tiens particulièrement à exprimer ici ma gratitude au Dr. Deborah Marrow du Département des Getty Trust Grants, qui m'a aidé à préparer ma demande, et à Gillian Wilson et le Dr. Laurie Fusco, du J. Paul Getty Museum qui ont organisé les conférences que j'ai données à Malibu pour aider à financer les consultations avec les représentants du Getty Trust.

Guy Walton
Mai, 1985.

# Première partie

# Dessins du Nationalmuseum de Stockholm

Catalogue par
Guy Walton

avec la collaboration de
Agneta Börtz-Laine
pour le Temple d'Apollon de Tessin
et
Astrid Tydén-Jordan
pour le Carrosse de Bérain

# Note d'introduction au Catalogue des dessins du Nationalmuseum sur Versailles

Le catalogue poursuit un double but. Il s'agit tout d'abord et dans la mesure du possible, de définir l'origine de chaque dessin exposé : par qui et pour quoi a-t-il été réalisé? Les collections de Stockholm contiennent de nombreux dessins de travail et de nombreux autres faits par des artisans étrangers à la Maison du Roi.

Il a semblé essentiel de les distinguer les uns des autres, bien que cela n'ait pas été toujours possible.

Ce catalogue se propose un second but : expliquer la signification historique de chaque document exposé. A cette fin nous avons tenté de distinguer ce que chacun de ces dessins révèle sur l'histoire de Versailles et de ses dépendances.

Nous espérons que l'exposition et le catalogue pourront être usilisés par le grand public comme une sorte de mini-histoire de Versailles. Mais ceci ne peut être que partiellement réalisé. Certains aspects de cette histoire, qui intéressaient particulièrement les architectes de le Cour Royale de Suède, sont extrêmement documentés. Alors que d'autres sont négliges. En plus les gravures ne sont pas exposées ici que les Suédois ont jugé essentielles à la connaissance de Versailles.

Ce catalogue est le fait d'un « conservateur honoraire » et non des services du Nationalmuseum.

Ces circonstances n'ont pas permis que le catalogue ait un aspect définitif. L'auteur de la plupart des articles n'a eu accés aux documents que durant quelques visites de deux ou trois semaines. Durant cette période, les dessins ont été choisis et retirés de leurs casiers, tandis que les éléments importants du catalogue étaient rassemblés et que la rédaction en était commencée. Tout le catalogue fut rédigé dans des délais extrêmement limités, excluant des recherches plus approfondies.

Les registres des dessins d'architecture à Stockholm n'étaient ni mis à jour ni complété depuis longtemps, aucun conservateur n'étant nommé uniquement à cette tâche. Dans le laps de temps dont on disposait, il n'était pas possible d'y remédier et de rassembler une bibliographie complète pour les articles du catalogue. Les bibliographies des articles sont donc incomplets, une combinaison des informations des archives du Musée et des souvenirs de l'auteur de ce catalogue.

Etant donné les circonstances, l'idée de demander à un certain nombre d'experts d'écrire les différentes parties du catalogue était séduisante, mais difficile à réaliser. Si Agneta Börtz-Laine a écrit l'introduction et l'article sur le Temple d'Apollon par Tessin et si Astrid Tydén-Jordan a introduit et écrit les articles sur les dessins de Bérain pour le carrosse de Charles XI, il restait les principaux sujets, à savoir le château, ses chapelles, ses jardins, l'ameublement et l'argenterie, les décorations peintes et sculptées, la ville de Versailles, la Ménagerie et le Grand Trianon, les écuries, Clagny et Marly : et c'est Guy Walton qui a écrit ces articles, bien que n'étant un expert que sur certains de ces sujets.

Le manque de temps a aussi empêché l'examen systématique de l'histoire de l'interprétation des dessins dans la littérature spécialisée, comme devrait le faire tout catalogue idéal. Le résultat est donc ce qui pourrait s'appeler un texte personnel, les réflexions de l'auteur, à partir de la littérature citée dans les bibliographies des articles.

# Note sur le Nom des Artistes
# Cités dans les Légendes

A de rares exceptions près, les dessins de cette exposition ont trait à l'Architecture et aux Arts Décoratifs. Il n'a pas toujours été facile d'identifier les auteurs de ces planches, même quand le dessin est fort documenté ou accompagné d'un mémo, ce qui est le cas du plan du Grand Trianon de 1694. Certes Le Nôtre parle de son travail sur cette planche, mais il est impossible d'affirmer qu'elle est entièrement de sa main car la plupart des grands architectes et artistes de Versailles disposaient de dessinateurs spécialisés qui travaillaient pour eux. Pour un catalogue de peintures ou de sculptures, ce type de dessins serait accompagné de la mention : « Atelier de.... » Mais ici, quand un artiste donne son nom à un travail (comme dans le cas des dessins de de Launay), nous ne donnons que le nom de cet artiste pour le dessin.

Les dessins réalisés à Versailles posent un autre problème : Peu après sa nommination à la Surintendance des Bâtiments du Roi, il semble que Jean-Baptiste Colbert ait organisé un atelier royal. Un groupe de dessinateurs, sous François d'Orbay, fournissait des dessins à différents architectes. Ils travaillaient en particulier à la préparation de projets qui devaient être soumis à la décision du Roi. Autour de 1670, on voit apparaître un style uniforme, plutôt anonyme et provenant évidemment des Bâtiments du Roi. Cela marquait un changement par rapport à la période antérieure, où il semble que chaque grand architecte avait sa propre équipe de travail. Il nous a paru raisonnable d'utiliser la formule « dessinateur des Bâtiments du Roi » quand il était difficile de nommer précisément l'auteur. Quelques dessins antérieurs sont attribués aux ateliers de Le Vau et de Mansart.

La désignation « Dessinateur des Bâtiments du Roi » a une importance considérable dans ce catalogue. De nombreux dessins de Stockholm, en réalité, n'ont pas été réalisés au Bâtiments du Roi, mais sont l'œuvre d'artistes commandités par les Suédois au 17ème et au début du 18ème siècle. Aux Bâtiments du Roi, on produisait généralement des dessins de projets ou des épreuves de travail concernant la construction du château et de ses dépendances. Les autres dessins, par d'autres artistes, ne font que consigner (et parfois mesurer) ce qui était déjà construit. Ces planches ne sont pas dépourvues d'intérêt sur le plan historique, mais elles ne peuvent être considérées comme des originaux. De ces dessins anonymes, « faits après l'objet qu'ils représentent », on peut voir ici quelques exemples représentatifs, d'un intérêt particulier.

Pour plusieurs planches, nous avons utilisé ici l'expression : « Dessinateur Anonyme ». La plus grande partie d'entre elles est réalisée sur du papier français du 17ème siècle et l'on peut supposer que nombre de leurs auteurs sont des Français qui ne travaillaient pas pour la Maison Royale. Nous avons également inclus quelques copies, faites par des Suédois, de dessins français égarés. Si la provenance suédoise est prouvée, il en est fait mention dans le commentaire de ce catalogue. Parfois enfin, l'expression « Dessinateur Anonyme », signifie simplement que l'auteur de ce catalogue ne connaissait ni le nom de l'auteur, ni la provenance du dessin.

# Note sur la provenance des dessins du Nationalmuseum

Tous les dessins montrés dans cette exposition se trouvent en Suède depuis 1790, et même en majorité depuis 1740. Ils ont tous appartenu aux collections de la Surintendance des Bâtiments du Roi. Cette période concerne quatre surintendants : les deux Tessins, Hårleman et Cronstedt. Mais il n'est pas toujours possible de déterminer avec précision qui fut l'acquéreur de tel ou tel dessin. La situation se trouve compliquée du fait que certains documents furent dérobés à la Surintendance par Hårleman et Cronstedt. Le sens de la propriété privée de ces collectionneurs semble avoir été parfois plutôt vague.

Une division fondamentale est faite parmi les dessins de Stockholm : ceux marqués aux chiffres THC et ceux marqués CC. La plupart des THC firent partie de la collection Hårleman, et les CC appartinrent à Cronstedt. Il est plus difficile de savoir lesquels furent acquis par un des Tessins et si l'on possède des informations sur leur histoire antérieure, en France. Des œuvres documentés de la collection Hårleman se trouve dans la serie CC.

Les sources les plus importantes sont constituées par les inscriptions portées sur les dessins, les notes et le journal de Nicodème Tessin, le jeune, la correspondance entre N. Tessin et D. Cronström, entre 1693 et 1718 (publiée par R. A. Weigert et C. Hernmarck, *L'art en France et en Suède*, Stockholm, 1964) ainsi que le *Catalogue Des Livres, Estampes et Desseins du Cabinet Des beaux Arts et des Sciences Appartenant Au Baron Tessin...*, Stockholm 1712. L'énorme correspondance, non-publié (11.000 pages), de Carl Gustaf Tessin contient certainement des commentaires sur certains dessins. Mais elle n'a pas été publiée. Elle n'a donc pas d'utilité pratique pour cette exposition.

Dans la plupart des articles du catalogue, la provenance des dessins ne sera pas spécifiée. Toutefois, si l'œuvre a été mentionnée dans un des textes cités plus haut, sa provenance sera indiquée, ainsi que la source d'information et la date d'acquisition ou de commande, au cas où ces informations seraient révélées par la dite source.

# Liste des abréviations
## utilisées dans les notes bibliographiques

| | |
|---|---|
| Audran (1950) | Moselius, C. D. et Weigert, R. A. *Claude III Audran, L'Art décoratif français au Musée de Stockholm*. Bibliothèque Nationale, Paris, 1950. |
| Berger (1980) | Berger, Robert W., « The Chronology of the Enveloppe of Versailles » *Architectura*, Bande 10, 1980. |
| B.S.A.F. | Bulletin de la Société de l'histoire de l'art français. |
| Clément, V | Clément, Pierre, éditeur, *Lettres, Instructions et Mémoires de Colbert*, V, Paris, 1868. |
| Gallet (1983) | Gallet, D. et Baulez, Christian, « Versailles, Dessins d'Architecture de la Direction Générale des Bâtiments du Roi », Paris, 1983. |
| G.B.A. | Gazette des Beaux Arts. |
| Hall (1974) | Hall, Thomas, *Arkitekturritningar och gravyr ur Nationalmuseums Samlingar, Versailles*, Stockholm, 1974. |
| Hazlehurst (1980) | Hazlehurst, Hamilton F, *Gardens of Illusion, the Genius of André Le Nostre*, Nashville, 1980. |
| Heawood | Heawood, Edward, *Watermarks, Monumenta Charta Papyraceæ*. Hilversum, 1950. |
| Hedin (1983) | Hedin, Thomas, *The Sculpture of Gaspard and Balthazard Marsy*, Colombia, 1983. |
| Laprade (1960) | Laprade, Albert, *François d'Orbay*, Paris, 1960. |
| Marie, A. (1968) | Marie, Alfred, *Naissance de Versailles*, 2 vol., Paris, 1968. |
| Marie, A. et J. (1972) | Marie, Alfred et Jeanne, *Mansart à Versailles*, 2 vol., Paris, 1972. |
| Marie, A. et J. (1976) | Marie, Alfred et Jeanne, *Versailles au temps de Louis XIV*, Paris, 1976. |
| Nolhac (1925) | Nolhac, Pierre de, *Versailles, Résidence de Louis XIV*, Paris, 1925. |
| Petzet (1961) | Petzet, Michael, « Quelques projets inédits pour la chapelle de Versailles » *Art de France I*, 1961. |
| Souchal (1977) | Souchal, François, *French sculptors, Reign of Louis XIV*, Vol. I, London, 1977. |
| Thornton (1978) | Thornton, Peter, *Seventeenth Century Interior Decoration in England, France and Holland*, New Haven and London, 1978. |
| *300 Dessins* (1951) | *Versailles et les Châteaux de France, Trois Cents Dessins du Musée National de Stockholm*, Paris, 1951, (catalogue imprimé à Stockholm). |
| Weber (1974) | Weber, Gerold, « Ein Kaskadenprojekt für Versailles... » *Zeitschrift für Kunstgeschichte, 1974.* |
| Weber (1975 I.) | Weber, Gerold, "Theaterarchitektur am Hof von Louis XIV", *Bollettino del centro Internazionale di Studi di Architettura Andrea Palladio*, XVII, 1975. |
| Weber (1975 II) | Weber, Gerold, « Der Garten von Marly (1679–1715) », *Wiener Jahrbuch für Kunstgeschichte* XXVIII, 1975. |

# A | Grands plans du Château de Versailles et du Parc

La collection de Stockholm contient relativement peu de grands plans importants de Versailles. Ils appartiennent tous à une période limitée entre 1670 et 1690. Donc aucun document du Nationalmuseum ne montre l'état du Palais et ses jardins au dix-huitième siècle, ni même pendant les dernières années du règne de Louis XIV, qui mourut en 1715. De plus, la plupart de ces documents ne proviennent pas des Bâtiments du Roi. Il semble que les architectes de la Cour Royale de Suède les aient obtenus auprès de dessinateurs indépendants et ils sont d'ailleurs de qualité variable. Néanmoins, dans le contexte de cette exposition, ils permettent de donner une idée générale du cadre dans lequel ces dessins détaillés devraient être vus, et l'un d'entre eux, (cat. A 1) est un ouvrage majeur, un document exceptionnel de l'histoire de Versailles.

## A 1

### Dessinateur des Bâtiments du Roi

### LE CHÂTEAU DE VERSAILLES, LA VILLE PROJETÉE ET EXISTANTE, UNE PARTIE DES JARDINS

Plume et encre noire, lavis gris, vert et bleu, additions en sanguine et crayon.
H. 1080, L. 1200
Filigrane: Heawood 228
Inscriptions: Plusieurs notes et inscriptions de deux ou trois écritures différentes (voir ci-dessous)
Collection Tessin Hårleman: THC 2

Bibliographie: Reuterswärd (P.), *The Two Churches of the Hôtel des Invalides*, Stockholm, 1964, p. 82, fig. 30, Marie (A. et J.) (1972), I, p. 80, Weber (1975), I, fig. 162. Walton (G.) « L'enveloppe de Versailles : Reflections Nouvelles et Dessins inédits », *B.S.A.F.*, Année 1977, (Paris 1979), fig. 4, p. 130.

Ce dessin donne des indications extrêmement importantes sur la planification de la ville et du château de Versailles entre 1669 et 1670.

Nous voyons ici les dessinateurs de Versailles au travail, dans une période d'activité spectaculaire.

Les inscriptions sur le dessin sont de deux sortes : celles qui identifient les bâtiments, les secteurs ou les rues, et celles qui donnent le nom des personnages auxquel étaient destinés les résidences et les jardins. Au sud-est du château, on peut lire « Pavillon de Roy » et « Mons de Guise » pour indiquer à qui était réservé les structures situées à chaque extrémité de l'alignement des bâtiments, au sud de la Place. La partie royale, qui d'après le rapport de

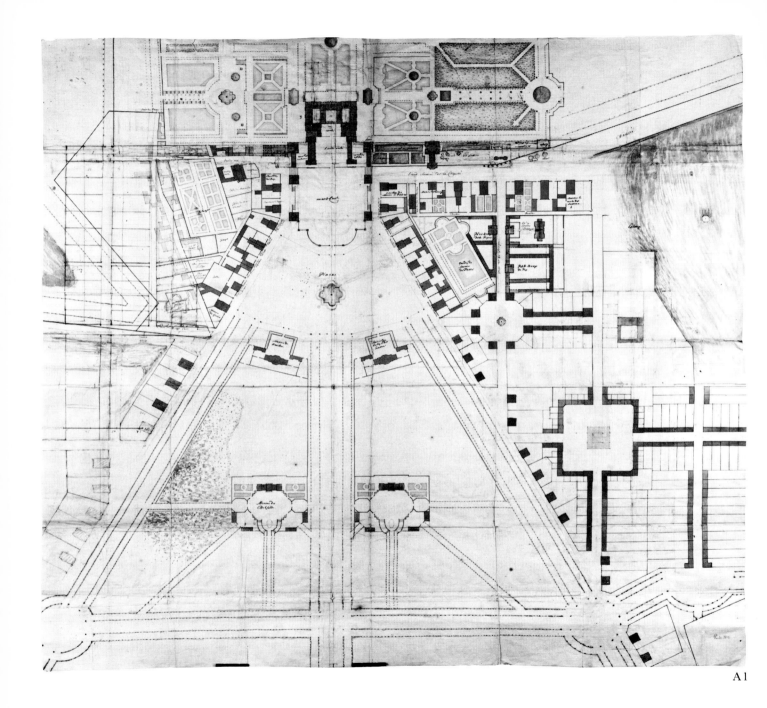

A1

Petit daté du 4 mai 1665 était alors terminée, pourrait préfigurer les Communs actuels. A côté se trouve une structure plus petite, destinée à la reine, (d'après l'inscription). Les deux grands hôtels, face au château, vers l'est, sont attribués à M. de Noailles et M. de Lauzun (cf. cat. nº F 2). Ils furent également construits vers 1665. Sur les bâtiments situés au nord on peut aussi lire le nom des occupants. La partie la plus importante est destinée à « Monsieur le Prince » (à l'extrémité supérieure) et à M. de Plessis. Celui-ci ne bénéficie que de la modeste moitié d'un bâtiment, au centre de cet alignement d'hôtels, mais il jouit par contre d'un très grand jardin, réprésenté en détail sur le plan. Une autre grande construction est allouée à l'Evèque de Soissons, au bout du « Gd. Chemin de la Chaussée » prés de l'« Etaing de Clagny ». On peut voir l'emplacement des écuries de la reine et d'une Grande et Petite Ecurie du Roi, au-delà du jardin de du Plessis.

Ce dessin semble avoir été réalisé en quatre phases, au moins. Il y a d'abord un plan général du château, du jardin et de la ville, telle qu'elle existait ou devait être réalisée. (L'aspect général du château étant le même qui apparait sur les plans des Archives Nationales et du Cabinet des Dessins, qui le représentent tels qu'il fut érigé en 1670, cette phase du dessin doit dater de la même année ou juste avant.) On a dit que la présence d'un grand opéra et d'un immense pavillon (prés du reservoir) pourrait être une tentative de donner une forme définitive aux installations provisoires de la fête de 1668 (cf. bibl. Walton). Le premier architecte Louis Le Vau et ses collaborateurs doivent être en grande partie responsables de la fête et du plan d'ensemble.

Des changements importants furent effectués sur la partie nord de la ville (à gauche), après que le premier dessin fût achevé. Le secteur de la place du marché est transformé, beaucoup de rues et d'ensemble de maisons sont ajoutés sur un dessin collé sur le premier et de style très semblable.

Une nouvelle conception de la ville est évidente sur le dessin à la sanguine qui couvre une grande surface sur la gauche de la feuille. Un projet de grande église est même envisagé ainsi que la destruction de la majeure partie du vieux village. Il s'agit, semble-t-il, de la troisième phase de la planification, dessinée directement sur le plan.

Les tracés à la sanguine concernant les dépendances du château sont particulièrement intéressants, même s'il n'est guère facile de les dater par rapport au developpement du plan de la ville. Une nouvelle cour, probablement pour les « offices » (de la Reine?) est projetée à l'est de l'opéra, tandis que des structures importantes, comprenant les 3 galleries et une nouvelle pompe prennent forme dans le secteur des réservoirs.

La partie supérieure du dessin semble avoir été coupée, nous privant ainsi de la plupart du jardin. Mais un autre agrandissement du parterre de l'Orangerie (celui de Le Vau de 1662 existe) avec une cascade, retient notre attention, ainsi que la belle fontaine de la Grand Place, face au palais.

Face à l'« avant court », on peut voir d'importants changements légèrement esquissés au crayon : allongement des ailes, pavillons éventuels aux coins. C'est donc un tout autre arrangement de l'entrée principale qui est considéré dans ce nouveau tracé.

# A 2

## Claude Desgots (?)

mort en 1732

### LE CHÂTEAU, LE PARC ET LES ÉCURIES DE VERSAILLES

Plume et encre noire, lavis gris, vert et jaune-vert. H. 1090, L. 660. (Non exposé)
Filigrane : Heawood 1323
Inscriptions : aucune.
Collection Tessin-Hårleman : THC 7922

Bibliographie : Strandberg G. *B.S.A.F.*, 1960, p. 119, Hazlehurst, (1980), p. 83 et fig. 57.

Ce plan très pittoresque prend la liberté de montrer à la fois la façade et le plan des bâtiments principaux, ce qui les déforme légèrement.

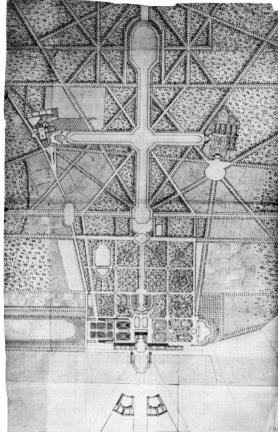

A2

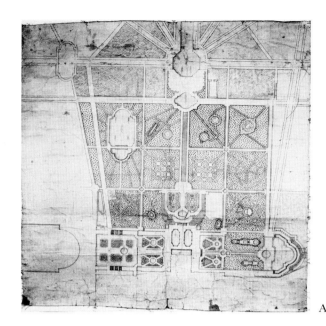

A3

## A 3

Claude Desgots (?)

mort en 1732

### PLAN D'ENSEMBLE DES JARDINS

Plume et encre noire, lavis gris, vert et bleu.
H. 1060, L. 1010. (Non exposé)
Filigrane : Heawood 2119
Inscriptions : aucune.
Collection Tessin-Hårleman : THC 7921.

Bibliographie : Strandberg (cf. A. 2) et Weber G., Zeitschr. F.
    Kunstg. 36 (1974).
    Bibliographie annexe : Berger R. « Bernini's Louis XIV Eques-
    trian : Examination of Its Fortunes at Versailles », Art Bulletin,
    1981, pp. 232–48.
Exposition : Hall (1974)

Il pourrait être daté de 1686, en tous cas certaine-ment après 84 et avant 88. Cette période apparait évidente à cause de la présence du Trianon de Porcelaine, du traitement du Bassin de Neptune, encore dépourvu du *Marcus Curtius* de Bernini/Girardon et la présence des quatre socles pour les *Enlèvements* de l'Orangerie.

Il s'agit surtout d'une représentation des jardins et du parc. L'interprétation du jardin de la Ména-gerie est particulièrement interessante (cf. cat. I), tout comme la terrasse autour du bassin de Nep-tune.

L'attribution à Desgots, acceptée par Hazlehurst (cf. Bibl. ci-dessus) mériterait d'être encore dis-cutée.

Ce dessin est d'une manière similaire, mais non identique à A 2. Quelques petits détails suggèrent une date d'execution légèrement postérieure, en particulier l'indication de préparations pour l'ins-tallation d'une sculpture imposante derrière le bas-sin de Neptune. En 1687, on pensait probablement

A4

au *Marcus Curtius* de Bernini/Girardon. Il est également à noter que les quatre socles pour les *Enlèvements* ont disparu du parterre de l'Orangerie.

Il s'agit ici d'un ouvrage soigneusement exécuté qui nous renseigne en détail sur l'état des jardins de Versailles sous Louis XIV, au moment de leur grande gloire, grâce à la collaboration fructueuse d'André Le Nôtre, de Charles le Brun et Jules Hardouin Mansart.

# A 4

## Dessinateur Anonyme

### PLAN DETAILLÉ DU CHÂTEAU DE LA VILLE DES JARDINS ET DES ENVIRONS DE VERSAILLES

Plume et encre noire et rouge, crayon et lavis gris, vert et bleu.
H. 1260, L. 570.
Filigrane : Heawood 222.
Plusieurs inscriptions.
Collection Tessin-Hårleman : THC 1.

Bibliographie : Strandberg R., « André Le Nôtre et son école », *B.S.A.F.*, 1960, p. 123.

Le style n'est pas celui des Bâtiments du Roi, mais plutôt celui d'un cartographe. Deux détails permettent d'avancer la date de 1687. Le Grand Trianon a été construit et apparait sous sa forme initiale. De plus, l'emplacement de la statue Bernini/Girardon est indiqué à côté du Bassin de Neptune (cf. cat. A 3). On peut voir le projet, non réalisé, d'une nouvelle allée, du Bassin de Neptune vers le Nord (à droite sur le dessin), ainsi que deux emplacements pour la statue, l'un étant barré. Ce dessin représente certainement un plan en cours d'étude.

La comparaison de ce document et de cat. A 1 permet de comprendre ce qui avait été accompli au niveau des bâtiments, des jardins, et du parc de

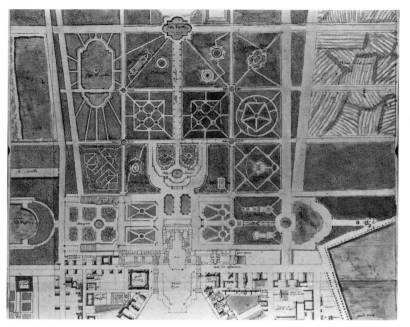

A 4 détail

disparu et sont remplacés par les Grandes et Petites Ecuries, au carrefour des trois routes conduisant au Château, les avenues de St. Cloud, de Paris et de Sceaux.

L'usage de la couleur rouge semble indiquer les bâtiments royaux, mais il ne s'agit pas d'une règle générale. Les écuries de la Reine, nommées ici « de la Dauphine », puisque la Reine était morte, ne sont pas dessinées en rouge, au contraire du Couvent des Recollets et de l'église de la nouvelle paroisse.

La date de ce dessin coïncidant avec la visite de Nicodème Tessin le jeune à Paris, on peut penser qu'il en a fait la commande. L'intérêt que Tessin portait aux jardins et à l'architecture intérieure française confirmerait cette hypothèse.

Dans la partie inférieure du plan, il convient de remarquer les Grands Chenils (en rouge), l'Hôtel de Conti (en noir et bleu) et l'armurerie (en rouge). Les trois petits réservoirs avoisinants font partie de l'ambitieux système hydraulique qui a pesé si lourd dans le budget des constructions de l'époque.

Un rabat recouvre le plan au sol de l'Orangerie, qui était la grande nouveauté du moment, et en montre la partie supérieure de l'extérieur.

Versailles, au cours des dix-sept années précédentes. Ce qui est le plus frappant, c'est la mise en place des pièces d'eau, à gauche et à droite du dessin et, bien sûr, le Grand Canal, commencé en 1670 et qui n'est pas montré en A 1.

La ville semble avoir pris forme selon le projet de A 1. Le nom des occupants de la plupart des hôtels n'est plus mentionné, excepté, à cause de récents changements, ceux de la partie nord de la Grand Place. Le « Pavillon de Monseigneur » a remplacé celui de « Monsieur le Prince ».

Ce plan montre que l'auteur n'était pas tenu informé des projets définitifs de la Nouvelle Aile Nord du Château. Il inclut une chapelle centrale surmontée d'un dôme et un théâtre dont l'idée fut abandonnée en 1688. (Pour les projets de cette aile, voir n° C 23, et pour la chapelle, voir cat D 1).

Il est assez curieux que l'auteur ne montre pas le rez-de-chaussé du château mais son premier étage : ceci lui permettait de représenter la Galerie des Glaces et le Grand Appartement du Roi.

Les hôtels de « Lauzun » et de « Noailles » ont

# B | Les Jardins du Petit Parc de Versailles

Bien que les dessins des jardins de Versailles, se trouvant à Stockholm, ne couvrent pas entièrement le sujet, il existe néanmoins des planches contenant des informations introuvables ailleurs et permettant d'evoquer l'atmosphère de ce lieu au cours du dix-septième siècle.

Nicodème Tessin le jeune dessina les jardins de Versailles (cf. cat. K.). En outre, il entretint d'excellentes relations avec André Le Nôtre, jusqu'à la mort de ce dernier (voir ci-après les dessins du Trianon réalisés par Le Nôtre à l'intention de Tessin, cat. H 1) et considérait les jardins français comme l'une des merveilles de son temps. Tessin s'intéressait au moins autant aux jardins qu'à l'architecture (il est resté célèbre pour avoir conçu le jardin de Drottningholm) et remplit, dans son fameux journal, des carnets entiers de notes et d'esquisses.

Le Nôtre lui offrit probablement quelques dessins lors de sa visite à Paris et à Versailles en 1687, mais Tessin en commanda d'autres, à ce moment-là et plus tard, afin de constituer un ensemble auquel il pourrait se référer après être rentré en Suède (cf. cat. A 4).

Le nombre de ces études sur les jardins de Versailles a considérablement été augmenté par rapport de la collection rassemblée par Hårleman. On y trouve notamment une série de dessins, d'après ceux de Le Nôtre, faits par Hårleman aux alentours de 1720. Cet ensemble d'ouvrages contient quelques projets pour Versailles et plus particulièrement, une série pour une fontaine et un bosquet, qui est par ailleurs inconnue dans l'œuvre de Le Nôtre. (Cette série se trouve parmi les numéros 7.000 de la collection Tessin-Hårleman).

B 1

## B 1

André Le Nôtre
1613–1700

### LE PARTERRE D'AMOUR À VERSAILLES

Plume, encre noire, lavis bleu et gris.
H. 436, L. 285.
Filigrane : Heawood 2432.
Sceau de Hårleman.
Inscription : Executé à Versailles par Monsr. Le
    Noster le 6è Mars 1682, avec une échelle en
    toises.
Collection Tessin-Hårleman : THC 7774.

Bibliographie : Marie A., 1968, vol. 1, p. 29, pl iv.

Bien que Marie se soit trompé en datant ce dessin,
il s'agit sans doute, comme il le prétend, du parterre
d'amour. Soit cette feuille représente un souvenir,
réalisé sur place, à l'intention d'un visiteur, soit elle
rend compte d'un changement dans la plantation
de la partie située sous les fenêtres de l'appartement
de la Reine. En tous cas ce parterre devait disparai-
tre peu aprés, quand commencèrent les travaux
pour la nouvelle Orangerie en 1683.

    Il est possible qu'Hårleman obtint ce dessin de la
collection de Le Nôtre, qu'il avait l'autorisation de
le copier, mais il peut aussi avoir appartenu à
Tessin.

## B 2

André Le Nôtre
1613–1700

### AUTRE PROJET POUR
### LE PARTERRE D'AMOUR

Plume et encre noire, lavis gris, brun, vert et bleu.
H. 430, L. 335. (Non exposé)
Filigrane : Fleur de Lys, des « L » entrelacés.
Sceau de Hårleman.
Echelle en toises (le parterre mesure environ 25,5
    toises)
Pas d'inscriptions.
Collection Tessin-Hårleman : THC 7775.

A part quelques différences mineures avec B 1,
l'intérêt de ce dessin se trouve dans la proposition
de supprimer la sculpture de la fontaine. La couleur
prête à confusion. Elle peut-être en partie (le brun
en particulier) une addition ultérieure. Elle peut
aussi signifier la suppréssion des huit petites fontaines aux coins du parterre.

B 2

# B 3

## C. Hårleman (?)
1700–1753

### LE BOSQUET DES TROIS FONTAINES

Plume et encre noire, lavis vert et bleu.
H. 562, L. 393. (Non exposé)
Filigrane : proche de Heawood 73 (Churchill 437).
Sceau de Hårleman.
Inscription : « Idée de M. Le Nostre » ainsi que
quelques mesures.
Collection Tessin-Hårleman : THC 7701.

Ce joli dessin est exposé pour deux raisons : le sens
qu'il donne des jeux d'eaux (pour lesquels cette
fontaine est célèbre) et comme exemple du talent
qui a copié de si nombreux dessins de Le Nôtre.
Celui-ci est en effet plutôt copié de Le Nôtre que fait
d'après nature. De plus, il donne une idée des nombreuses copies contenues parmi les numéros 7.000
de la collection Tessin-Hårleman.

Les bosquets, les fontaines éparpillées dans les
parties boisées du jardin entre les allées, ont toujours retenu la plus grande attention des architectes
de la Cour de Suède, et de Tessin en particulier.
Curieusement, ce type de structures n'a que peu été
réalisé dans son pays.

Le Bosquet des trois Fontaines, aujourd'hui détruit, était cher à Louis XIV, qui l'aurait même
déssiné si l'on en croit un graveur. Hårleman prit
pretexte d'un dessin de Le Nôtre pour expliquer
que ce dernier était l'auteur du bosquet. Le rôle de
Louis XIV dans sa conception est difficile à déterminer. Dans le guide des jardins de Versailles, il ne
lui est pas attribué. (cf. S. Hoog, *Manière de Montrer
les jardins de Versailles,* Paris, 1981). Cotelle a peint
ce bosquet dans la célèbre série qui orne aujour-
d'hui la Galerie du Grand Trianon.

Un autre plan de cette fontaine se trouve à Stockholm, CC 2745. Il est du même type que ce que
Tessin commandait.

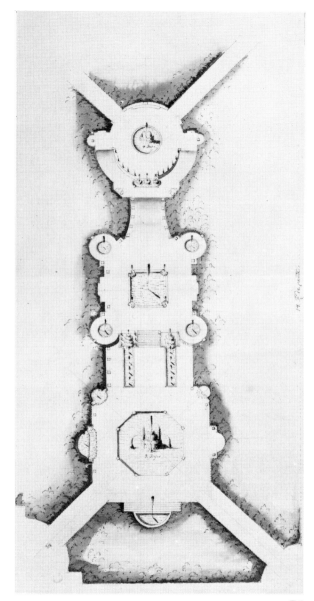

B 3

# B 4

## Parfois attribué à Nicodème Tessin le jeune

1654–1728

### LE PREMIER PARTERRE D'EAU

Crayon, plume et encre brune, lavis vert.
Filigrane : même que B. 1, Heawood 2432.
H. 570, L. 420.
Inscription : « Le Chasteay » et « Pallisade de Cipres » (avec une flèche en direction d'une petite ligne au crayon à droite de la feuille. (Le parterre est inscrit dans une partie carrée qui mesurait, d'après l'inscription, 45 toises sur 1 pied.
Collection Tessin-Hårleman : THC 7.

En 1672, après d'importants travaux pour les reservoirs souterrains sous le Parterre Ouest près du château, la décision fut prise de poursuivre l'élaboration d'un parterre d'eau. Le projet se développa à partir d'un premier stade qui est représenté sur une dessin au Cabinet des dessins (G M 8171). En Avril 1672, un modèle fut achevé par Anguier, Tuby, Cucci et Caffieri.

Ce dessin montre le parterre qui fut finalement réalisé, et qui est, dans une certaine mesure, une simplification des anciens plans. Il indique l'emplacement d'un piedestal pour le Globe d'Hubert Misson ainsi que quatre piedestaux pour d'autres statues. Celà signifierait qu'il est antérieur à la livraison prévue des 28 statues de marbre de la « Grande Commande » de Colbert, ou bien qu'il date de la période trés postérieure où il fut décidé de placer ces statues ailleurs. En 1674, Félibien écrit : « Lors qu'il sera achevé l'on y vera une infinité de différents jets d'eau, avec quantité de figures qui seront une des plus grandes beautez de cette Maison Royale ». Des treillis de jets d'eau, au-dessus des allées, avaient même été envisagés dans les premiers projets.

On pense en général que ce dessin fut offert à

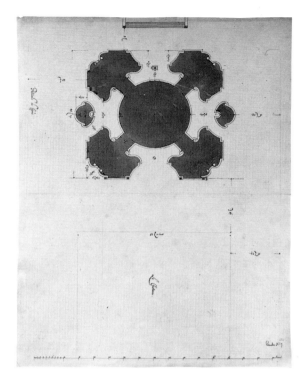

B4

*Veüe du Chasteau de Versailles et des deux aisles du coste des Jardins*

Fig

Tessin, probablement lors de sa première visite á Paris, (1677–1680). Le papier étant celui utilisé dans l'entourage de Le Nôtre, l'hypothèse est vraisemblable. L'attribution à Tessin, ou à l'un de ses émissaires, est aussi possible. Le dessin n'est pas un dessin de travail, mais le compte-rendu soigné d'une structure déjà existante. Il existe à Stockholm des dessins très similaires sur d'autres sujets tel que THC 10 (non-exposé) (même papier, même manière, mêmes couleurs, de nombreuses mesures). THC 10 représente l'Isle Royale sous son premier aspect, un vaste étang en deux parties au sud-ouest du château. (Il n'existe aujourd'hui qu'un fragment de l'Isle Royale, le reste ayant été converti, au 19ième siècle, en un Jardin Anglais.) Cat. B 11 appartient aussi à ce groupe.

Vers 1685, la Parterre d'eau montré ici a été remplacé par un autre de forme différente, qui existe toujours, en face de la section centrale de la façade jardin du château. Israel Silvestre a présenté le premier parterre d'eau en 1682 (fig. 1).

## B 5

Ecole de Charles Le Brun
(ou d'après un desssin de Le Brun)

1619–1690

### LA FONTAINE DES ARTS ET DES MUSES

Plume et encre noire, avec lavis gris et brun.
H. 370, L. 344.
Filigrane : proche de Heawood 1228.
Collection Cronstedt : CC 1659.

Bibliographie : Weber G., «Charles Le Brun's «Receuils de divers dessins de fontaines» », *München Jahrb*, 1981, pp. 151–181.
Expositions : *300 Dessins*, (1951), n° 69.

Ce dessin doit être regardé en parallèle avec le parterre d'eau de cat. B 4. Dans sa biographie de Le Brun, Nivelon étudie cette question. Il décrit le projet d'une structure similaire, destinée au centre du parterre, pour être entourée d'eau. On peut voir l'emplacement de cette structure sur l'un des premiers plans (Cabinet des dessins, GM 30186), même si les formes ne sont pas tout à fait semblables.

Comme l'a affirmé Weber, il faut surtout regarder ce dessin par rapport aux fontaines de fantaisie peintes par Le Brun. Mais cette planche peut néanmoins servir de présentation au symbolisme recherché, de thème apollonien, pour la grande

B 5

commande de sculptures destinées au parterre d'eau.

Il convient de rappeler ce qu'écrivit alors Félibien : l'emblème du Roi étant le soleil, presque tout à Versailles faisait allusion soit au soleil lui-même, soit à Apollon, le dieu grec du soleil. Les statues autour du bassin devaient être d'un seul personnage, en marbre, et groupées par quatre : les quatre éléments, les quatre saisons, les quatre parties de la journée, les quatre parties du monde, les quatre types de poèmes, les quatre tempéraments de l'homme. Les 4 éléments devaient être répétés dans quatre groupes d'«enlèvement», de plus grande dimension, et de moins deux personnages. Ce parterre est une illustration de la mentalité de cette période de l'histoire de Versailles, quand ce genre de symbolisme mythologique avait une importance primordiale, depuis la mort de l'architecte Le Vau, en 1670, jusqu'à l'arrivée de Hardouin-Mansart en 1678. Durant ces années, Le Brun affermit sa position en appliquant son talent à honorer le Roi, en créant de tels ensembles symboliques.

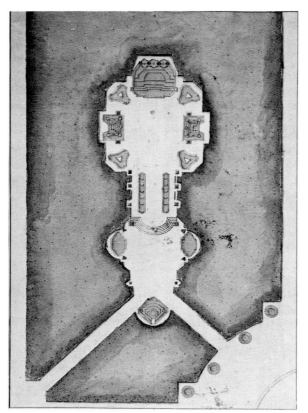

B 6

# B 6

## Dessinateur Anonyme

### PLAN DU BOSQUET
### DE L'ARC DE TRIOMPHE

Plume et encre noire, lavis gris, vert et bleu.
Filigrane : proche de Heawood 1236.
H. 498, L. 353. (Non exposé)
Sceau de Hårleman.
Collection Tessin-Hårleman : THC 7789.

Bibliographie : Nolhac, P. de (1925), pp. 64–65.

Ce dessin fait partie d'une série de plans apparemment copiés à l'intention de Hårleman.

Il représente un bosquet, en grande partie détruit maintenant, à l'exception du groupe représentant la France Triomphante (cf. cat. B 7). Toutefois, la forme générale du bosquet est restée préservée au sud-est du Bassin du Dragon (visible en haut à droite sur le dessin).

Ce bosquet était remarquable par sa figuration sculpturale. Dans son symbolisme, il abandonne la mythologie grecque pour accentuer le triomphe de la France avec une ferveur patriotique nouvelle (peut-être due à la guerre de Hollande), et ce, au moyen d'allégories. Les paiements pour la construction et les stuctures s'échelonnent entre 1678 et 1679. L'ensemble fut doré en 1680.

Tessin décrit ce bosquet dans son journal de 1687 :

> Le dernier et treizieme bosquet que l'on voit est l'arc de trionf, ou l'on decouvre une magnificence sans pareille, aussi bien pour l'entendement, que pour la richesse des marbres, dorures et la quantité des eaux, qui abonde par tout, et particulierement à la premiere entrée, ou l'on voit la France trionfante sur son char avec les deux esclaves des costes ou l'aigle et le lion font des jets d'eau, en bas l'on voit l'hydre tuée, ou quelques testes manquent mesme, entre les trophées les jets d'eau sortent par tout, et le milieu du char trionfal fait une fort agreable nappe, de deux costés plus avant dans le bosquet il y a la rennommée et la Magnificence qui sont deux morceaux d'un tres bon goust ; La Magnificence tient avec la maĩn gauche une piramide, et avec la droitte un laurier, ou le jet d'eau qui sorte de la cochille en bas passe au travers, le dessin que j'en aÿ tiré pourra mieux eclaĩrcir cela, touttes les figures et ornements du bosquet entier sont de plomb et dorées : Aux dernieres pieces les deux grandes Consoles sont d'un marbre rouge et blanc, l'architrave à l'entour de la piece au millieu comme aussy la grande cuve en bas qui forme la belle nappe, sont d'un marbre blanc et noir, les ornements d'or ; en montant plus avant, il y a de deux costés deux pentes de marbre fort bien imaginées, ou il fait observer les deux Mascerons, que j'ay un peu eschissé, qui rende l'eau fort agreablement. A l'autre bout tout en face l'on decouvre l'arc de trionf, représenté d'une grille de fer d'oré, ou les pilastres et tous les dedans paroissent des veritables cristeaux, formés par le moyen des nappes, de deux costez et tout il y a quantité des jets, qui forment plusieurs cascades de deux costez, et en

bas devant l'arc c'est de mesme. A costé droit et
gauche il y a cõme des especes de buffets avec plusieurs petites nappes assez agreables, ou les ornements dorés brillent au travers, aux quattre coins il y
a quattre piramides figurées par des nappes fort jolyment exécutées, les contours des petits bassins en bas
par tout dans ce bosquet icy, qui sont de marbre,
meritent d'estre bien exactement observés.

## B 7

### Nicodème Tessin le jeune (?)

1654–1728

### LA FRANCE TRIOMPHANTE

Crayon, plume et encre brune.
H. 272, L. 268. (Non exposé)
Collection Cronstedt : CC 2614

Bibliographie Comparative : Marie (A. et J.), (1976), p. 362, fig.
151.

La statue de Tuby existe toujours, mais elle n'est
plus dans le bosquet depuis quelques années. Les
captives sont restées. Du reste, le bosquet lui-même
est dépouillé de son somptueux décor original et de
ses fontaines (cf. B 10).

B 8

B 7

## B 8

### Dessinateur Anonyme

BASSIN DE L'ARC DE TRIOMPHE

Plume, encre noire, lavis gris.
H. 302, L. 223.
Sceau de Hårleman.
Pas de filigrane.
Inscription : bassin de l'Arc de Triomphe.
Collection Tessin-Hårleman : THC 5141.

Ce dessin se trouve sur une feuille volante et fait
partie d'une longue série qui montrait les statues de
Versailles : elles sont aujourd'hui reliées entre elles
en un album qui porte le n° 94 et le nom de Gustaf
Tessin inscrit sur la couverture. Cet album contenait 129 planches, y compris certaines signées Dori-
gny et Blanchet. Cette série ne semble pas figurer

B 9

## B 9

Dessinateur Anonyme

### AUTRE BASSIN DE L'ARC DE TRIOMPHE

Plume, encre noire, lavis gris.
H. 280, L. 170.
Pas de filigrane.
Inscription : bassin de l'arc de Triomphe.
Collection Tessin-Hårleman : THC 5143.

Les commentaires à B 8 s'appliquent également à cette planche qui montre un autre type de bassin.

## B 10

Nicodème Tessin le jeune (?)

1654–1728

### BUFFETS D'EAU DE L'ARC DE TRIOMPHE

Crayon.
H. 438, L. 554.
Filigrane : couronne de raisins ; proche de Heawood 2432.
Verso : dessin d'une grille de perspective.
Collection Cronstedt : CC 2041.
Historique : Acquis par Cronstedt.

dans le catalogue de 1712 de N. Tessin le jeune. Elle pourrait donc avoir été acquise par son fils, lors de son année d'études en France. Il s'agit de copies, et non de dessins de travail.

Un autre groupe de feuilles volantes assez similaires montre différents vases de Versailles. Elles présentent un grand intérêt, car elles sont précisément attribuées à certains sculpteurs : Robesse (THC 5136), Le Gerret (THC 5137), Poultier (THC 5138), Robert (THC 5139) et un vase avec des anses en forme de homard, aujourd'hui au Bassin de Neptune, signé de Cléron.

Ce document doit dater du voyage de Tessin à Paris en 1687, quand Le Nôtre lui servit de guide pour la seconde fois.

Bien plus que les autre gravures qui ont subsisté, cette ouvrage nous transmet une idée de l'ambiance originale et la richesse sculpturale et architecturale du décor.

Apparemment les eaux ne fonctionnaient pas. Les rapports entre la verdure et la statuaire sont particulièrement intéressants : les graveurs semblent avoir voulu évoquer la géométrie artificielle de la coupe des arbustes.

Le texte de Tessin cité en cat. B 6 semble mentionner ce dessin.

B 10

B 11

## B 11

### École de Charles Le Brun

1619–1690

FONTAINE

Plume et encre noire, lavis gris, brun, jaune, bleu.
H. 582, L. 488.
Inscription : C. Le Brun invenit en l'an 1673.
Collection Cronstedt : CC 146.

Bibliographie: Weber (G.), Charles le Bruns « Recueil de divers dessins de fontaines », *München. Jahrb.*, 1981, pp 151–181.

Ce dessin a été choisi parce qu'il évoque l'Arc de triomphe, aujourd'hui disparu. Il parvient à nous transmettre l'esprit de sa vision originale. Il suggère également la Fontaine Pyramide du Parterre Nord de l'époque. Mais, comme l'a admis Weber, il doit s'agir œuvre destinée au graveur de Le Brun plutôt qu'à la réalisation de la statue elle-même.

## B 12

### Atelier André Le Nôtre (?)

1613–1700

LE THÉÂTRE D'EAU et
LES TROIS FONTAINES

Plume et encre brune, lavis jaune et vert.
H. 610, L. 920.
Filigrane : Heawood 1323.
Collection Tessin-Hårleman : THC 32.

Bibliographie : Strandberg R., « André Le Nôtre et son école » *BSAF*, 1960, p. 127.
Bibliographie Comparative : Hazlehurst (1980); Appendix I « The drawings of Le Nostre », pp. 375–394.

Ce dessin a été choisi a cause de sa haute qualité et de son curieux rendu, très différent des travaux habituels des Bâtiments du Roi. Son niveau égalise certains travaux récemment attribués à Le Nôtre et de plus il est extrêmement fidèle et raffiné. Ce dessin n'offre que peu de rassemblance avec celui que Le Nôtre fit parvenir à Tessin en 1694 (cf. cat. H1). Il est plus prôche de la série d'après Le Nostre, dénommée groupe Hårleman. (cf. B 3).

Le théâtre d'eau a maintenant disparu. C'était un vieux projet (Fête de 1668) qui avait pris beaucoup d'expansion pour devenir une des fontaines dont la consommation en eau était considérable. Il n'était pas utilisé pour des représentations théâtrales (alors que la Salle de Bal l'était pour les danses), sans doute à cause du bruit. L'idée de ses trois perspectives vient peut-être de l'Antiquité et précisée par le Teatro Olympico de Palladio.

Construit vers 1670, il continua de fonctionner pendant presque tout le dix-huitième siècle. Dans la description de son guide en 1674, Félibien écrit :

C'est une grande place presque ronde, qui a environ vingt-six toises de diamètre. Elle est séparée en deux parties. La première contient un demi-cercle autour duquel sont élevées trois marches en forme de siège pour servir d'amphithéâtre, qui est environné d'allées couvertes d'ormes sur le devant et de palissades de charmes derrière. L'autre partie qui est élevée d'environ trois à quatre pieds, est le Théâtre. Il s'élève dans

B 12

le fond par un petit talus de gazon qui laisse des passages pour les acteurs ; et dans la palissade qui l'environne, il y a quatre grandes niches remplies de bassins de fontaines rustiquement travaillés. Dans ces bassins, il y en a d'autres plus élevés où sont assis des enfants, qui se jouent les uns avec un cygne, les autres tiennent un griffon, les autres une écrevisse et les autres une lyre, le tout de bronze, et d'où sort de l'eau en abondance. Entre ces quatre niches sont trois allées qui s'enfoncent dans le bois et forment trois perspectives d'une beauté toute nouvelle. Car le milieu de chaque allée est comme un canal de quatre à cinq toises de large, revêtu des deux côtés de divers coquillages avec un glacis de gazon qui borde les deux contre-allées, qui sont terminées d'un côté par des palissades de charmes et de l'autre, le long du canal, par des petits arbrisseaux verts, avec des pots de porcelaine pleins de diverses fleurs d'espace en espace. Ces canaux ne sont pas remplis d'une eau tran-quille et paisible : ce sont plusieurs cascades qui tombent les unes dans les autres et qui tirent leur source d'un grand bassin de coquillages élevé sur trois autres au bout du canal. L'eau qui en sort par grandes nappes vient enfin jusque sur le derrière du Théâtre, où, après avoir passé par des coulettes, elle finit dans trois bassins qui sont vis-à-vis de ces longues cascades.

Il y a encore aux deux côtés du Théâtre joignant l'amphithéâtre deux bassins d'où s'élèvent deux lances d'eau ; et du bord du Théâtre tombent deux grandes nappes d'eau l'une sur l'autre qui le séparent de l'orchestre. Mais ce qui est le plus surprenant est la quantité des jets d'eau qui s'élèvent du milieu de ces canaux et des côtés des allées, lesquelles forment une infinité de figures d'eau toutes différentes.

Quand Tessin le visita, il n'avait presque pas été modifié, mais quelques bassins avaient été ajoutés.

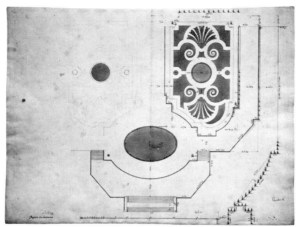

B 13

## B 13

Parfois attribué à
Nicodème Tessin le jeune

1654–1728

LE FER A CHEVAL
ET LE BASSIN DE LATONE

Plume et encre noire, lavis vert.
H. 430, L. 570.
Filigrane : Heawood 2432.
Inscription : « Bassin de Saturne », échelle et de
  nombreuses mesures.
Collection Tessin-Hårleman : THC 11.

Bibliographie comparative : Marie (A.), (1968), p. 157. Weber
  (G.) «Charles Le Bruns, «Recueil de divers dessins de fontaine» *München. Jahrb.*, 1981, pp. 151–181. Hedin (1983) pp.
  140–142.

L'histoire de cette grande rampe et de cette fontaine
est parmi les plus compliquées du jardin de Le
Nôtre. Ces deux constructions résultèrent de la
décision, prise vers 1665, de dégager la vue du
château vers l'ouest, quel que soit le coût de l'opé-
ration. Mais le site était escarpé, et il y eut des
glissements de terrains boueux jusqu'en 1669 (cf.
les mémos de Sr Petit, A. Marie, (1968), I, p. 164).

Nous connaissons un premier projet modeste (B. N.
Estampes, Ve. 13) avec une rampe plus étroite.
Ensuite celle-ci fut construite, en plus grand format,
avec un bassin ovale.

Un escalier au-dessus de la fontaine et des parterres était et reste le point de vue le plus magnifique sur l'axe ouest et le canal. En 1668 commencèrent les paiements à Gaspard Marsy, pour une
statue de Latone, mère de Diane et d'Apollon, qui
devait prendre place au centre de la fontaine et
donner son nom à cette partie du jardin. On conçut
un programme extrêmement compliqué, de décoration sculpturale, rivalisant avec celui de la Grande
Commande pour le parterre d'eau qui se situait
plus haut (cf. B 4). Mais il fut abandonné, à cause
des dépenses de guerre, selon Nivelon. Une partie
de ce décor non-réalisé se trouve en B 13 de ce
catalogue. Le bassin fut transformé entre 1687 et
1689 par l'addition d'un grand cône de vasques de
reception (Hedin, p. 142). Cette transformation
n'apparait pas sur le dessin qui lui est certainement
antérieur : il doit donc avoir été fait ou acquis à la
demande de Tessin lors de son séjour à Versailles.

## B 14

Atelier de Charles Le Brun

1619–1690

FONTAINE AVEC PYTHON, FURIE,
ET JALOUSIE

Crayon, plume et encre noire, lavis gris.
H. 405, L. 610.
Collection Cronstedt : CC 147.

Bibliographie Comparative : Marie (A.), (1968), I, p. 161 ;
  Weber (G.), Charles Le Bruns «Recueil de divers dessins de
  fontaines», *München. Jahrb.* 1981 pp. 151–181.

Voici un projet pour un groupe sculpté qui devait
trouver sa place dans une niche qui aurait été faite
dans le mur central, dans la rampe du fer à cheval.

B 14

Nivelon, le biographe de Le Brun, explique ce qui est représenté ici:

> Au plus haut de la fontaine principale est représenté le serpent Python que la fureur et la jalousie de Junon engendrent selon les poëtes pour la persecution de Latone. Ces deux figures sont assises sur de grandes consoles de bronze posées sur le bord de ce bassin qui reçoit l'eau du dragon d'où elle tombe en nappe dans un plus grand soutenu d'autres consoles différentes et ornées de têtes d'animaux marins . . . . . .Les fondes de ces sujets sont demi grottes dont les fonds sont d'une naturelle verdure sur lesquelles ils paraissent être placés.

Une gravure de Sylvestre, datée de 1674, montre la totalité de ce grand projet. Plusieurs dessins concernant des sculptures secondaires pour les 16 autres niches ont survécu (B. N. Cabinet des Estampes, Cabinet des Dessins, Louvre, cf. Marie, 1968, I, pl. LXXXII à LXXXIV, p. 150). Nivelon explique que plusieurs d'entre elles représentaient les rivières que Latone dut traverser pour échapper à ses poursuivants. La conclusion de l'histoire était montrée et est encore visible dans la fontaine ovale en face de la rampe. Latone implore l'aide de Jupiter qui transforme les poursuivants en grenouilles.

On a souvent parlé de la signification politique de cette fontaine. Il s'agit de la revenche contre ceux qui seraient assez fous pour tourmenter la mère de Diane et d'Apollon (cf. Nathan T. Whitman, « Myth and Politics : Versailles and the Fountain of Latona » *Louis XIV and the Craft of Kingship*, ed. J. Rule, Columbus, 1969).

## B 15

### Dessinateur Anonyme

### PLAN DE LA FONTAINE DE LA RENOMMÉE

Plume et encre noire, lavis gris, jaune, bleu et vert.
H. 420, L. 350. (Non exposé)
Filigrane : proche de Heawood 2992.
Inscription : Les bains d'appollon.
Collection Tessin-Hårleman : THC 17.

Bibliographie Comparative : Hedin (1983), pp. 133–139.

Jules Hardouin-Mansart fit ses débuts à Versailles avec son bosquet de la Renommée, qu'il entrepris en 1677, après avoir achevé, dans le triomphe, le Château de Clagny pour Mme de Montespan (cf. cat. G). La forme originale du bosquet a été gravée par Sylvestre en 1682, mais elle subit des changements importants, quand, en 1683, il fallut trouver un nouvel emplacement pour les sculptures de la Grotte de Thétis, supprimé pour la construction de la nouvelle aile du château.

Certaines furent installées, en général sur leur socle d'origine, autour du bosquet, où quelques unes se trouvent encore, comme la Galatée de J. B. Tuby. Plus tard, *L'Apollon et les Muses*, de Girardon, ainsi que les deux groupes de chevaux d'Apollon devaient être déplacés vers les bosquet du Marais (cf. B 19) et finalement dans un décor de Hubert Robert, où ils se trouvent toujours.

Les deux pavillons de Mansart disparurent vers 1800 (des dessins faits au moment de la destruction se trouvent aux Archives Nationales), mais la plupart du bosquet subsiste et la fontaine fonctionne toujours.

Ce dessin est intéressant parce qu'il montre peut-être un premier projet pour l'installation des chevaux d'Apollon (marqués c, b, d), mais l'usage réservé aux six autre grands socles reste une énigme, (cf. commentaire à cat. B 16). Tandis que la Grotte de Thétis, où les statues furent d'abord placées, fut démolie en 1684, Girardon commença à leur chercher une nouvel emplacement dés 1681. (cf. Nolhac, « Les Bosquets de Versailles : Le Bos-

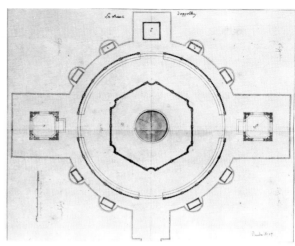

B 1

quet des Dômes », *G.B.A*, 1899, pp. 265–282). Les statues ne furent vraiment installées qu'en 1683, ce qui permettrait de penser que ce document est antérieur à l'objet qu'il représente.

## B 16

### Dessinateur Anonyme

### LES BAINS D'APOLLON

Plume, encre noire, lavis gris, vert, brun et bleu.
H. 410, L. 555.
Filigrane : grand soleil avec fleur de lys au centre.
Sceau de Hårleman.
Collection Tessin-Hårleman : THC 7909.

Ce projet est apparemment une variante de B 15. En tous cas, la présence de trois piedestaux ronds et gris au-dessus démontre qu'il s'agit de la renommée transformée en Bains d'Apollon. Tessin a du voir le bosquet ainsi réalisé. D'autres planches à Stockholm fournissent des informations sur le socle de ces statues. (cf. cat. B 18)

En 1687, Tessin décrivit cet endroit :

Les bains d'Apollon autres fois nommé la Renommée est le huitième endroit, extremement riche en ordon-

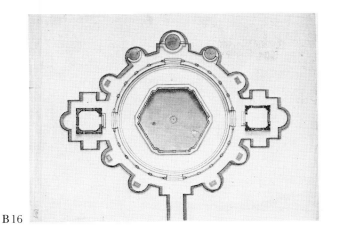

B 16

nance et materiaux. Les trois Grouppes d'Apollon, et de ses cheveaux qui estoient autres fois à la Grotte y sont portés, et c'est de ce sujet que ce bosquet a changé de nom, la renommée du millieu est ostée, mais le jet d'eau est extremement riche, comme aussy tous ceux qui sortent des piedestaux de la balustrade à len tour, les piedestaux avec leurs ornements sont de marbre blanc fort bien immaginés, et les ballustres de fer travaillés a jour et dores d'or moulu, Les deux pavillons sont de marbre blanc, les colonnes de quatre costez sont d'un marbre coloré, et les Ornements et basreliefs dorés, il y a une partie des grandes statues de marbre blanc dressées à l'entour, quelques unes y manquent encore : Enfin ce bosquet est généralement soustenüe un des plus beaux de Versailles.

Ni B 15, ni B 16 ne semblent figurer dans le catalogue de Tessin de 1712.

## B 17

### Dessinateur Anonyme

#### DESSIN POUR UN SOCLE DE STATUE

Plume et encre noire, lavis gris.
H. 230, L. 612.
Filigrane : Heawood 2432.
Inscription : au dos, au crayon : « Pied destail des bains d'apollon ».
Sceau de Hårleman.
Collection Tessin-Hårleman : THC 5145.

Bibliographie Comparative : Lange (Liliane), « La grotte de Thétis et le premier Versailles de Louis XIV » *Art de France*, 1961, p. 133–148.

Ce joli dessin montre apparemment le socle pour l'Apollon de Girardon, à l'époque installé à la Renommée (Bains d'Apollon). L'original se trouve dans les reserves du Musée du Château de Versailles. Ce socle est identique à celui du groupe Apollon, quand il fut installé dans la Grotte de Thétis. La description suggère que ce dessin n'est pas une étude originale pour le socle, mais qu'elle a été faite pour Tessin.

B 17

B 18

## B 18

### Dessinateur Anonyme

**BALUSTRE DE LA FONTAINE
DE LA RENOMMÉE**
(non exposé)

Plume et encre noire, lavis gris.
H. 573, L. 240.
Inscription : (au verso) Ballustre de la rénommée
de Versailles du gran contour ou l'on s'a sied et ou
il y a des troffés d'armes en bas ; l'autre ballustre
qui est autour du bassin a esté dessiné mais je ne le
trouve pas de sy bon gout quoi que je l'envoyeray
aussy » ; « le ballustre porte 20 ponce et demy » ;
« en pied français contenant ».
Collection Tessin-Hårleman : THC 2660.

Les remarques sur ce dessin expliquent clairement
la raison pour laquelle les Suédois collectionnaient
de telles pièces. Elles devaient servir de modèle chez

eux. Comme on peut le voir, ils pouvaient être
critiques. Il semble que l'inscription est de la main
de Cronström. Dans ce cas, il a du lui aussi se
méprendre sur le nom du bosquet. A moins que le
dernier épisode de l'histoire, le déplacement des
groupes d'Apollon au bosquet nommé le Marais,
ait été accompli, ce qui est possible.

Un autre dessin de balustrade (pour l'Escalier
des Ambassadeurs) est à Stockholm, THC 2662.

## B 19

### Parfois attribué à Nicodème Tessin le jeune

1654–1728

**PLAN DU BOSQUET DU MARAIS**

Plume et encre brune, lavis vert.
H. 570, L. 425. (Non exposé)
Filigrane : proche de Heawood 2428.
Inscription : « Chesne verte » et de nombreuses
mesures (le bassin du Marais est de 13 toises 3
pieds de long).
Collection Tessin-Hårleman : THC 15.

Le Bosquet du Marais (détruit au dix-huitième
siècle) était assez curieux avec, pour fontaine, au
centre, un arbre ruisselant d'eau. C'etait une idée
de Mme de Montespan. Deux splendides fontaines
en forme de buffets encadraient l'« arbre » central.
Ce dessin montre également (en vert) la Fontaine
de Cérès (l'été), l'une des quatre représentant les
saisons et entreprises en 1672, alors que le Marais
était en construction. Ces travaux avaient commencé en 1670. Une jolie série des dessins détaillés
du Buffet du Marais se trouve à Stockholm et inclut
THC 7762-3-4-5.
Perrault, dans ses Mémoires, raconte sa création :

> En ce temps-là, le Roi laissait ordonner de toutes
> choses à M. Colbert, et M. Colbert se fiait à nous pour
> l'invention de la plupart des dessins qu'il y avait à
> faire. Mais les dames ayant remarqué que le Roi y
> prenait beaucoup de plaisir, elles voulurent se mèler

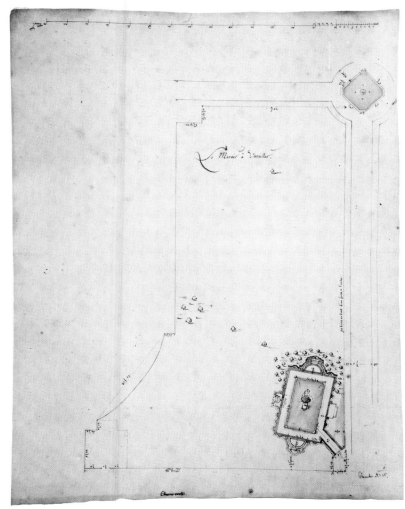

B 19

B 20

d'en donner, de leur côté, pour amuser le Roi agréablement. Madame de Montespan donna le dessin de la pièce du Marais, où un arbre de bronze jette de l'eau par toutes les feuilles de fer blanc et où les roseaux de même matière jettent aussi de l'eau de tous côtés.

C'est dans cette partie du parc, près du Bassin de Cérès, que furent placés les baldaquins des nouveaux Bains d'Apollon, en 1705. (cf. cat. 20, B 21 et B 22).

## B 20

### Dessinateur des Bâtiments du Roi

BALDAQUIN POUR LES CHEVAUX D'APOLLON par MARSY

Crayon, recouvert de traits à l'encre noire.
H. 445, L. 333.
Filigrane : proche de Heawood 716.
Collection Cronstedt : 2406.

Ce splendide document témoigne de l'excellente qualité que pouvaient produire les ateliers des Bâtiments du Roi. Il s'agit d'un projet pour l'installation des *Chevaux d'Apollon*, de Marsy, à l'époque où le Bosquet du Marais fut redessiné et où les statues furent ramenées des Bains d'Apollon (1705).

Apparemment ce projet fut refusé, et on lui pré-

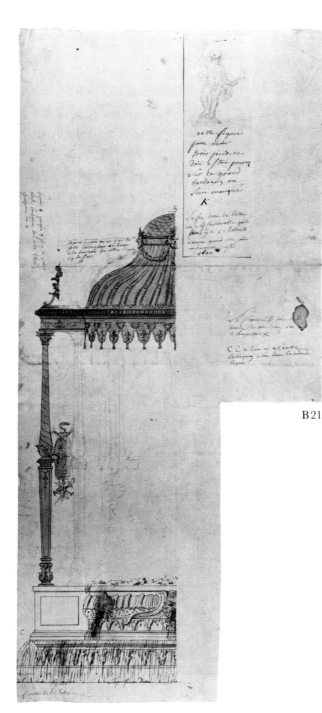

B 21

féra un baldaquin de forme plus traditionelle, avec plusieurs éléments d'une tente (cf. B 21). Ceci est plus architectural et montre le caractère d'originalité et d'élégance typique des meilleurs travaux décoratifs de l'époque, en pleine maturité.

Ce dessin est très évidemment de la main d'un des dessinateurs de Bâtiments du Roi, et c'est un dessin de travail. Une variante est suggérée par un pointillé à la plume. Il n'est pas possible de dire pourquoi celà a été fait. Ce dessin fait partie d'une série d'études pour ce baldaquin, qui inclut B 21 et B 22.

## B 21

Dessinateur Anonyme

### LE BALDAQUIN DE L'APOLLON DE GIRARDON

Crayon, encre noire, lavis jaune et bleu.
H. 743, L. 313.
Filigrane : proche de Heawood 3293a.
Inscriptions : diverses, liée en particulier aux lettres C et K, « . . . .cette figure . . .dois estre pausez sur le grand baldaquin . . . » Et quelques remarques précisant la hauteur des deux pavillons latéraux.
Rabat : un dessin de chérubin et une inscription.
Collection Cronstedt : CC 2985.

Bibliographie : Marie (A.), (1968), I, p. 92 ; Souchal, (1977), p. 53, fig. 123.
Exposition : Cronstedt, 1942, n° 72 ; *300 Dessins* (1951) n° 80.

Contrairement à B 20, ceci est un dessin commandé, d'après une œuvre qui avait attiré l'attention de Tessin. Un modèle à Versailles nous en a rendu la structure familière, mais le baldaquin fut apparemment détruit lors du déplacement de la sculpture de Girardon vers l'emplacement de Hubert Robert. Le piedestal se trouve toujours au Musée du Château.

Cet ouvrage, fait en plomb, fut érigé en 1705. Ph. Magnier, Vigier, Frémin, Le Lorrain, Herpin, Chaveau, S. Slodtz, Nourisson, Tuby le Jeune, Raon, Robert, Fournier et Bercher reçurent 1.600 L.

## B 22

### Dessinateur Anonyme

### BALDAQUIN POUR LES CHEVAUX D'APOLLON

Crayon, encre noire, lavis jaune et bleu.
H. 360, L. 230.
Filigrane : proche de Heawood 3293a ; même
  papier que cat. B 21, B 31.
Inscription : « profil de alée marquee A sur le
  plan ».
Collection Cronstedt : CC 1965.

Bibliographie Comparative : Souchal (1977), p. 305, numero 13.
Expositions : Cronstedt (1942) n° 73 ; *300 Dessins* (1951) n° 81.

Cette planche a un rapport évident avec B 21. On y
voit l'un des pavillons latéraux. Elle semble être du
même auteur. Cette structure fut érigée en 1705,
comme B 21. Fréman et Bertrand reçurent 1802 L.
pour son exécution.

## B 23

### Dessinateur Anonyme

### PLAN DE LA COLONNADE

Plume et encre noire, lavis vert, brun et bleu.
H. 544, L. 416. (Non exposé)
Filigrane : B (cœur) C.
Sceau de Hårleman.
Collection Tessin-Hårleman : THC 7840.

Ce plan représente le premier ouvrage de Jules
Hardouin-Mansart dans le cadre de sa grande
contribution aux jardins de Versailles. Le Nôtre
déclara qu'il ne s'agissait là que d'architecture, ce
qui mit fin à toute possibilité de collaboration entre
les deux artistes. On peut dire de cet ouvrage qu'il
apporta un nouveau style, plus léger et plus grâ-
cieux, à la conception de Versailles vers 1685, ainsi
qu'une nouvelle orientation architecturale au dessin des bosquets.

Ce plan doit être antérieur à 1699, date à laquelle
la *Proserpine* de Girardon fut placée au centre du
bosquet, sur un piedestal très travaillé (cf. article de
B 28).

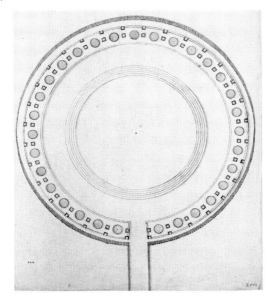

B 23

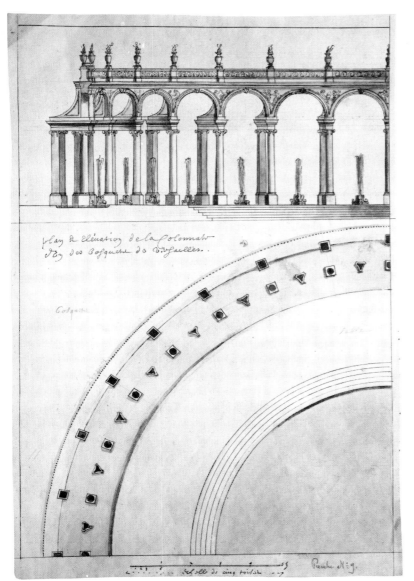

Plan de élévation de la colonnade
Dans des bosquets de Versailles.

Colonne

Eschelle de cinq toises    Planche No 9.

B 24

# B 24

## Dessinateur Anonyme

### PLAN ET COUPE DE LA COLONNADE

Plume et encre noire, lavis gris, bleu, jaune et vert.
H. 374, L. 240.
Filigrane : Heawood 691.
Inscription : Plan et élévation de la colonnade
   dans les bosquets de Versailles.
Collection Tessin-Hårleman : THC 9.

L'intérêt de ce dessin réside dans sa date, probablement ancienne. Les vasques des fontaines, qui existent encore sous les arches, n'apparaissent pas ici.
A leur place, on peut voir des structures, en forme
de tripode, faites de rouleaux. Des structures semblables devaient se trouver dans le Bosquet de l'arc
de Triomphe. Puisqu'il est peu vraisemblable que
cette forme ait jamais été érigée, on peut supposer
que l'un des dessinateurs de Tessin avait connaissance des projets et qu'il exécuta le dessin avant
que les travaux de la colonnade ne furent achevés
(1687). Ce n'est probablement pas une coïncidence
si ce document date approximativement de la
seconde visite de Tessin à Paris et à Versailles. Le
journal de Tessin de 1687 relate :

Le cinquieme endroit est la Colonnade toutte de marbre qui est le dernier morceau, mesme pas encore tout
à fait achevé, il y a 52 colonnes de differentes couleurs
à l'entour d'un ordre ionique des chapiteaux et bases
de marbre blanc avec des petites impostes dessus, qui
font un fort villain effect, au dessus desquelles il y a
des Arcades tout à l'entour, entre lesquelles il y a des
basreliefs triangulaires de marbre ; derrier les Colonnes il y a un grand vase tout plat de marbre blanc
de 13. qu. de largeur, d'ou sorte par tout un gros jet
d'eau d'un bon pouce de diametre, les basreliefs et les
vases manquent encore la plus part, dessous les vases
il y a comme un petit canal qui fait le tour partout, la
place du millieu est enfoncée de cinq démarches de
marche, qui tournent tout au tour. Cette piece est la
premiere que Mr. Manzard a fait dans le jardin de
Versailles, et les connoisseurs soustiennent tous, qu'il
y faut plus admirer le génie que la depense, ell'a desja
coutté plus de quatre cent mille livres.

# B 25

**André Le Nôtre (?)**

1613–1700

## PROJET DE CASCADE GÉANTE

Plume et encre noire, sanguine, lavis bleu et gris.
H. 418, L. 320.
Filigrane : proche de Heawood 3294.
Sceau de Hårleman.
Incription (au verso) : Vue St Denis pres la porte
   devant l'hotel de St Chaumont M. Lambert.
Collection Tessin-Hårleman : THC 7811

Bibliographie : Strandberg, BSHAF, 1960 (attribution à Le
   Nôtre) ; Weber (1974), p. 258, fig. 9.
Exposition : *300 Dessins*, (1951), n° 208.

On préta d'abord si peu d'importance à ce dessin
qu'il fut plié en quatre pour tenir un groupe de
documents. Il est pourtant très proche d'authentiques dessins de Le Nôtre et pourrait bien être de la
main du grand jardinier de Louis XIV. Cette hypothèse est défendue par Strandberg et acceptée, dans
ses grandes lignes, par Weber.

Comme pour B 26, il s'agit d'un projet de grande
cascade à Versailles, étonnante par ses dimensions
et sa forme fantastique. Selon l'échelle, la vasque
inférieure devait mesurer 200 toises (60 + mètres)
de large, sur 28 toises de profondeur.

Ce dessin indique qu'on envisageait un important élément sculptural. Finalement, ce fut un projet plus modeste qui fut entrepris. En 1687, Tuby
signa un modèle en terre pour le groupe central.
(County Museum, Los Angeles).

Weber, avec raison, a rapproché ce dessin d'un
certain nombre de projets de fontaines destinées à
la partie située en-dessous du Marais. On y trouve
cat. B 26, B 27, d'autres planches de Stockholm :
THC 7806, THC 222, THC 221, THC 231, THC
245, et un plan trouvé aux Archives Nationales par
Weber (O[1] 1792). Ce-dernier commente longuement une sorte d'évolution compétitive entre 1684
et 1687, pour la création de cette cascade, à cet
endroit, l'un des rares lieux du Petit Parc de Ver-

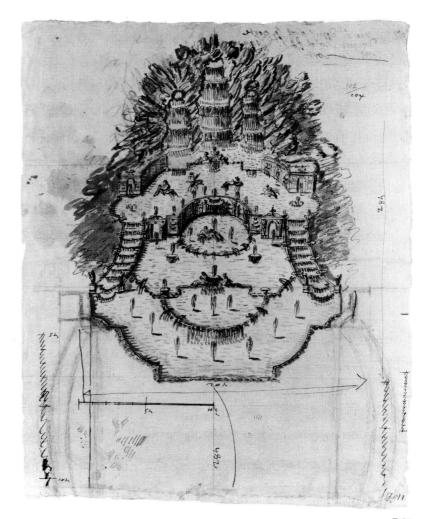

B 25

sailles assez spacieux pour recevoir une création
ambitieuse, de la veine des grands bosquets. Selon
Weber, les projets de Mansart sont surtout architecturaux, alors que ceux de Le Nôtre emploient
davantage de sculpture et reflètent l'influence d'un
récent voyage en Italie (cf. Weber, 1974).

## B 26

### Carl Hårleman (?)

1700–1753

**PLAN POUR UN PROJET
DE CASCADE GÉANTE**

Crayon, plume et encre noire.
H. 475, L. 335.
Filigrane : Heawood 73 (Churchill 437) ; même
    papier que cat. B 3.
Inscription : par M. Le Nôtre.
Collection Cronstedt : CC 2104.

Bibliographie : Weber (1974), p. 258 et passim. et p. 257, fig. 8.

Gerold Weber a identifié un certain nombre de
projets pour une cascade, laquelle devait probablement être construite près du Marais. La plupart de
ceux qui subsistent se trouvent à Stockholm. Ce
dessin est la copie d'un plan perdu, et très evidemment en rapport étroit avec cat. B 25, mais sans lui
être identique.

    Ils appartiennent tous deux aux années heu-
reuses où Louvois dirigeait les Bâtiments du Roi et
en particulier les grands projets qui devaient fournir Versailles en eau : le détournement de l'Eure ou
la machinerie de Marly. Il est évident que l'echec
du projet de l'Eure mit un terme au type de conception représenté ici, alors que la Guerre de la Ligue
d'Augsbourg endommageait sérieusement les finances. Ce que l'on voit ici, c'est l'état d'esprit de
1685, ou juste avant, quand Louis XIV lui-même se
sentit obligé de freiner les fabuleuses dépenses de
Versailles et de faire quelques coupes substan-
cielles, même si le niveau des dépenses resta élevé
jusqu'en 1690.

    Ce projet-ici est mentionné par Dangeau en 1684.
Certes Tessin possédait huit dessins de cascade
pour le petit parc (Tessin, (1712), p. 24), mais ils
s'agissait probablement de dessins de travail
comme B 27. Selon Strandberg, (BSAF 1960) ce
dessin ressemble aux copies de Le Nôtre par Hårleman.

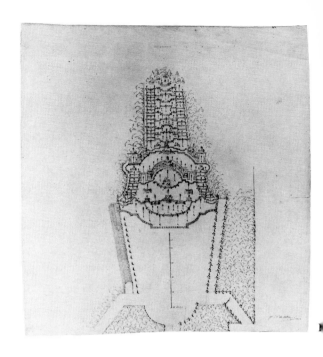

## B 27

### Atelier de Mansart (?)

**LES TRAITS ANNEXES
D'UN PROJET DE CASCADE**

Plume et encre noire.
H. 320, L. 413.
Filigrane : Heawood 395.
Collection Tessin-Hårleman : THC 230.

Bibliographie : Weber (1974), p. 2350, fig. 2.
Provenance : Tessin, 1712, p. 25 (?).

A partir d'une inscription sur THC 222 (fig. comparative à cet article) Weber a conclu que ce dessin
concernat un grand projet de cascade pour Versailles que Tessin ou Cronström avait confondu
avec un autre projet à Satory, la colline au sud de
Versailles. Weber a montré qu'il s'agissait d'un
projet, prévu vers 1680, juste en-dessous du bosquet
du Marais (cf. cat. B 19, B 25 et B 26).

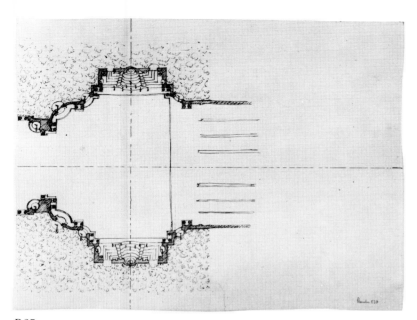

B 27

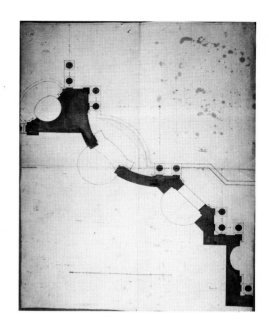

Fig. 2

La question que pose ce dessin est celle de son identification : peut-il être attribué à Le Nôtre? Tessin mentionne huit dessins de ce projet, dont il serait le propriétaire (Tessin, (1712) p. 25). Selon Weber, celui-ci proviendrait de l'atelier Hardouin-Mansart, alors que l'inscription sur cat. B 28 et sur la fig. comp. mentionne Le Brun, artiste probablement en quasi disgrâce au moment de ce projet. Qui que soit l'auteur de cette cascade, cette série pose la question importante de savoir quelle était la nature de la planification de Versailles à l'époque.

Il est difficile de dire si ces dessins étaient des ouvrages de compétition ou si différents artistes étaient forcés de collaborer. Dans ce cas, qui semble le plus probable, il n'est pas nécessaire d'essayer de mettre un nom sur chacun de ces projets.

Par ailleurs, l'argument stylistique de Weber en faveur de Mansart, est persuasif. Il a d'ailleurs publié un projet complet, de style semblable, mais non identique (Weber, 1974, fig. 4, THC 7806). THC 222, (fig. 2 comp.) est une étude de détail minutieuse de B 27 qui montre combien la planification du projet avait avancé.

# B 28

## Dessinateur des Bâtiments du Roi

### VASQUES EN COQUILLE EN ESCALIER POUR LE PROJET DE LA GRANDE CASCADE

Plume et encre noire, lavis gris et bleu (leger).
H. 400, L. 1080.
Filigrane : proche de Heawood 1228.
Inscription (au verso) : Plan pour la grande cascade qui devoit se faire vis à vis de l'orangerie a Versailles, de l'ordenance de Mr. le Brun.
Collection Tessin-Hårleman : THC 221.
Provenance : Tessin (1712) p. 25 (?).

Bibliographie : Weber (1974) p. 252.

Une inscription semblable se trouve sur THC 222, non-exposé ici (fig. comp. à B 27). Weber a démontré que ces deux inscriptions étaient incorrectes.

Ce grand dessin est le détail d'un projet que l'on connait grâce à une immense planche pliée qui se trouve à Stockholm, et dont l'état et la dimension font qu'elle est impossible à exposer. Gerold Weber

51

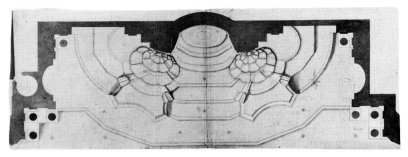

B 28

a souligné les ressemblances avec cat. B 27. D'autres planches pour le même projet se trouvent aussi à Stockholm, la plus importante étant THC 7806 (Weber, fig. 4). Le Brun, dont le nom est mentionné dans l'inscription, n'a probablement pas participé à ce projet, étant en quasi disgrâce depuis la mort de Colbert, en 1683. Le style de ce dessin n'est pas non plus celui de Le Nôtre.

# B 29

## Dessinateur Anonyme

### L'AQUEDUC DE MAINTENON
(deuxième partie)

Plume et encre noire, lavis brun, vert et rose.
H. 238, L. 2750. (Non exposé)

Filigrane : cat. B 25 utilise le même papier.
Inscription : « Profil de lac'queduc deterr et Maçonnerie Entre Berehaire et le vilage de fourche ayant en l'ongeur ; Ligne de terrain Natural Ligne de Pente. Fond de Maintenant (deux fois). Aussi les noms des troupes campés : « Piedmont, Brigade de Normandie, Crusol, Vaubecourt, Bourbonoi, Brigade de Picardi, Picardie Normandie, Auvergne », « audessous trois battons dalsace. ».
Collection Cronstedt : CC 655.
Provenance : Tessin (1712) p. 22.

Ce dessin unique montre l'aqueduc, qui était l'élément majeur dans la tentative de dévier les eaux de l'Eure, de Chartres à Versailles, pour que les fontaines puissent fonctionner sans interruption. Quelques unes des arches subsistent toujours à Maintenon, mais les travaux furent abandonnés pour des raisons financières, à cause d'une maladie (dont même Louis XIV et Louvois furent atteints) et peut être aussi à cause de la réussite de la machinerie de Marly, et autres projets, à fournir de l'eau en quantité suffisante. Toutefois il ne fut jamais possible de faire fonctionner toutes les fontaines de Versailles à la fois pendant plus que quelques heures.

Seule la partie droite du dessin est montrée ici : la feuille s'est déchirée le long d'un pli.

B 29

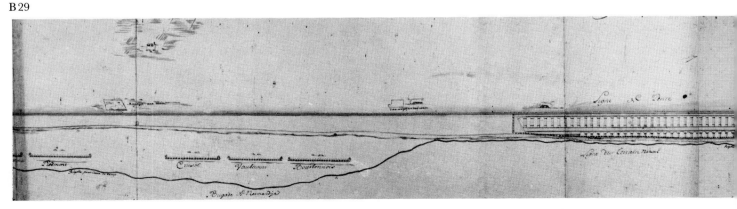

# B 30

## Parfois attribué à Claude III Audran

1658–1734

### DÉCORATION D'UNE GONDOLE

Plume et encre noire, lavis gris.
H. 262, L. 214.
Filigrane : B (cœur) C.
Chiffre inconnu, des mesures.
Inscription : «Tholaine (poulaine) et frise de
Pouppe pour la gondole», «Autre Toulaine de
pouppe»
Collection Cronstedt : CC 1781.

Exposition : Cronstedt (1942), n° 56 ; Audran (1950), p. 38 ; *300
Dessins* (1951), n° 107.

Il serait temps de remettre en question l'identification de cette belle planche. Les gondoles, que l'on
peut attribuer à Audran, sont d'une date très tar-
dive (vers 1720) tandis que ce dessin pourrait bien
être du dix-septième siècle et la manière est plus
proche de celle de Bérain que d'Audran.

De nombreux bateaux de ce genre ayant été construits, il serait risqué d'affirmer qu'il s'agit ici
d'une gondole de Versailles. Mais les armoiries
royales et les fleurs de lys indiquent clairement
qu'elle était destinée à usage du Roi, et qu'elle
pourrait bien avoir flotté sur les eaux du Canal.

B 30

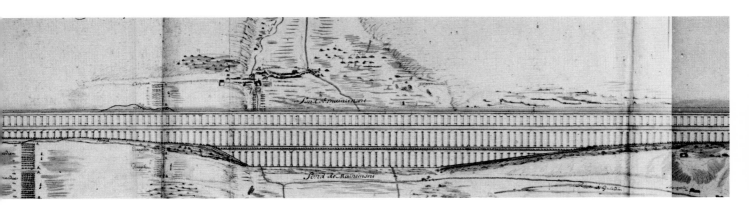

# B 31

## Dessinateur Anonyme

## PIEDESTAL POUR DEUX GROUPES DE MARBRE A L'ORANGERIE

Crayon, plume et encre noire et prune.
H. 560, L. 420. (Non exposé)
Filigrane : B (cœur) C.
Inscription : (Verso) : Deux piedéstaux des groupes
de marbre d l'Orangerie ; (Recto) : 1) Dessein
d'un des piedéstaux de pierre qui sont sous les
deux groupes de marbre du parterre de l'orangerie. 2) Socle de marbre sous le groupe.
Collection Tessin-Hårleman : THC 2658.

Ce dessin est compris pour deux raisons. D'une
part, à cause du grand intérêt que Tessin portait au
socle des statues du Château de Versailles, et d'autre part pour souligner le peu d'attention que les
Suédois prêtaient à l'Orangerie.

Dans les collections de Stockholm, l'Orangerie,
l'une des grandes réalisations de Mansart, est
représentée par une projection horizontale d'une
moitié (THC 6339) et par une grande feuille représentant l'élévation de l'intérieur (CC 269).

Par contre les piédestaux leur semblaient plus
intéressants. Cat. B 31 est accompagné de deux
autres planches (THC 2652 et THC 2655). Cette
dernière, qui n'est pas exposée, montre des profils
de la corniche de B 31. Les groupes placés sur ces
socles étaient les *Enlèvements* de Rigaudin et Marsy
qui avaient d'abord été commandés pour le premier
parterre d'eau déssiné en 1674. Ils furent placés
quand le portrait équestre de Bernin fut retiré de
l'Orangerie.

Tout ce qui concernait les piédestaux semble
avoir retenu l'attention. Une autre planche de
Stockholm (CC 102) montre le « Dessein d'un des
quatre piedestaux qui sont sous les figures de
bronze du parterre de l'orangerie ». Leur surface
était de 3 pieds 9 pouces. Il n'est pas possible de
savoir quelle sorte de bronzes ils portaient. Même
les socles qui supportaient les quatre vases du par-

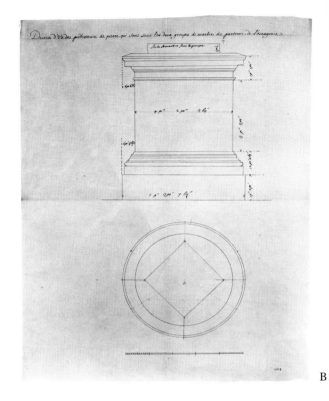

B

terre de l'Orangerie furent dessinés et mesurés
(THC 2653).

L'*Enlèvement* qui n'était pas à l'Orangerie, la *Proserpine* de Girardon, était également intéressant
pour son socle. Deux dessins datés du 15 Mai 1696
(THC 2656 et THC 2657) montrent le détail pour
les socles qui étaient envisagés au moment où fut
prise la décision de placer la sculpture de Girardon
au centre de la Colonnade de Mansart.

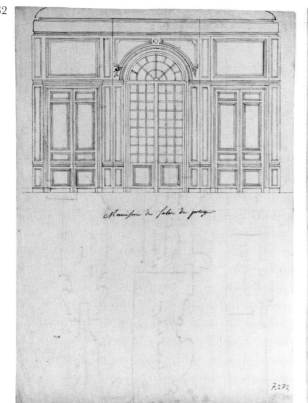

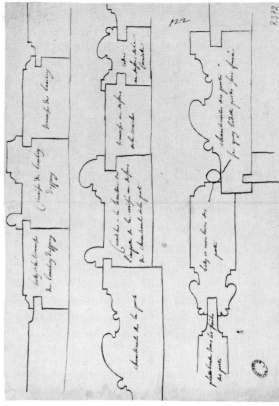

## B 32

### Dessinateur des Bâtiments du Roi

MENUISERIE
DU SALON POTAGER

Plume et encre noire.
H. 374, L. 240. (Non exposé)
Filigrane : Heawood 2393a ; même papier que cat.
  B 3 et B 22.
Sceau de Hårleman.
Inscription : (Recto) menuiserie du Salon du pota-
  ger ; (verso) plusieurs remarques concernant le
  bois et l'assemblage ; 122.
Collection Tessin-Hårleman : THC 7372.

Verso : Etudes détaillées, en profil, des pièces de
bois assemblées pour former la corniche.

Le raffinement de ce dessin permet de penser qu'il
provient de Bâtiments du Roi. Il montre, sur les
deux côtés, des variantes mineures dans le décor,
qui ont pu être laissées au choix du Surintendant.

Des potagers existant ailleurs, il est curieux que
Versailles ne soit pas mentionné sur la feuille. Si
ceci représente le potager de Versailles, la construction subsiste aujourd'hui, et ce dessin se rapporte-
rait à la maison de La Quintinie, le grand jardinier
de Louis XIV et librettiste de Lully. La maison de
Quintinie fut construite en 1682.

Le potager était un jardin original où étaient
cultivées des plantes rares, y compris des fruits et
des légumes exotiques destinés à la table du Roi.

C 1 détails

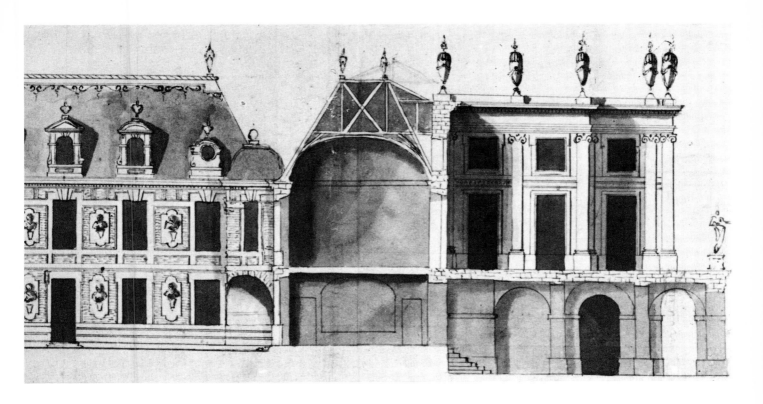

# C | Le Château de Versailles (excepté la Chapelle)

Les dessins du Château de Versailles qui se trouvent à Stockholm permettent de retracer l'histoire du palais grâce aux nombreux éléments qu'ils fournissent sur le détail des bâtiments. Nicodème Tessin le jeune s'était moins intéressé aux plans et aux vues générales qu'aux études détaillées qui pouvaient faire apparaître certains éléments qu'il aurait pu avoir oubliés. Ce trait continuait avec ses successeurs. Il existe à Stockholm des dessins de caractère unique qui donnent des informations exceptionnelles sur les premières années de l'histoire du château (cf. cat. nᵒ C 1, C 2, C 3).

# C 1

## Atelier de Louis Le Vau (?)

1613–1670

ÉLÉVATION DE L'ANCIEN
CHÂTEAU DE VERSAILLES
ET DE LA COUR INTÉRIEURE
AVEC PROJET D'ENVELOPPE
AUTOUR

Plume et encre noire, lavis gris, bleu et rouge.
H. 168, L. 790.
Filigrane : Chaplet (grand); Heawood 228 (identique avec cat. A 1).
Collection Cronstedt : CC 271.

Bibliographie : Marie (A.), (1968) II, p. 227, fig. CVII ; Le Guillou Jean-Claude, *Aperçu sur un projet insolite (1668) pour le Château de Versailles*, G.B.A., Fev. 1980, p. 52, fig. 3 ; Berger (1980), pp. 124–125, fig. 11, 12.
Expositions : *300 Dessins* (1951), n° 5 : Hall (1974, fig. p. 18).

Vers 1665, alors que se dessinait le grand jardin de Le Nôtre, il apparut clairement, que, d'un point de vue esthétique, l'ancien château était trop petit et trop exigu, ne serait-ce que pour les besoins d'une visite de la Cour. Bien qu'il y ait eu, depuis des années, des discussions sur la construction d'un nouveau château, la rénovation de l'ancien n'était pas sans poser de nombreux problèmes et en particulier celui de ménager l'orgueil de Louis XIV qui avait fait rehabiliter l'ancien château, au cours des années précédentes.

On trouve manifestement l'expression de cet orgueil dans les descriptions de Versailles que nous ont laissées, en 1668, Mlle de Scudéry et La Fontaine. Dans les écrits de Colbert, il apparait clairement qu'on avait considéré plusieurs solutions, mais il ne reste guère témoignage visuel qui puisse nous éclairer précisément sur ce qui était envisagé. Ce document est une survivance rare, bien qu'il existe de nombreuses mémoires de Colbert (cf. Clément, V).

Le caractère le plus remarquable de ce plan réside dans la grande terrasse du premier étage, s'étendant entre les appartements du Roi et de la Reine. Cette idée fut finalement adoptée et réalisée par Le Vau (cf. cat. C 3), avec cependant une modification ornementale importante : la suppréssion de l'ordre monumental des pilastres de la terrasse remplacé par des pilastres au premier étage, surmontés d'un étage en attique. La partie gauche de C. 1, à demi dessinée, a récemment fait l'objet d'une étude (Le Guillou, 1980). Mais aucune réponse définitive n'a pu être apportée quant à la date précise de ce document.

Les differents niveaux qui apparaissent ici sont d'autant plus intéressants que la dernière restauration du château a repris une organisation similaire au rez-de-chaussée, bien qu'il n'y ait pas d'arcade ouverte donnant sur le jardin, tel qu'on le voit ici.

Pour ce tracé, on peut avancer la date de 1668, dans la mesure où un mémoire de Colbert, daté par Berger de 1669, fait mention d'un projet pour un château avec une « enveloppe », dont on aurait discuté l'année précédente. Berger va jusqu'à avancer qu'en fait, des travaux sur ce projet ou sur un autre fort semblable, auraient été entrepris des l'automne 1668, suivis d'une remise en question de sa conception en Juin 1669, et suivis à nouveau par un retour à un projet similaire, découlant de celui-ci, mais sans lui être identique.

Quoi qu'il en soit, il s'agit d'un document extrêmement rare, pouvant nous renseigner sur un moment particulièrement important de l'histoire du château, quand le petit pavillon de chasse de Louis XIII était transformé, par son fils, en un grand palais. Un autre dessin de ce catalogue, C 2, est tout aussi intéressant sur le déroulement de cette histoire.

Cette planche nous donne une idée précise de la qualité de l'art des tracés et du type de dessins royaux tels qu'ils étaient pratiqués vers 1668. Des solutions alternatives sont portées au crayon et des pointillés à la plume, montrant qu'il s'agissait d'une copie de travail et non d'un plan définitif.

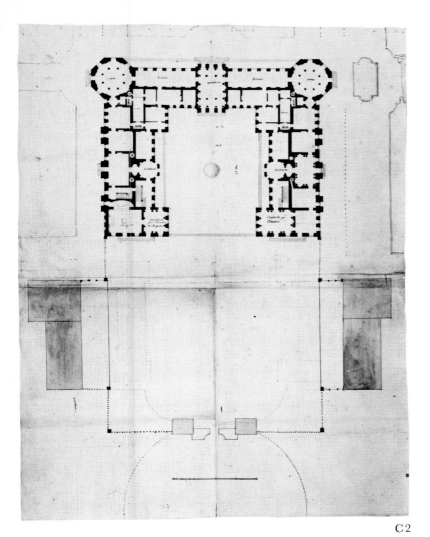

C2

# C 2

## Louis Le Vau
1613–1670

### PLAN POUR UN NOUVEAU CHÂTEAU À VERSAILLES (SANS LA CONSERVATION DE L'ANCIEN CHÂTEAU)

Crayon, plume et encre noire, lavis gris et noir.
H. 989, L. 729.
Filigrane : B. C. et Croix de Malte dans une chaine
    avec pendant (chaplet) proche de Heawood 227.
Collection Tessin-Hårleman : THC 2392.

Bibliographie : Marie (A.), BSHAF 1950, pp. 6365 ; Kimball
    (F.), *Le Style Louis XV,* Paris, 1949, p. 26 ; Laprade (A.),
    *François d'Orbay,* Paris, 1960, pl. V, 5 ; Marie (A.), pl. XXVI ;
    Weber (G.), Vers.-Konzepte von André Le Nôtre, *Münch.
    Jahrb.,* 1969, pp. 212–213, fig. p. 212 ; Walton, BSHAF, 1977,
    p. 129, fig. 1 ; Berger (1980), p. 115, fig. 10 ; Johnson (K. O.),
    *GBA,* janv. 1981, fig. 1, p. 30.
Exposition : *300 Dessins,* (1951) n° 1.

Voici, à notre connaissance, un des projets les plus célèbres de la transformation de Versailles de petit pavillon de chasse en grand palais. Il fut decouvert par Marie qui a démontré la relation entre ce projet de Le Vau et une célèbre critique contenue dans les papiers de Colbert. Contrairement à Walton et quelques autres qui croyaient qu'il s'agissait d'un premier projet pour le nouveau palais, Berger a récemment démontré, de façon convainquante, que le plan peut être considéré, plus sûrement, comme une réponse à des inquiétudes de Colbert ou de Louis XIV. Ceux-ci n'auraient pas été certains que les travaux commencés en 1668 soient à la mesure de la « gloire » du roi. Berger établit une relation entre ce projet et la crise de Juin 1669 mentionnée dans le Journal de Charles Perrault. Nous voyons plutôt ici la réponse de Le Vau à la demande de quelque chose de plus grandiose que le projet cat. C 1, dont les travaux avaient déjà commencé. Plusieurs architectes avaient été sollicités, mais ce projet est le seul qui soit parvenu jusqu'à nous. Restent aussi les papiers de Colbert et ses commentaires (voir Clement, V.) sur trois autres qui se sont perdus.

Marie nous persuade qu'une des particularités les plus remarquables de ce document est le fait que la plus grande partie de l'ancien château pouvait être conservée (celle se trouvant dans la nouvelle cour) et utilisée pendant que les nouveaux bâtiments étaient en construction.

Il existe des similarités, surtout dans les deux ailes (Nord et Sud, à droite et à gauche sur le dessin) avec le nouveau château, tel qu'il fut achevé. Celà a induit certains commentateurs (Marie, Walton) à penser qu'il s'agirait du château qui n'avait pas eu le bonheur de plaire et qui avait été en grande partie démoli, selon ce qu'en dit Charles Perrault dans ses *Mémoires*. Mais d'après Berger, ce plan serait plutôt celui d'un agrandissement important de ce qui avait été commencé l'année précédente et continué plus tard. D'après les arguments convaincants de Berger, ce document montre un excés d'activité aussi soudain qu'éphémère et sans grande signification, sinon sur ce qu'il dévoile de la psychologie qui animait les travaux à cette époque. On peut probablement avoir un meilleur aperçu de la phase ultérieure du projet avec cat. A 1 exposé ici.

Ce qui fait l'importance de ce dessin, c'est qu'il nous montre sous quelle forme, à l'époque, un projet était présenté à Louis XIV.

Notes de Colbert sur ce dessin :

*Observations sur le dessin du sieur Le Vau*

Il conserve tout ce qui est fait.

Les pavillons et les entrées sont comme le Roy les désire.

L'entrée du milieu du pavillon n'est pas l'entrée du milieu du vestibule de l'escalier.

Les figures rondes qu'il affecte aux vestibules et salons ne sont point du bon goust de l'architecture, particulièrement pour les dehors.

Les vestibules composés d'une grande pièce ronde, d'une petite ovale et d'une grande carrée ne seront pas approuvés.

Le grand escalier précédé d'un grand vestibule sera bien.

Le retour qu'il faudra faire dans la salle des gardes désire une nécessité pour l'excuser.

La suite du grand appartement du Roy est belle et bien proportionnée, excepté le vestibule du grand salon, qu'il faudroit supprimer.

Les petites cours seront les réceptacles de toutes les ordures.

Les petits appartements n'auront point d'enfilade.

L'escalier du vestibule n'aura qu'un faux jour.

Les deux escaliers de dégagement, pour monter dans l'attique, n'auront de jour que par les petites cours.

Du costé de la Reyne : la chapelle de 3 toises sera trop grande.

La tribune en haut sera trop grande.

Si les carrosses n'entrent point dans la cour, il y aura loin à aller pour trouver l'escalier. Pour faire la suite de l'appartement belle, il n'y aura qu'un escalier qui monte à l'attique.

La Reyne n'aura point d'appartement de commodité, ou M. le Dauphin.

Il n'y a point d'entrée du grand appartement de la Reyne au petit, ni belle, ni commode.

Les avances des deux pavillons et vestibules dans les ailes ne seront pas agréables.

Les ornemens du dehors, de pilastres et colonnes, sont trop communs et ordinaires.

La distribution du salon, qui sera séparé de la galerie, est un défaut.

Les ouvertures des arcades auront 7 pieds.

Arch. Nles. carton K 901, pièce no. 11.

## C 3

### Atelier de Louis Le Vau

1613–1670

### ÉLÉVATION ET COUPE TRANSVERSALE DE LA TERRASSE DU CHÂTEAU ENVELOPPE

C 3

Plume et encre noire, lavis orange.
H. 695, L. 400.
Filigrane : couronne ouverte au-dessus d'un aigle à deux têtes (?). Grand format.
Inscription : Plusieurs mesures. Un rabat-par-dessus la maçonnerie du rez-de-chaussée sur la coupe transversale gauche.
Note : Les projections horizontales et les dessins des pilastres et des colonnes attenantes apparaissent au bas de la page.
Collection Cronstedt : CC 35.

Bibliographie : *Nationalmuseums Årsbok*, 1942–3, fig. 146, Marie (A.), (1968); II pl. CVI.

Voici un exemplaire d'une série de dessins extrêmement rares (y compris CC 36, qui n'est pas exposé ici) et qui semblent avoir été faits après les plans du château, à l'intention des ouvriers et des maçons qui devaient participer à la construction. En fait, ce document pourrait avoir été remis à Tessin ou à Hårleman, directement ou indirectement, par un entrepreneur.

Le dessin nous fournit des renseignements précis sur le château à l'époque où il possédait une large terrasse sur la façade occidentale. Il serait intéressant de le comparer à cat. C 1, pour souligner la différence entre le premier projet et ce qui fut finalement construit. Avec ce dessin, nous passons de la planification à la réalisation des bâtiments tels qu'on peut les voir aujourd'hui.

Dix ans plus tard, Mansart supprima la terrasse pour construire la Galerie des Glaces. A la même époque, il changea le caractère de la façade en remplaçant les fenêtres rectangulaires par des arches semi-circulaires. Ce que nous voyons ici donne une idée précise du premier état du palais enveloppe.

Louis Le Vau mourut soudainement au mois de Juin 1670, mais ce dessin doit être antérieur à son décès, puisque les murs et le toit étaient alors achevés.

# C 4

## Atelier de François d'Orbay (?)

1634–1697

### PLAN POUR LES BAIGNOIRES ET DALLAGES DE LA SALLE DES BAINS ET LA CHAMBRE DES BAINS

Plume et encre noire, lavis noir, rouge et vert.
H. 397, L. 415.
Filigrane : une grappe de raisins, proche de Heawood 2119 ; semblant au filigrane de cat. A 3.
Inscription : Pour les bains ; marbres (?) des deux pièces d'anbas ; une mesure (sans chiffre).
Collection Cronstedt : CC 397.

Bibliographie : Laprade (A.), *F. d'Orbay*, Paris, 1960, pl. VII–3. Marie (A.), (1968) II, pl. CXVII.
Exposition : Cronstedt (1942), n° 41 ; *300 Dessins* (1951), n° 11.

L'appartement des Bains fut une des plus grandes entreprises de décoration à l'intérieur du nouveau « palais enveloppe », dont le toit fut achevé en 1670. L'appartement comprenait 5 pièces, un vestibule – la Salle Dorique, un autre vestibule : La *Salle Ionique*, le *Salon Octagone*, une *Chambre des Bains* et le cabinet équipé de baignoires et d'une fontaine. Rien ne reste aujourd'hui de cet ensemble sinon quelques lambris de la Chambre. Les pièces ont été transformées en appartements pour Mme. de Pompadour et pour les filles de Louis XV. On se rend bien compte de l'importance de ces quartiers en consultant le grand nombre de dessins qui subsistent aux Archives, à l'Institut de France et au Cabinet des Dessins et qui comprennent des élévations, des études de dallages et même un dessin pour un splendide miroir. Ce plan ne montre entièrement que la Chambre et le Cabinet. Un autre projet de décor avec colonnes pour la chambre octogonale est visible en partie, ainsi que le coin sud-ouest de la Salle Ionique et de ses colonnes, telle qu'elle fut construite.

Ce plan est comparable aux autres plans postérieurs du palais (Archives Nationales, Cabinet des Dessins) dans sa disposition générale et ressemble à ce qui fut d'abord construit. Des décors (dallages) et les baignoires furent refaits, mais on peut se faire une idée de ces bains à partir d'un dessin qui se trouve aux Archives Nationales (*fig. 3*).

Louis XIV, qui n'était guère renommé pour son hygiène personnelle, se passiona pour cette idée d'appartement de bains pour des raisons de prestige (sa mère Anne d'Autriche avait au Louvre un bain célèbre et admiré de tous, même du très sévère Sir Christopher Wren) et pour le décor moins formel qu'il offrait à sa vie amoureuse, alors notoire. Ces bains peuvent être aussi considérés comme un tribut payé à la marotte de santé qui était à la mode à l'époque.

L'existence d'une fontaine et de deux baignoires implique qu'on envisageait des bains de différentes températures ou différemment parfumés. La fontaine servait peut-être à un rinçage final. Elle existe toujours en tant que fontaine à l'entrée de l'Orangerie de Versailles.

D'une exécution très délicate, ce document témoigne de la qualité des meilleurs dessins des Bâtiments du Roi, qui étaient à ce moment, sous le contrôle de François d'Orbay. Après la mort de Le Vau, aucun autre premier architecte ne fut nommé. Sous Colbert, la planification tomba dans les mains de l'Organisation des Bâtiments. Voilà pourquoi il est impossible de déterminer qui est l'auteur de ce

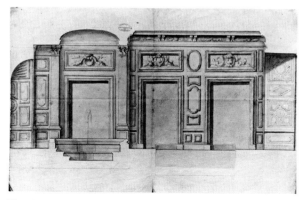

Fig. 3

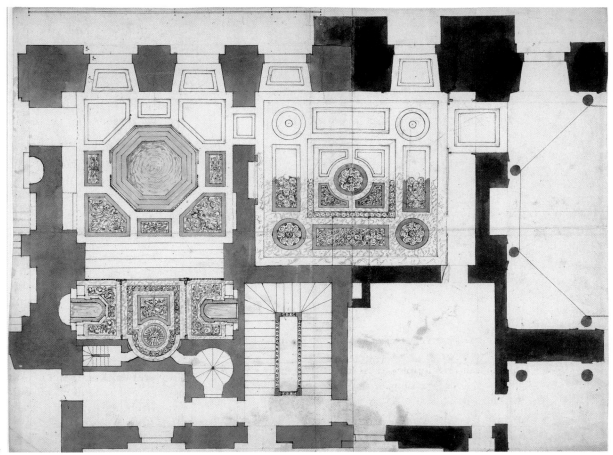

C 4

dessin. Pour les reliefs sculpturaux, il existe, au Cabinet des Dessins, une serie de témoignages superbes, attribués à Charles Le Brun.

Sur la gauche du plan, on peut voir une partie du Salon octogonal. On y découvre une pièce de forme semblable à celle qui fut construite, mais décorée de colonnes. Puisqu'elle faisait suite aux Chambres Doriques et Ioniques, on peut avancer qu'il s'agit de colonnes Corinthiennes. Elles ne furent pas retenues pour le décor finalement executé : des sculptures de corps masculins, représentant les mois de l'année, placées sur des piédestaux.

## C 5

### Dessinateur des Bâtiments du Roi

#### DEUX PROJETS POUR LE GRAND ESCALIER MENANT AUX APPARTEMENTS DU ROI

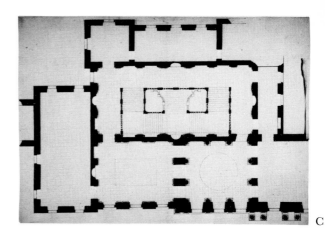

Plume et encre noire.

H. 501, L. 366.

Filigrane : Croix de Malte en chainette (chaplet, grand) : Heawood 22, identique au filigrane de cat. C 2.

Inscription (verso) : D.D.

Rabats : 1) projet pour l'aire de l'escalier, rectangulaire, 3 révolutions avec palier central et paliers de coin. (il ne s'agit pas de la forme définitive, qui n'avait que 2 révolutions). On peut y voir également une fenêtre de loggia sur le côté sud (projet abandonné pour l'aménagement de l'appartement de Mme. de Montespan). Le premier rabat diffère du projet original :

    a) dans l'arrangement des premières marches du rez-de-chaussée.

    b) par la création d'un cabinet et d'une galerie pour Mme. de Montespan.

    2) rabat pour indiquer qu'une porte pourrait être ajoutée dans le Salon de Diane qui n'existait pas dans le projet initial.

Collection Cronstedt : CC 136.

Bibliographie : Marie (A.), (1968) II, p. 265, pl. CXXXIII.
Bibliographie Comparative : Walton, (1977), p. 137, fig. 9.
Exposition : *300 Dessins* (1951), n° 19.

Ce dessin n'a jamais été publié intégralement : seule la version du rabat a été imprimée. C'est un plan de travail qui cherche des solutions à de nombreux problèmes – surtout la nécessité d'un accès cérémonial au grand appartement du Roi et la création d'un appartement convenable, éloigné de celui de la Reine, pour Mme. de Montespan. Il est amusant de remarquer que les chambres de la Montespan sont cachées quand le rabat est en place.

Au cours des années, cet escalier a largement changé d'aspect. D'abords, vers 1671, un petit esca-

lier fut probablement construit, avec un décor d'atlantes. On apprend cela grâce à un dessin en coupe transversale à la Bibliothèque de l'Institut (B. I. n° 1307, n° 4). Le dessin que nous montrons ici appartient à une phase ultérieure, quand le premier projet fut remplacé par un escalier plus large s'appropriant la grande nouveauté de l'éclairage au plafond du premier projet. Les stages de cette évolution ne sont pas précis, mais on peut approximativement dater ce dessin de 1676, puisqu'une étude importante, comprenant la confection de maquettes, fut entreprise cette année-là. Le célèbre escalier des Ambassadeurs, avec son décor par Le Brun et Van der Meulen, se développa évidemment à partir de ce stade de la conception. L'escalier achevé ne connut qu'une brève existence : il disparut dans le courant du dix-huitième siecle.

Cette phase de la planification du château demeure quelque peu mystérieuse. François d'Orbay, dessinateur et principal collaborateur de Le Vau, continua les travaux après la mort de celui-ci. Mais malgré les arguments et la longue étude de Laprade, la conviction qu'il était le principal auteur du projet n'est guère partagée. Peut-être qu'une sorte de comité, comprenant Le Brun et Colbert, ainsi que d'Orbay, supervisa-t-il le projet. En tous cas, il s'agit d'un document important émanant des Bâtiments du Roi.

C 6

# C 6

François d'Orbay
1634–1697

ÉLÉVATION D'UN MUR DE VESTIBULE

Plume, encre noire et brune, crayon rouge, lavis
gris.
H. 255, L. 535.
Verso : un dessin des moulures, avec mensurations.
Collection Cronstedt : CC 2977.

Bibliographie : Marie (A.), (1968) II, Pl. CXXVI. Laprade,
(1980), fig. VII 6B.
Bibliographie comparative : Walton, (1977), p. 138.
Exposition : *300 Dessins* (1951), n° 25 ; XVIIème Siècle (1966) n°
72.

Ce dessin montre un projet similaire, mais non
identique, au decor qui est dans la salle à l'extre-
mité Est de l'Appartement Bas du Roi. Il reste
quelques fragments de cette décoration, mais ils ont
été restaurés. Cette chambre était située derrière
l'escalier qui conduisait au Grand Appartement du
Roi. Le mur que l'on voit ici se situe sur le côté du
jardin. La porte, au milieu, constituait un accès
important au jardin, et aussi à la *Grotte de Thétis*,
non loin de là. Une version semblable, bien que très
simplifiée, de ce décor, est visible dans une coupe
transversale des deux appartements du Roi à la
Bibliothèque de l'Institut. C 6 semble être une
phase intermédiaire entre le projet de la coupe
transversale et celui qui fut réalisé. Les ornements
exécutés ressemblent plutôt à ceux de C 6 qu'à ceux
montrés par la coupe, bien que les frondaisons
exhubérantes de palmes aient été finalement remplacées par des guirlandes plus ordonnées.

La coupe transversale doit dater de 1671, et C 6
de la même année ou de la suivante. Comme on
peut le voir clairement sur la coupe, des décorations
très élaborées furent d'abord entreprises dans l'Appartement Bas du Roi.

Il faut remarquer le dessin estompé au crayon
des grillages de la porte et des fenêtres, car ce détail
n'a pas été visible dans les publications antérieures
de ce dessin.

La couleur, telle qu'elle fut exécutée, consiste en
un arrière plan de faux-marbre rose clair et vert
clair, avec sculptures en trompe l'œil, d'une dorure
rutilante l'or ayant été abondamment utilisé pour
créer un effet imposant.

C 7

## C 7

### François d'Orbay

1634–1697

### ÉLÉVATION D'UN MUR DE VESTIBULE

Plume, encre noire et brune, crayon noir, lavis gris.
H. 247, L. 530.
Filigrane : Croix de Malte entourée d'un collier en chainette, (chaplet, grand format) : Heawood 227.
Verso : dessin au crayon d'une structure octogonale, au motif en treillis, surmonté d'un dôme.
Collection Cronstedt : CC 2978.

Bibliographie : Laprade (1960), fig. VII 6 A ; Marie (A.)., (1968) II, Pl. CXXVI.
Exposition : *300 Dessins* (1951), n° 26.

C 7 fait partie du même projet que C 6, car il montre le mur de gauche, à savoir le mur ouest de la salle. Il ne reste à Versailles qu'un fragment du décor peint, la partie de droite ayant été endommagée, lors du percement d'une porte, au dix-huitième siècle. L'entrée centrale fut ré-ouverte récemment ; on découvrit une grille, ce qui indique qu'on n'avait pas prévu des portes pour l'arche centrale.

Ce dessin fut attribué à d'Orbay, par Laprade.

## C 8

### Dessinateur des Bâtiments du Roi

### PROJET DE PLAFOND POUR LE CABINET DE MONSIEUR

Plume, encre noire et lavis gris.
H. 297, L. 280.
Filigrane : B (un cœur) C.
Sceau de Hårleman.
Inscriptions : Plafond pour le cabinet de Monsieur á Versailles ; au verso : « n° 4 » et un chiffre.
Collection Tessin-Hårleman : THC 8727.

Bibliographie : Marie (A.), (1968) II, CXXVIII.
Exposition : *300 Dessins*, (1951), n° 9.

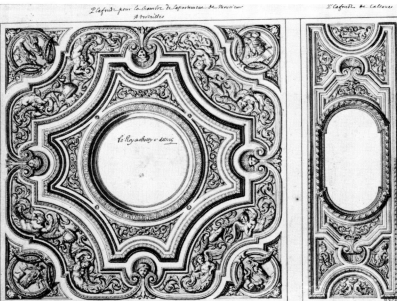

C 8

C 9

Il s'agit d'un projet, qui fut refusé, pour le plafond du cabinet du frère du roi, à Versailles. C'est l'un des dessins d'une série qui a survécu, sur la décoration du rez-de-chaussée, côté sud du palais enveloppe de Le Vau. Ces dessins concernent à la fois les appartements de Monsieur et ceux du Dauphin. Ils furent, sans aucun doute, réalisés en 1671, car un dessin semblable, à Versailles concernant la chambre du Dauphin, est daté de cette année et le projet reçoit l'ordre d'être exécuté. Le dessin de Versailles est signé par Charles Perrault et daté.

Le projet accepté pour le plafond du cabinet de Monsieur se trouve à la Bibliothèque Nationale, Cabinet des Estampes Va 361 IV. Il est de la même main que C 8.

## C 9

### Dessinateur des Bâtiments du Roi

PLAFOND DE LA CHAMBRE
ET DE L'ALCOVE DE MONSIEUR

Plume, encre noire et lavis gris.
H. 298, L. 390.
Sceau de Hårleman.
Inscription : Plafond pour la chambre de lapartement de Monsieur A Versailles ; Le Roy a choisy ce dessin ; Plafond de lalcove.
Collection Tessin-Hårleman : THC 8754.

Bibliographie : Marie (A.), (1968) II, Pl. CXXIX.
Exposition : *300 Dessins* (1951), n° 10.

C 9 appartient au même groupe que C. 8 et était destiné à la même partie du château. C'est le dessin qui fut choisi pour être exécuté. Un projet refusé se trouve à la Bibliothèque Nationale, Cabinet des Estampes, Va 361 IV.

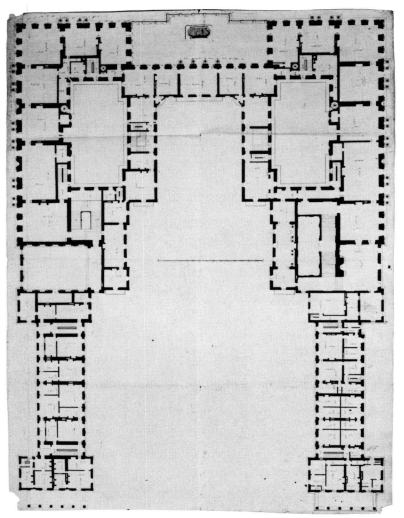

C 10

# C 10

## Dessinateur des Bâtiments du Roi

### PLAN DU PREMIER ÉTAGE DU CHÂTEAU AVEC TERRASSE (1676–1678)

Plume, encre noire et lavis bleu.
H. 1100, L. 805.
Filigrane : objets circulaires (raisins) disposés en losanges ; A (4 cercles entrelacés) M : Heawood 2266.
Collection Cronstedt : CC 74.

Bibliographie : Laprade (1960), fig. V, 8 ; Marie (A.), (1968), II, CVII ; Berger (1980) p. 114, fig. 9.
Bibliographie comparative : Kimball (F.), « The Genesis of the Château Neuf at Versailles, 1668–71 », *GBA*, 1949, p. 356.

C'est le seul plan important de premier étage, en son entier; de l'époque où la terrasse de Le Vau constituait la caractéristique principale de la façade ouest (côté jardin). On peut voir ici la fontaine qui était située sur la terrasse et qui innondait souvent la galerie basse, en dessous. La terrasse offrait une vue sur le grand axe ouest (canal) du jardin de Le Nôtre. Elle constitue un élément symptomatique de la mentalité, dans la conception du palais vers 1670. C'était la retraite campagnarde de Louis XIV. Sa chambre à coucher, de même que celle de sa Reine, étaient éclairées par des portes donnant directement sur la terrasse. (Il existe, à l'École des Beaux Arts, une coupe transversale montrant la chambre du Roi et la terrasse, cf. Walton, BSAF, 1977, p. 137, fig. 7).

Le plan montre également le Grand Appartement de la Reine et le Grand Appartement du Roi. En 1679, dans chacun d'entre eux, trois pièces furent supprimées, pour la construction de la Galerie des Glaces et des Salons de la Guerre et de la Paix.

Il est difficile de dater ce plan avec précision. Comme l'a fait remarquer Laprade, on peut y voir un projet pour l'Escalier de la Reine. Les dessins portent la date de 1680 (Archives Nationales O[1] 1768A[2]), mais ce plan leur est probablement antérieur, puisqu'un certain «Gabriel» fut payé en 1678 pour la démolition de la terrasse. Donc, le projet d'escalier que l'on peut voir ici, doit être un projet inconnu par ailleurs.

La question que pose ce dessin est de savoir à quel usage étaient destinées les nombreuses pièces des appartements du Roi et de la Reine. Très probablement, deux chambres à coucher étaient prévues pour chacun d'entre eux, l'une pour les occasions officielles, l'autre à usage privé. Mais de toute évidence, de nombreux problèmes n'étaient pas résolus. Le palais était devenu trop grand pour n'être qu'un lieu de villégiature à la campagne. Par ailleurs, ces nombreuses pièces, de dimensions moyennes, reliées les unes aux autres, n'étaient guère utilisables pour des occasions officielles. Tout ceci démontre clairement que le Palais fut transformé et non pas planifié rationnellement.

Les hésitations quant à la fonction éventuelle de toutes ces pièces peuvent expliquer pourquoi la décoration intérieure du nouveau bâtiment de Le Vau fut commencée par le rez-de-chaussée. Ce qui nous étonne, c'est que, si longtemps après la construction du nouveau palais, il restait tant de choses à déterminer. Il semblerait, d'après le peu de documentation disponible, que des parties du palais étaient utilisées au fur et à mesure qu'elles étaient terminées et que l'idée d'un ensemble fonctionnel, que ce plan pourrait impliquer, ne fut jamais réalisée, avant que l'ensemble du projet (quel qu'il ait été) ne soit mené à bien.

Il convient également de remarquer que différents éléments de l'escalier du Roi et des pièces avoisinantes (sur le côté droit du plan) avaient pris leur forme définitive (ainsi les Salons de Diane, de Vénus et de l'Abondance). Ceci aussi inciterait à penser que la date est postérieure à 1676.

# C 11

## Claude Audran II

1639–1684

### ÉTUDE POUR LA FRISE DU SALON DE MARS

Crayon, plume, craie noire, lavis gris, jaune et brun.
H. 238, L. 623.
Filigrane : Blason (proche de Heawood 673).
Collection Cronstedt : CC 1963.
Provenance : Probablement de la collection de Claude III Audran qui avait fait une estimation de la collection de Claude II au moment de sa mort. (cf. Reutersvärd (1964) p. 143). Cronstedt acheta toute la collection de Claude III.

Bibliographie : Reutersward P., «Drawings by Claude Audran II», *Master Drawings*, 2, 1964, pp. 142–152 et fig. 1 ; Bjurström (1976), n° 90.
Expositions : Cronstedt (1942) n° 36.

Le Salon de Mars était la pièce la plus spacieuse du Grand Appartement du Roi. La décoration picturale de ces pièces fut l'entreprise la plus importante aux alentours de 1670.

C 12 est une autre étude pour la même frise. On peut voir deux autres dessins de cette frise dans le Fonds Le Brun au Cabinet des Dessins du Louvre (GM 5731 et 5926).

Pour le Salon de Mars, les paiements à Audran furent effectués entre 1671 et 1680. Il n'est donc pas possible de dire la date précise à laquelle la frise fut conçue, bien que, faisant partie de la structure du plafond, elle a du être envisagée au début. Les paiements au sculpteur qui effetua l'encadrement de plâtre et autres décorations sculpturales, commencent en 1671.

Bien que d'autres peintures d'Audran concernant cette pièce soient mentionnées par le Sieur Combes dans son «Explication Historique de ce qu'il y a de plus remarquable dans la maison Royale de Versailles», Paris, 1681, il n'est fait aucune allusion à ces panneaux où l'on voit des

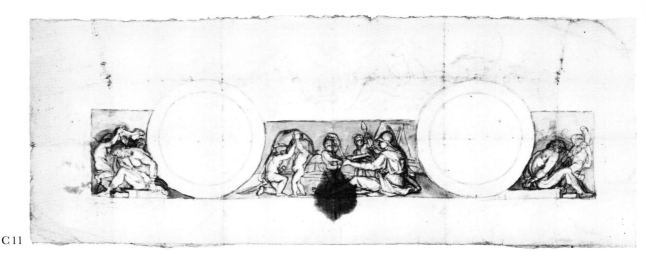

C 11

captifs, des guerriers, des armes et des chérubins, sans doute parce qu'ils ne revêtaient qu'un intérêt décoratif.

Cependant, C 11 et C 12 sont des dessins extrêmement importants dans la mesure où ils apportent quelques détails qui pourraient aider à résoudre l'un des grands problèmes concernant la conception du Grand Appartement. Il est surprenant que si peu de dessins de ces pièces (exceptés ceux de la Galerie des Glaces et des Salons de la Guerre et de la Paix) soient parvenus jusqu'à nous, parmi la masse constituant la collection Le Brun, saisie à la mort du peintre en 1690. On a toujours pensé que Le Brun était l'auteur de cet ensemble ou du moins de la conception générale des peintures et des moulures. Par ailleurs, plusieurs peintres participant à cet ouvrage étaient des Académiciens (Audran avait été élu en 1675) qui avaient simplement été déplacés des chantiers des Tuileries à ceux des Grands Appartements, à Versailles. Ces peintres furent-ils plus ou moins laissés à leur propre initiative? Faudrait-il remettre en question l'attribution à Le Brun?

L'existence de ces deux autres dessins d'Audran, au Louvre, peut être importante : on y voit une relation évidente entre Le Brun et le véritable exécutant. On peut même y voir un peu plus. Il est probable qu'Audran, au début des années 1670,

faisait partie de l'équipe de Le Brun et que c'était un artiste d'une stature différente de celle des autres participants, tels que J. B. de Champagne, Lafosse (élu 1671), ou Houasse (élu 1672). Combes omet de mentionner qu'Audran conçut la grande toile centrale : « Mars sur son char ». Il ne cite son nom qu'à propos de deux reliefs en trompe-l'œil, au bout de l'entrée. Jouvenet (élu 1676), qui n'était pas encore Académicien, est totalement laissé de côté. Pour Combes, seul Houasse est digne d'éloges. Le fait que le livre de Combes fut approuvé par Lafosse et Coysevox n'est sans doute pas dû au hasard. Mais il peut aider à comprendre la génèse complexe de ces décors.

Reuterswärd a utilisé ces dessins pour différencier le style d'Audran de celui de Le Brun.

70

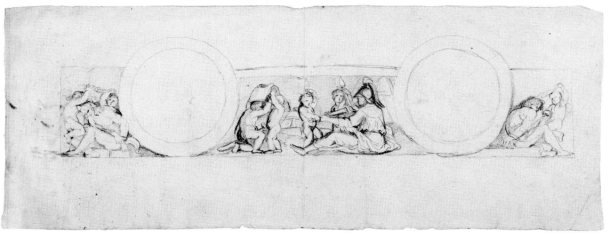

C 12

## C 12

### Claude Audran II

1639–1684

ÉTUDE POUR LA FRISE DU SALON
DE MARS

Craie noire.
H. 228, L. 602.
Filigrane : raisins, Heawood 2290 ; filigrane addi-
tionnel : B (croissant) C.
Collection Cronstedt : CC 1916.
Provenance : la même que C. 11.

Bibliographie : Bjurström (1976) n° 91.

C'est une version plus simple et plus petite que la
frise montrée en C 11. Voir la partie du commentaire précédent concernant ce dessin-ci.

## C 13

### Dessinateur Anonyme

BRODERIE POUR LA SALLE D'AUDIENCE
DU ROI À VERSAILLES

Plume, encre noire et aquarelle en plusieurs cou-
leurs.
H. 667, L. 491.
Filigrane : (P) ? (cœur) C.
Collection Tessin-Hårleman: THC 1554
Inscription : Meuble brodée dans la Salle d'Au-
dience de l'Apartement à Versailles.

Bibliographie : Weigert (R. A.), *Revue de l'art ancien et moderne*,
Novembre, 1922.

Selon l'inscription, ce dessin aurait été fait pour le
Salon d'Apollon, où se trouvait le trône du Roi. En
1687, Tessin écrit que:

> Le meuble est distingué par des pilastres brodés d'or
> relevés jusqu'a trois poulces ; les figures y sont pres-
> que grands comme nature et relevées d'argent massif
> pour touttes les nudités, et le reste y est brodé d'or et
> relevé jusques 4 ou 5 pouces d'hauteur dans des en-
> droits, comme particulèrement aux trophées en bas ;
> l'on a un peu melé des couleurs parmÿ les broderies
> partout, pour les mieux distinguer ; le fond est brodè
> tout d'argent...

C 13

C

## C 14

Dessinateur Anonyme

ELEVATION DU CÔTÉ OUEST
DE LA COUR DE MARBRE

Plume avec encre noire, crayon (détails du toît).
H. 273, L. 280. (Non exposé)
Filigrane : I (cœur) P.
Collection Cronstedt : CC 2236.

Bibliographie : Bourget (Pierre), *Mansart* (1960) pl. LXXXIV,
 Marie (A. et J.), (1972) I, fig. p. 228.
Exposition : *300 Dessins*, (1951) n° 4.

Il n'est donc pas surprenant que Tessin se soit procuré un dessin pour décrire ce décor fabuleux. Il existe un rapport entre ces broderies et Mme de Montespan qui, dans les dernières années de sa vie à la Cour, avait accordé son patronage à une école de broderie. On s'accorde généralement à penser que c'est elle qui avait offert ces broderies au Roi, même si la preuve formelle ne peut être apportée.

L'utilisation de ce décor était peu courante dans le Salon d'Apollon. Le plus souvent, il était orné de tableaux, ainsi qu'il est décrit dans le *Mercure de France* de 1683. Ces broderies représentaient une nouveauté, un trait caractéristique de Versailles au moment de la visite de Tessin.

En couleur sur la couverture.

Ce projet est très difficile à dater car il n'est pas possible de déterminer précisément quand fut prise la décision d'entreprendre les nouvelles figures sculptées et les ornements architecturaux qui sont montrés ici. Les paiements pour les sculptures commencèrent en 1679, mais il existe des paiements pour un fronton dès 1675 ce qui pourrait indiquer que le projet était déjà envisagé à cette date. L'esprit du programme est certainement celui de l'époque où dominent Le Brun et Félibien, vers 1675.

Mais la réputation de Le Brun resta à son zénith jusqu'à la mort de Colbert, en 1683. Nous savons qu'il existe un joli dessin, probablement de la main de Le Brun, concernant le fronton (cf. cat. C 14). Il ressemble moins au groupe final que celui-ci et doit par conséquent lui être antérieur.

Les trois fenêtres sous le fronton, ainsi que les trois portes cintrées donnant sur le balcon, introduisaient la lumière dans un grand salon central. Depuis 1702, cette piece est la Chambre du Roi. Les trois ouvertures du rez-de-chaussée conduisaient à un vestibule, puis à un escalier qui descendait vers la Galerie basse, jusqu'à trois portes donnant sur la terrasse principale, côté jardin. Il s'agissait du principal accès public au jardin. C'était des grilles, et non des portes, qui fermaient ces ouvertures.

Le projet détaillé, s'articulant autour de statues de marbre placées sur la balustrade dominant le premier étage, est à peine suggéré ici au travers de l'esquisse d'une seule figure, sans grande précision. Il est difficile de déterminer jusqu'où ce projet avait été réalisé au moment où cette planche a été dessinée.

La remarque contenue dans le catalogue de 1951, et selon laquelle il ne s'agirait que d'une copie, pourrait être confirmée par le fait que le même papier semble être utilisé pour d'autres copies, telle que C 18.

# C 15

## Charles Le Brun

1619–1690

### PROJET POUR LE FRONTON SURMONTANT LE SALON CENTRAL

Pierre noire, lavis gris.
H. 386, L. 810.
Filigrane : Croix de Malte entourée d'une chainette : proche de Heawood 228 mais le filigrane additionnel est different.
Inscriptions : Vertu Heroique P. ; valens Q.
Collection Tessin-Hårleman : THC 5055.

Bibliographie: Souchal (François), *French Sculptors in the 17th and 18th centuries ; The reign of Louis XIV,* II, 1981, p. 45. Bjurström (1976) no. 505.
Exposition : *Le Brun,* Versailles, 1963, n° 156.

Cette planche diffère, en bien des points, de ce qui fut réellement executé par Girardon et Marsy. On y voit Mars avec le Lion et le Coq de France, lesquels ont changé de place. Quoi qu'il en soit, la beauté du dessin et la grandeur de ses dimensions laissent à penser qu'il fut réalisé en vue d'une présentation à Louis XIV.

« De chaque côté d'un globe entouré de feuilles de palmier et surmonté d'un cadran à tête de soleil s'asseoient Hercule avec les trophées de ses travaux, et Mars ».

Selon Jennifer Montagu : « Si l'on veut chercher une interprétation plus précise que celle des inscriptions, on peut remarquer que le guerrier dompte le lion et l'aigle, symboles habituels de l'Espagne et de l'Empire . . . »

C 15

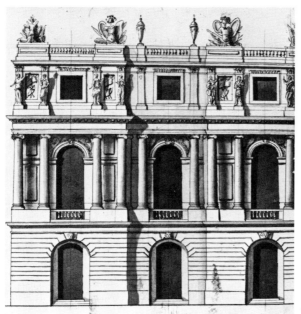

C 16

## C 16

### François d'Orbay

1634–1697

#### L'EXTRÉMITÉ DE L'AISLE DU MIDI

Crayon, plume et encre noire ; lavis gris.
H. 320, L. 217.
Le côté droit de ce dessin a été déchiré pour ôter la
partie arrière de cette façade, qui était moins
élégante.
Collection Cronstedt : CC 1454.

Exposition : *300 Dessins* (1951) n° 6.

On a cru, à tort, en 1951, que ce dessin avait été fait
pour la transformation du palais de Le Vau. Tant
l'épaisseur des murs que l'utilisation des colon-
nades preuvent qu'il s'agit d'une erreur.

La décision fut prise d'harmoniser la façade jardin de l'aile sud avec la nouvelle conception de
l'ensemble entourant la Galerie des Glaces. Dans le
contexte de cette exposition, ce dessin peut servir
d'introduction aux changements agréables et pratiques apportés à la façade sur jardin et commencés
par Mansart au moment de la construction de la
Galerie des Glaces. La beauté du nouveau projet
apparait clairement si l'on compare l'élévation à la
disposition antérieure (cf. cat. C 3).

Sur ce dessin, la touche d'Orbay est évidente,
même s'il s'agit sans doute d'un des ses derniers
ouvrages pour Versailles. Il occupa, de fait, les
fonctions de premier architecte (sans en avoir le
titre) depuis la mort de Le Vau, en 1670 et jusqu'à
la prise de pouvoir d'Hardouin-Mansart en 1678. Il
fut alors assigné à d'autres travaux, tels que Chambord, probablement pour détendre une situation
qui devait être assez pénible.

D'Orbay est l'un des grands dessinateurs de cette
période. Il est donc surprenant que cette planche
n'ait jamais été publiée. Elle devait faire partie
d'une présentation trés importante destinée au Roi
ou à Colbert.

## C 17

### Dessinateur des Bâtiments du Roi

#### RABAT DES PLAFONDS DE LA GRANDE
#### GALERIE ET DU SALON CENTRAL

Plume, encre noire ; lavis gris.
H. 115, L. 262.
Inscriptions : mesures au crayon.
Collection Cronstedt : CC 2994.

Bibliographie Comparative : Marie (A. et J.), (1972) I p. 226.

En 1678, la décision fut prise de remplacer la terrasse du palais de Le Vau par une grande galerie.
L'idée semble avoir évolué à partir d'un projet de
grande envergure proposé par Mansart. Différentes
idées furent examinées, et une série de dessins aux
Archives Nationales montrent une proposition
visant à agrandir Versailles verticalement (O[1]
1782, etc...). Finalement on décida de ne pas tou-
cher à la partie centrale, mais d'ajouter une aile au

## C 18

### Dessinateur Anonyme

#### PLAN DE L'AILE SUD

Plume et encre brune. Un détail au crayon.
H. 320, L. 460.
Filigrane : I (cœur) P ; Heawood 690.
Inscription : Plan du rez de chaussée du costé delo-
rangerie dela grande aisle du chasteau de Ver-
sailles.
Collection Tessin-Hårleman : THC 5.

Bibliographie Comparative : Marie (A. et J.), (1972) I, p. 247.

sud. (Cat. C. 16 pourrait faire partie du projet pour cette aile.) Aux Archives se trouve une coupe Est/Ouest du corps central du château qui pourrait éclairer sur le type de dessin auquel ce rabat était attaché. Cette coupe (n° 2977, Gallet (1984)) montre pratiquement le même décor pour les deux plafonds a) de la Galerie des Glaces, b) du nouveau salon central du vieux château.

Ces projets semblent avoir été réalisés un an avant la décision qui devait permettre à Charles Le Brun de décorer l'immense voûte. Celle-ci, sans les peintures, fut approuvée le 26 septembre 1678. En mars 1679 Le Brun présenta un projet, autour du thème d'Apollon, qui fut refusé. Finalement, ce fut l'histoire de la guerre contre la Hollande qui fut choisie pour décorer la voûte.

Cet élégant dessin, sur beau papier français, réalisé aux alentours de 1680, est certainement un témoignage de ce que Tessin aimait commander : un élément du château (à peine remarqué par les visiteurs d'aujourd'hui, mais de grand intérêt à l'époque). L'intérieur de l'aile a été remodelé et redécoré sous Louis Philippe. Au 17ème siècle, l'escalier des princes (en haut à droite) était une espèce de marché élégant, destiné aux courtiers. Les quelques dessins qui nous sont parvenus nous donnent une idée de la beauté de l'appartement central de la Princesse Douairière de Conti (la fille de Louis XIV), cf. C 21.

Les dessins de travail des Bâtiments du Roi se trouvent aux Archives Nationales (O[1] 1781). Ils sont nombreux, pour la plupart du 18ème siècle, mais sur aucun n'apparait l'ensemble de l'époque de Louis XIV.

L'inscription permet de penser que ce plan fut dessiné avant 1685 quand la « grand aisle » décrite dans les documents désigne celle qui se trouve de l'autre côté (au nord) du château. Il n'est pas impossible que ce plan ait été acheté par Tessin, lors de sa visite.

C 18

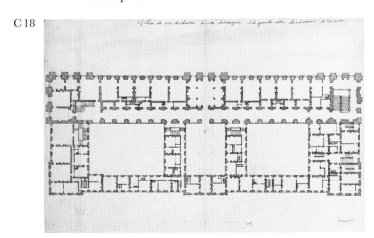

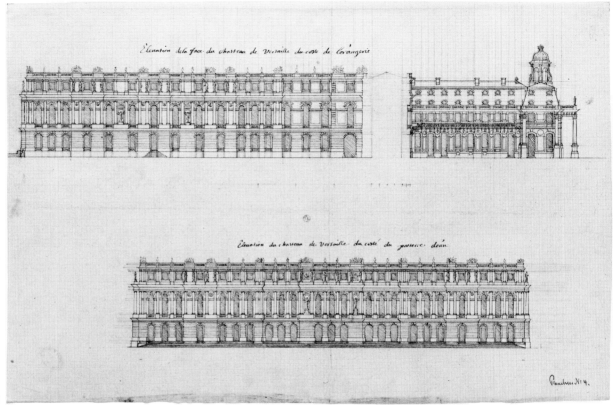

Élévation de la face du chasteau de Versaille du costé de l'orangerie

Élévation du chasteau de Versaille du costé du parterre d'eau

C 19

# C 19

## Dessinateur Anonyme

### ÉLÉVATION DE LA FAÇADE OUEST DE L'AISLE DU MIDI

Plume et encre brune (?).
H. 270, L. 400. (Non exposé)
Filigrane : B (cœur) 00 (BNE?) ; Heawood 694.
Inscription : Elevation de la face du chasteau de
Versaille (sic) du costé de l'orangerie ; Elevation
du chasteau de Versaille (sic) du costé du par-
terre d'eau.
Tessin-Hårleman Collection : THC 4.

Ce dessin (au dessus) montre le château vu du sud ;
l'espace vide au centre indique l'emplacement de
l'Aile du Midi. La façade ouest de l'aile sud est
d'ailleurs représentée en dessous.

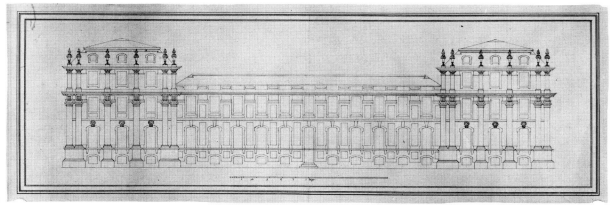

C 20

## C 20

Dessinateur Anonyme

### ÉLÉVATION DE L'AILE DU MIDI VUE DE LA RUE DE LA SURINTENDANCE

Plume et encre noire.
H. 296, L. 868. (Non exposé)
Filigrane : a) Colombier sur un soleil, b) Soleil au
    visage rayonnant.
Collection Cronstedt : CC 864.

Ce dessin peut être rapproché de C 18 et C 19. Il
montre certainement le même bâtiment et il est de
technique semblable.

## C 21

Dessinateur des Bâtiments du Roi (?)

### FENÊTRE DE L'AILE DU MIDI.

Crayon, lavis rose-orange.
H. 457, L. 301. (Non exposé)
Filigrane : 1693.
Inscription : Dessein des portes-croisées du princi-
    pal Estage du grand Batim.s en Aisle.
Collection Tessin-Hårleman : THC 2900.

Bibliographie : Marie (A. et J.), (1972) fig. p. 254.

Ce dessin fait partie d'une série importante. On
peut y voir les détails de « chambranles », « cheminées », « portes » etc. ainsi que de nombreux profils. Quelques numéros de cette série (tous THC)
vont de 2901 à 2909. Il existe d'autres dessins similaires dans la collection Tessin, THC 7275 et 7313,
qui se rapportent au chambranle de l'appartement
du Duc de Berry.

C 21

C 22

## C 22

### Claude III Audran

1658–1734

PLAFOND DE LA PETITE CHAMBRE DE
LA PRINCESSE DE CONTI,
DANS L'AISLE DU MIDI

Aquarelle.
H. 231, L. 344.
Filigrane : I (cœur) CARIER et Heawood 3280
(sans raisins).
Inscription : Petite chambre à coucher de S.A.S.
Madame la Princesse de Conty, (et une échelle).
Collection Cronstedt : II, 36.

Bibliographie : Marie (A. et J.), (1972), I, fig. p. 249.
Exposition : Audran (1950) n° 7.

Claude Audran était un expert dans ce type d'ornementation, comme le prouve les merveilleux
recueils de ses dessins à Stockholm d'où provient ce
document. Audran est surtout connu en tant que
professeur de Watteau qui fit également des décorations dans ce style. D'ailleurs ce style était assez
répandu à l'époque et le principal représentant en
était Jean Bérain, le rival d'Audran. Bérain, qui
était au service de Louis XIV, exécuta la plupart de
ce type de travaux à Versailles. Audran trouva un

autre protecteur en la personne du Dauphin, pour
qui il réalisa d'importants travaux à Meudon.

Le « décor » de la Princesse de Conti, fille de
Louis XIV par Madame de Montespan, est d'une
qualité exceptionnelle. Audran a travaillé également pour le Roi et décora, en particulier, les
appartements de la Duchesse de Bourgogne, sa petite fille par alliance, à la Ménagerie (voir cat. I 4).

Ce décor-ici, d'après le Compt. des Bât. du Roi
(V, col. 315) fut réalisé en 1709 dans une petite
pièce de l'entresol. Audran avait travaillé à d'autres
endroits du même appartement, de 1702 à 1705,
mais ses dessins, probablement encore parmi ceux
de Stockholm, n'ont pas été identifiés.

L'allégorie héroïque des décorations de Versailles (cf. cat. C 11) a été remplacée par une œuvre
gracieuse qui annonce le charme des intérieurs du
18ème siècle. Une nouvelle légèreté dans l'ornementation, tirant son inspiration des peintures de la
Rome antique, chasse la lourdeur des formes archi-
tecturales des années 1670.

On peut se faire une idée de l'agencement des
murs dans l'appartement de la Princesse grâce à un
dessin de cheminée, approuvé pour réalisation en
1700 par Mansart (cf. Marie, A. (1972) I, p. 249).

## C 23

### Dessinateur Anonyme

PLAN DU CHÂTEAU, PREMIER ÉTAGE

Plume et encre brune.
H. 370, L. 960.
Filigrane : Heawood 2432 (à comparer B 1, B 11 et
autres) ; filigrane additionnel, W.m Colombier,
Inscriptions : a) plan du premier étage du Chasteau
de Versaille de costé au jardin (et en dessous)
Grande gallerie peint par M. Le Brun ;
b) (à droite) grande aisle nouvellement bastie ; la
chapelle ; c) appartemend de Mr... du Roy (à
gauche).
Collection Tessin-Hårleman : THC 3.

Bibliographie : Marie (A. et J.), (1972) II, fig. p. 52 ; Weber
(1975), Fig. 152.

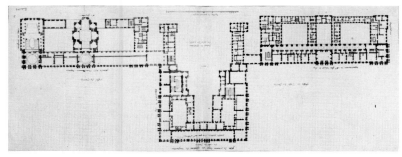

C 23

Ce dessin semble faire partie du même groupe que C 18, C 19, et C 20, et son histoire est probablement la même : il fut probablement acquis, sinon commandé, au cours d'une visite en France du Tessin, en 1686–1687.

En dépit de l'inscription, l'aile Nord, dont la construction suivit celle de l'aile Sud, ne fut jamais construite comme il est montré ici. Ce dessin témoigne d'un projet assez extravagant selon lequel la majeure partie de l'aile du nord nouvelle était occupée par une vaste chapelle et un opéra, auxquels on accédait par des galeries et des salles spacieuses. Tel était le projet dont on rêvait vers 1685, mais il fallut l'abandonner vers 1688, au moment où furent conçues une aile plus pratique et une chapelle tout à fait différente.

Ici, l'agencement général est celui du grand plan du Palais, de la ville et du jardin, cf. cat. A 4. On connait différentes variantes de ce plan de l'aile : a) Album 63, Archives des Bâtiments Civils ; b) Archives Nationales, O¹ 1786 (cf. Marie, A et J (1972) p. 546).

# C 24

## Dessinateur Anonyme

### CHAMBRE DE LOUIS XIV

Crayon et aquarelle.
H. 205, L. 319.
Filigrane : proche de Heawood 2432 ; filigrane additionnel I (cœur) CHABB (?).
Inscriptions : A. le St Jean de raphaele B. le david du dominiquin.
Collection Cronstedt : CC 174.

Bibliographie : Souchal (1977), p. 161.
Expositions : Cronstedt (1942) n° 45 ; *300 Dessins*, n° 29.

Ce dessin est important pour les informations qu'il nous donne sur l'ameublement de la Chambre de Louis XIV. Il a été réalisé par un visiteur et non par un des dessinateurs des Bâtiments du Roi.

Il est difficile à dater, mais il est certainement postérieur à 1701, date à laquelle l'ancien Salon Central fut remplacé par cette chambre. Mais il n'est pas possible d'affirmer qu'il s'agit du tout premier agencement. La forme plutôt carrée des chaises permettrait d'avancer une date antérieure à la période fin-de-règne, d'après laquelle la chambre a récemment été restaurée. Il se pourrait que se dessin représente la chambre à l'état neuf, même s'il n'apparait pas clairement que Cronstedt l'aît acquis aussitôt.

Des différences évidentes avec C 25 suggèrent que le mobilier ait pu être changé à de nombreuses reprises. L'absence de portières et de tapisseries pourrait signifier qu'il s'agit ici d'une installation d'été. Le lit et les murs sont couverts de tissus assortis, à petits motifs.

Les tableaux mentionnés dans les inscriptions semblent avoir souvent été accrochés dans cette pièce, dont les murs accueillaient, et accueillent toujours, de belles peintures, entre autres de Van Dyck et Valentin.

C 24

C 25

## C 25

### Dessinateur Anonyme

#### COIN NORD-OUEST
#### DE LA CHAMBRE DE LOUIS XIV

Plume, lavis et aquarelle.
H. 233, L. 182.
Inscription : Raphaelle.
Collection Cronstedt : CC 513.

Expositions : Cronstedt (1942) n° 46 ; *300 Dessins* (1951) n° 30.

La date de ce dessin est aussi difficile à préciser que celle de C 24. Cependant, on peut voir ici un ameublement différent. La présence de tapisseries – une scène sylvestre sur le mur du fond et une des saisons d'Audran servant de portière – laisse à penser qu'il s'agit d'une installation d'hiver. On n'y voit pas les mêmes sièges près du lit, lequel est différent de C 24. L'inscription fait sans doute allusion à une peinture de Raphaël qui se trouvait sur le mur à côté du lit. Sa présence est mentionnée, quoi qu'elle ne soit pas dessinée. Il est impossible de déterminer si ce dessin parvint à Cronstedt par Audran ou par une autre source. La peinture de Marot, à Versailles (MV. 2149), qui représente cet intérieur, montre un lit semblable, mais non identique à celui de C 24. Mais la tapisserie des murs est différente de C 24 et de cette planche. Excepté C 24 et C 25, le tableau de Marot est la seule représentation importante de cette pièce, au cœur de Versailles, où avait lieu le rituel quotidien du Lever et du Coucher du Roi.

D'autres cérémonies officielles s'y déroulaient également, telles que des promotions à certains ordres de la chevalerie. Louis XIV y est mort.

# D | La chapelle royale de Versailles (après 1682)

Certains dessins de Stockholm concernant l'ensemble de Versailles (cat. A 1, par exemple) donnent des indications aussi bien sûr la forme que sur l'emplacement de la seconde chapelle, construite vers 1670. Mais la collection de dessins d'architecture concernant cette chapelle ne commence qu'avec des projets des années 1680. Par contre, la chapelle provisoire, conçue en 1681 et utilisée jusqu'en 1710 (qui se trouvait sur l'emplacement actuel du salon d'Hercule, à l'extrémité Sud de l'aile Nord), n'est guère représentée dans la collection du Nationalmuseum. Pourtant, malgré ces débuts difficiles, la collection devient extrêmement riche en ce qui concerne les différents projets de chapelle. On peut même affirmer que, sans les dessins de Stockholm, l'histoire de la Chapelle Royale de Versailles serait incomplète.

A l'époque de la visite du Tessin en France, cette chapelle semble avoir été l'une des préoccupations majeures des architectes. Bien que relativement petite et certainement indigne d'un roi tel que Louis XIV, qui prétendait faire autorité religieuse, la chapelle de 1681 restait en usage. A son inauguration, on déclara qu'elle n'était que temporaire et serait bientôt remplacée par une construction bien plus imposante. Mais les projets furent retardés de quelques années, essentiellement parce que la chapelle devait être située dans l'aile Nord, dont les travaux ne furent entrepris qu'une fois terminés ceux de l'aile Sud. Mais c'est précisément au moment où un nouveau projet de grande envergure se dessinait que Tessin visita la France.

En 1687, nul ne doutait, et certainement pas les dessinateurs du plan du Palais (cat. C 23), que le dôme d'une gigantesque église dominerait le centre de l'aile. On demanda à Le Blond, ce qui ne s'était jamais fait auparavant, de graver les plans de la chapelle et de son dôme, afin de les rendre publics (cf. cat. D 1). Mais peu après le départ de Tessin, le projet tout entier fut abandonné. Vers la fin des années 1680 un alternatif fut formulé, puis après un délai dû à la guerre de la Ligue d'Augsbourg, d'autres projets furent présentés (après 1698). Toujours désireux de se tenir informé, Tessin se procura les dessins des différentes propositions. Ceux-ci constituent l'essentiel de ce D « section ».

Curieusement, il fut acquis très peu de documentation montrant la chapelle telle qu'elle devait être exécutée, mais les dessins de Stockholm sont d'une qualité exceptionnelle, et bon nombre d'entre eux proviennent directement des Bâtiments du Roi.

D1

## D 1

Jean Le Blond (?)
c. 1635–1709

COUPE EN LARGEUR D'UN PROJET
POUR LA CHAPELLE ROYALE

Encre noire, lavis gris, crayon rouge.
Filigrane : P (cœur) C.
H. 430, L. 255. Une échelle.
Collection Cronstedt : CC 2210.

Bibliographie : Marie (A. et J.), (1972) II p. 533–535.

En 1684, Le Blond a réalisé une célèbre série de gravures concernant cette chapelle. Elle comprenait deux coupes transversales, une vue extérieure (du Nord), un plan et une élévation de la façade sur jardin, ainsi qu'une ou deux autres planches. Jamais un grand projet pour Versailles n'avait été publié avant d'être réalisé.

Cette coupe transversale, vue de l'Est, semble avoir été réalisée avant la gravure. Mais elle pourrait également être une copie d'après cette même gravure. La haute qualité de l'exécution atteste de la maitrise de Le Blond, ainsi que la présence d'une échelle qui n'est pas incluse dans la gravure. L'effet de courbe dans l'intérieur du dôme est moins bien rendu sur le dessin que sur la gravure. Là, l'ornementation est plus détaillée, avec, par exemple, des statues placées sur les niches supérieures. Mais celà ne permet pas de résoudre le problème de savoir si la planche est antérieure ou postérieure à la gravure.

Ce projet de chapelle n'est pas sans rappeler le travail qu'Hardouin-Mansart effectua à la même époque, sur le Dôme des Invalides. L'église aurait produit un effet saisissant sur l'aspect du Palais, vu du jardin. Elle symbolisait un geste grandiose et opportun, en accord avec la politique religieuse de cette décade : querelles avec le Pape, révocation de l'Edit de Nantes, 1685. Elle tenait également les promesses faites lors de la construction de la modeste chapelle, en 1681.

Ce projet fut abandonné en 1688, ou juste avant, au moment où un autre plan fut tracé (cf. D 3 etc.).

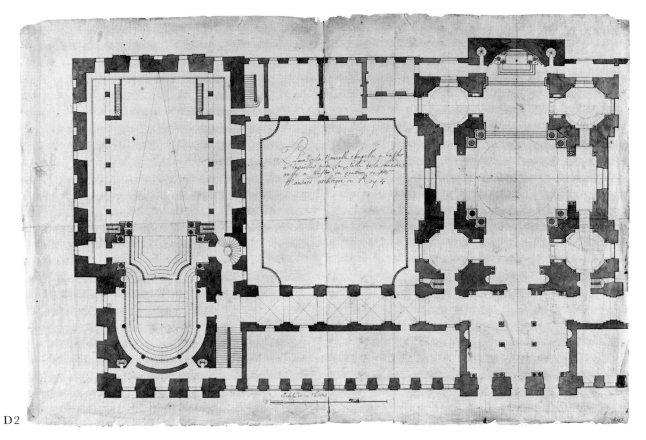

D 2

## D 2

### Dessinateur des Bâtiments du Roi

#### PLAN DE LA CHAPELLE ET DE LA SALLE DE LA COMÉDIE

Plume, encre noire et lavis gris.
H. 593, L. 871.
Inscription : Plan de la nouvelle chapelle a bastir a
Versailles et de la Salle de la comédie aussy a
bastir du dessein de Mr. Mansard architecte du
Roy. Echelle.
Collection Tessin-Hårleman : THC 8157.

Bibliographie : Marie (A. et J.), (1972) fig. , p. 546.
Expositions : *300 Dessins* (1951) n° 44.

D'aprés l'inscription qu'il porte, ce dessin, approximativement de 1685, pourrait être de ceux que Tessin reçut en présent, lors de sa visite. En tous cas, l'inscription date de l'époque où la chapelle était encore « a bastir », avant 1688.

Le plan est très proche de celui montré par l'élévation de Le Blond (D 1.). Mais on peut avancer la date de 1685, ou juste après, à cause de la présence du projet de théâtre. Il semble qu'il s'agit de celui que Vigarani a daté du 7 janvier 1685 sur une élévation qui se trouve à la Bibliothèque Nationale, Cabinet des Estampes Va 361 VII. (cf. Marie, (1972) II, p. 551).

Ce théâtre ne fut jamais construit. En fait, l'extrémité de l'aile Nord ne fut guère achevée avant la réalisation de l'Opéra de Gabriel.

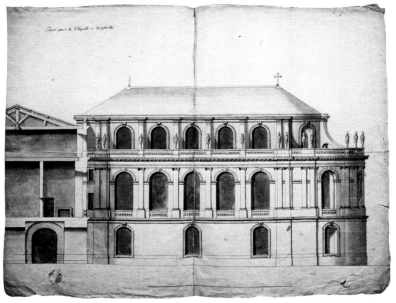

D 3

## D 3

Dessinateur des Bâtiments du Roi

ÉLÉVATION SUD
POUR UN PROJET DE CHAPELLE

Plume noire et aquarelle.
H. 473, L. 622.
Filigrane : proche de Heawood 2987.
Inscription : Projet pour la chapelle de Versailles.
Collection Tessin-Hårleman : THC 1736.

Bibliographie Comparative : Kimball (Fiske), « The Chapels of
the Chateau of Versailles », *GBA*, 1944, p. 313. Petzet
(Michael), « Quelques projets inédits pour la Chapelle de
Versailles, 1688–89 », *Art de France* I, 1961, pp. 315–319.

Le 28 Janviér 1689, Jules Hardouin-Mansart présenta, devant l'Académie Royale d'Architecture, un
nouveau projet de chapelle. Il était radicalement
différent du projet antérieur, concernant l'aile Nord
(cat. D 1 et 2). Tout d'abord, la chapelle était
déplacée du milieu de l'aile Nord, pour être rappro-
chée de la partie centrale du Château. En fait, elle

en était juste séparée par une pièce. Non seulement
l'emplacement était plus adapté à l'usage royal,
mais il libérait le reste de l'aile à des fins résiden-
tielles, en supprimant les longues galeries inutiles
qui donnaient accès à la chapelle (cf. projets antérieurs C 23).

A cause du nouvel emplacement, et pour des
raisons de symétrie, il était évidemment impossible
d'envisager une église surmontée d'un dôme. Le
nouveau projet prend une forme tout à fait différente. Petzet suggère qu'un projet de Perrault, pour
Sainte Geneviève, aît pu être la source d'inspiration
de Mansart. Mais si l'on tient compte de la consé-
cration à St-Louis et des ressemblances avec la
chapelle de Vincennes et celle de St-Germain-en-
Laye, on peut voir un certain rapport avec la
conception traditionnelle des chapelles royales françaises du Moyen Âge.

D 3 n'a jamais été publié. Pourtant il s'agit d'un
dessin extrêmement intéressant qui montre que la
chapelle devait à la fois avoir une allure imposante,
vue de l'Est du château, tout en restant invisible au-
dessus de la nouvelle aile Nord, et ceci afin de
maintenir l'aspect symétrique de la façade sur
jardin.

La forme de chapelle royale française, qu'elle
revêt également, était tout à fait en accord avec la
politique religieuse de Louis XIV, d'inspiration
gallicane, qui devait le mener jusqu'à l'excommuni-
cation.

On trouve également ici l'expression de l'esprit
de l'Académie d'Architecture, dans la présence
dominante d'un alignement de pilastres classiques
à l'étage royal principal (premier étage).

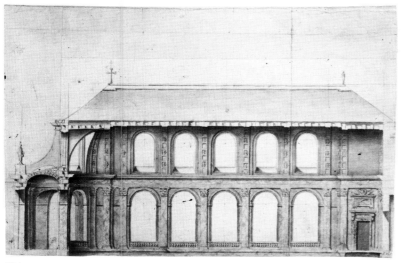

D4

## D 4

### Dessinateur des Bâtiments du Roi

SECTION D'UN PROJET DE CHAPELLE
MONTRANT LE MUR SUD

Plume, lavis et aquarelle.
H. 330, L. 490.
Filigrane : proche de Heawood 3407–08 ; filigrane
   additionnel : B (croissant) BICARD.
Collection Tessin-Hårleman : THC 8065.

Bibliographie : Petzet M., «Quelques projets inédits pour la
   chapelle de Versailles, *Arts de France* I, 1961, fig. , p. 315.
Expositions : *300 Dessins* (1951), n° 47.

Ce dessin montre les deux étages supérieurs du
projet de 1688–89. Grâce à la couleur, on a pu
identifier certains des marbres proposés : Languedoc pour les pilastres, Marbre de Campanvert pour
l'entrée latérale menant à la tribune. Le rez-de-
chaussée n'apparait pas ici, mais il nous est montré
sur d'autres dessins tel que O[1] 1783 aux Archives
Nationales (cf. Marie (A. et J.), (1976), p. 458, fig.
193).
   Il s'agit de la vue intérieure de la chapelle montrée en D 3. Le dessin est trés semblable à celui des
Archives, mais diffère dans la façon dont est traitée
la partie tribune.
   L'une des caractéristiques de ce dessin, et de
quelques autres projets antérieurs pour la chapelle
de Versailles, se trouve dans l'importance accordée
à la tribune. Si elle fut tant élargie, c'est d'abord
pour permettre au Roi un accès direct, à partir du
Grand Appartement du Roi. Mais il faut également
prendre en compte le désir d'une Tribune Impé-
riale, telle que la chapelle de Charlemagne, à Aix-
la-Chapelle (Aachen). Certes, il existait une tribune
dans le projet refusé de la chapelle avec dôme, mais
là, le prestige du souverain n'était pas montré par
l'articulation intérieure. Ainsi donc, cette chapelle
de Versailles est le résultat d'une fusion entre la
chapelle royale française de style gothique et celle
de Charlemagne.

## D 5

### Dessinateur Anonyme

COUPE LATERALE
D'UN PROJET DE CHAPELLE

Crayon, plume et encre noire.
H. 420, L. 560.
Filigrane : Heawood 2432 ; filigrane additionnel : B
   (cœur) *Colombier*.
Inscription : Couppe sur la longeur de la Nef de la
   chapelle a faire au Chasteau de Versailles. Avec
   échelle.
Collection Cronstedt : CC 82.

Ce dessin appartient à un groupe de trois, non
publiés, de la collection de Stockholm. Il montre la
partie centrale du projet de 1688–89 concernant la
chapelle. Aucun de ces dessins ne montre les parties
latérales, ou le toit. Ils semblent être tous de la
même main. Une autre série de dessins avec uniquement les zones de soutien extérieur se trouve
aux Archives Nationales (Gallet (1984) n° 1495
etc.)
   Ces dessins semblent avoir été réalisés dans un
but bien défini. Ils sont exécutés à gros traits, droits

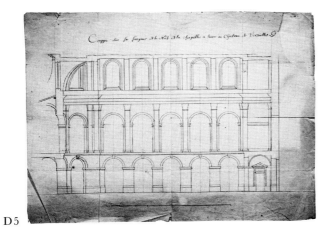

D 5

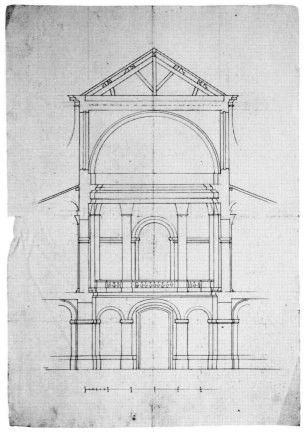

ou courbes. Les chapiteaux et autres ornements sont omis. (Quelques balustres se voient sur D 6. Mais ici, une clé de voûte apparait dans le détail, au rez-de-chaussée.)

La meilleure explication serait que ces dessins auraient été produits dans l'intention de mettre en évidence les proportions des différentes parties constituant l'intérieur. Il est peut-être important de savoir que Mansart et les membres de l'Académie discutèrent le problème des proportions, lors de la présentation du projet, le 28 janvier 1689 :

> M. Mansart après avoir fait la description de la chapelle que le Roy désire de fair bastir à Versailles, on s'est entretenu sur les proportions de ladite chapelle... la campagnie a fort apprové que ladite hauteur excédast le double de la largeur, estimant qu'il faut plustost tomber dans ce plus de hauteur que de donner moins que le double de ladite largeur.
> *Procès-verbaux de l'Académie Royale d'Architecture*
> (Ed. Lemonnier, Paris, 1912)

Apparemment, ce débat incita l'architecte à augmenter la hauteur du bâtiment (cf. D 8).

Les inscriptions sur le dessin semblent avoir été rajoutées au moment où, une fois la décision prise, les plans ont été donnés à quelqu'un qui avait l'intention d'étudier le bâtiment. Il serait intéressant de savoir si ces mêmes plans furent envoyés à Tessin.

## D 6

Dessinateur Anonyme

### COUPE DE FOND
### D'UN PROJET DE CHAPELLE

Crayon, plume et encre noire.
H. 435, L. 289.
Filigrane : même que les D. 5 et D. 6.
Collection Cronstedt : CC 77.

Ce dessin fait partie de la même série que D 5 et D 7 de ce catalogue.

# D 7

## Dessinateur Anonyme

### PLAN D'UN PROJET DE CHAPELLE

Plume et encre noire.
H. 532, L. 211.
Filigrane : même que les D 5 et D 6.
Inscription : Plan de la chapelle à faire au chasteau
de Versailles au Niveau des tribunes et l'Estage
du Roy.
Collection Cronstedt : CC 76.

Ce dessin fait partie de la même série que D 5 et D 6
de ce catalogue. C'est un plan assez surprenant qui
ne montre pas l'ensemble du rez-de-chaussée. Voir
le commentaire de D 5 qui tente d'élucider cette
question.

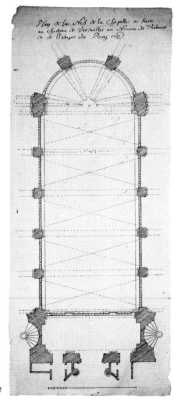

D 7

# D 8

## Dessinateur des Bâtiments du Roi

### COUPE POUR UN PROJET DE CHAPELLE ET SES VESTIBULES

Plume et encre noire, lavis gris, vert, bleu et rouge.
H. 433, L. 715.
Filigrane : même que le D 3 (mais sans filigrane
additionnel)
Collection Tessin-Hårleman : THC 8067.

Bibliographie : Petzet (1961) fig , p. 317.
Exposition: *300 Dessins* (1951) n° 48.

Ce dessin, ainsi que D 9, sont importants car ils
témoignent d'une révision considérable des projets
D 3, D 4, D 5, D 6 et D 7. Mais leur date exacte est
inconnue. Dangeau nous informe que, le 22 Décembre 1698, le roi annonça son intention de reprendre
les travaux de la chapelle, commencés en 1689 et
interrompus lors de la guerre de le Ligue d'Augsbourg. Ce dessin date certainement d'avant Mars
1699, car, c'est à ce moment, nous dit Dangeau, que
fut prise la décision de remplacer le marbre coloré
par de la pierre blanche. On a toujours supposé que
ce dessin datait de 1698, même s'il n'est pas impossible que les changements qui apparaissent ici aient
été faits vers 1688.

Ici, l'intérêt réside dans les proportions de la
construction (le rapport hauteur/largeur). L'idée
de faire plus haut que sur D 5, par exemple, a pu
résulter des débats tenus à l'Académie en Janvier
1689 (cf. notice cat. D 5). Il est également vraisemblable que ces nouvelles proportions furent envisagées, au moment de la reprise des travaux, en 1698.

Ce dessin, ainsi que D 9, présentent une église
dont la poussée verticale est très accentuée, tant à
l'intérieur qu'à l'extérieur. Cependant, en y regardant de plus près, on s'aperçoit que la chapelle fut
très peu modifiée. Quand les travaux avaient repris,
en 1699, on avait beaucoup discuté de démolir les
murs qui existaient déjà. Mais il semble que la
majeure partie ait été conservée. Dans l'ensemble,
nous voyons ici des changements architecturaux

D 8

d'une haute subtilité. Le bâtiment est transformé, sans qu'une re-structuration radicale, ni même une nouvelle planification, n'aient été nécessaires. Les parties inférieures, ou les deux longs murs latéraux, ont dû rester intacts, alors que quelques travaux d'aménagement étaient effectués sur les fondations et autour de l'abside.

Les changements les plus importants sont apportés à l'étage de la Tribune : d'une part dans l'accroissement de la hauteur et d'autre part dans une révision de la fenestration, des ornements, et surtout dans l'ordonnance intérieure. Il fallait à la fois agrandir cette partie de l'église, destinée au Roi, et accentuer sa verticalité. Le projet d'une arcade avec pilastres fut abandonné pour être remplacé par des colonnes corinthiennes hautes et élancées. L'audacieuse disposition de cet ensemble sur piedestaux fut aussitôt soulignée par les critiques du 18ème siècle, de même que l'importance des nouvelles proportions et la grâce des colonnes. La largeur des fenêtres fut réduite, alors que la hauteur

était légèrement accentuée par l'élévation. Elles se trouvaient ainsi en harmonie avec la verticalité des colonnes.

Il est intéressant de remarquer qu'à l'intérieur, l'étage supérieur est pratiquement identique à celui du plan précédent, alors qu'à l'extérieur, le toit était considérablement surélevé. (cf. D 10).

La coloration du dessin indiquerait que les murs devaient être recouverts de marbre de Campanvert, alors que les colonnes étaient de marbre du Languedoc. On peut y voir un ornement architectural, plutôt que des figures sculptées, comme par exemple des pots-à-feu, et non des saints, sur la balustrade extérieure.

Les vestibules ont commencé à prendre leur forme définitive et semblent être faits de la même pierre qui devait être, plus tard, choisie pour la chapelle.

Cette coupe met également en évidence un autre détail important : la chapelle s'élèverait dorénavant au-dessus de la façade jardin de l'Aile Nord.

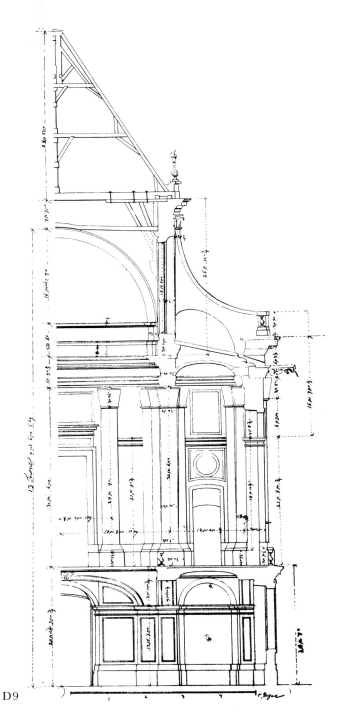

D9

# D 9

## Dessinateur Anonyme

### COUPE DE L'EXTRÉMITÉ
### DE LA CHAPELLE CÔTÉ TRIBUNE

Crayon, plume et encre noire.
H. 530, L. 350.
Filigrane : proche de Heawood 2980. Echelle et
différentes mesures.
Collection Tessin-Hårleman : THC 8087.

D 9 ne diffère de D 8 que par des détails mineurs.
Mais rien ne permet de déterminer s'il date d'avant
ou d'après Mars 1699, quand Louis XIV décida de
construire l'intérieur de sa chapelle en pierre
blanche. L'intérêt de ce document, longtemps
négligé, se trouve dans l'indication de mesures précises. Cela a probablement amené à supposer que
ce dessin avait été réalisé à la demande de Tessin,
pour servir d'information plutôt que de copie de
travail. Les proportions du bâtiment et la révision
du projet antérieur constituant l'intérêt de ce dessin, rien ne prouve qu'il ne parvient pas des Bâtiments du Roi et qu'il n'est pas une étude du même
type que D 6.

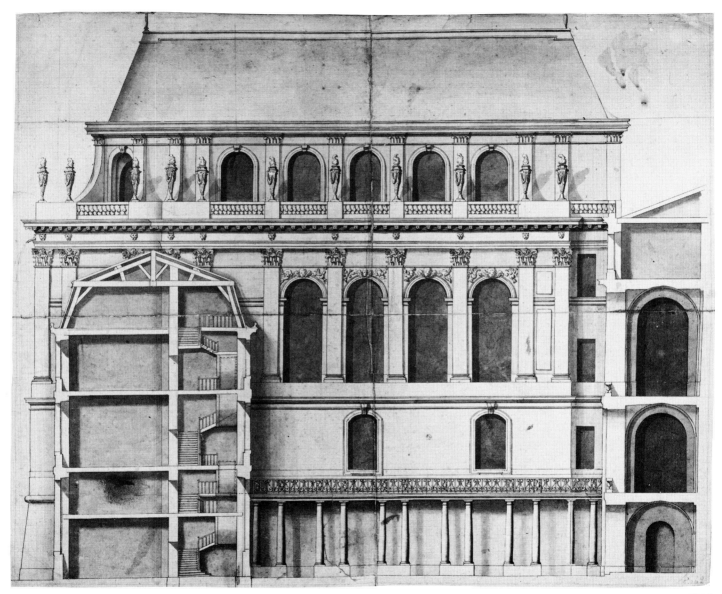

D 10

## D 10

### Dessinateur des Bâtiments du Roi

#### ÉLÉVATION NORD DE L'EXTÉRIEUR DE LA CHAPELLE

Plume, encre noire, lavis et aquarelle.
H. 480, L. 573.
Filigrane : IHS (dans un cercle) : proche de Heawood 2980 ; filigrane additionnel : B (cœur) C.
Collection Tessin-Hårleman : THC 8062.

Bibliographie : Petzet (1961), fig. , p. 317.

Cette élévation est l'une des premières concernant le second projet pour un bâtiment plus élevé. Il pourrait représenter l'extérieur de cat. D 8, bien que lui étant légèrement postérieur. Sur ce plan, la chapelle de la vierge et celle de St. Louis n'ont pas encore été ajoutées.

Tandis que les pilastres étaient maintenus dans l'élévation extérieure, comme il est montré ici, il y eut des changements notables dans la proportion des ordres, des fenêtres, etc., à l'étage de la Tribune qui gagna en importance tant à l'intérieur qu'à l'extérieur et ce malgré l'accentuation de la pente du nouveau toit.

La lanterne n'a pas encore été proposée, mais elle sera finalement construite (cf. cat. D 11).

## D 11

### Dessinateur des Bâtiments du Roi (?)

#### LANTERNE DE LA CHAPELLE

Crayon.
H. 678, L. 332.
Filigrane : proche de Heawood 716 ; filigrane additionnel : P (cœur) *Gourbeyre*.
Collection Cronstedt : CC 1263.

Bibliographie : Souchal (1977), p. 234, fig. 45[3].

Plusieurs modèles de lanternes furent payés en 1706. On peut donc présumer que la décision

D 11

d'ajouter ce détail fut prise alors que la construction de la chapelle était déjà bien avancée. La poussée verticale du bâtiment était très controversée. Le Duc de Saint-Simon fit mention de « cet horrible exhaussement par dessus le château ». Il avança également l'idée que Mansart avait fait élever le toit que « pour forcer, par cette difformité, à élever tout le château d'un étage ». Saint-Simon n'a jamais caché sa haine pour Mansart. Dans ce contexte, la lanterne peut être considérée, selon les opinions, soit comme l'ultime désastre, soit comme une charmante touche finale.

La lanterne fut retirée sur ordre de Louis XV en 1759 quand, après la mise en place de tout un échafaudage pour réparations, l'entreprise fut abandonnée. Il se peut que le coût des dépenses aît été trop élevé pour l'état des finances, cette année-là.

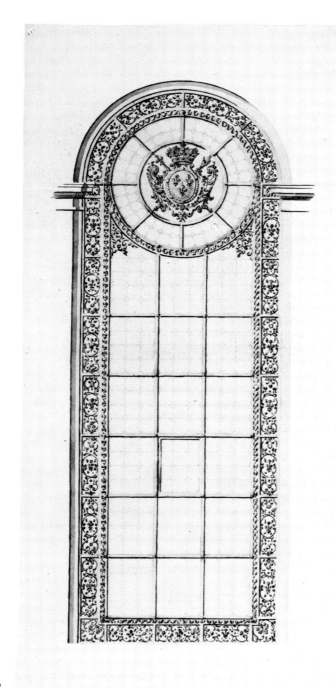

D12

## D 12

### Claude III Audran (?)

1658–1734

### FENÊTRE À L'ÉTAGE DE LA TRIBUNE

Plume, lavis et aquarelle.
H. 500, L. 220.
Filigrane : Heawood 2432.
Collection Cronstedt : CC 2959.

Bibliographie : Bourget (Pierre), *Mansart* (1960) pl. CXXXVIII.
Expositions : Cronstedt (1942) n° 47 ; *300 Dessins* (1951) n° 50.

Le 19 Juin 1707, Claude Audran reçut un premier paiement de 1.000 livres pour « les peintures sur verre qu'il a fourni pour la chapelle de Versailles ». Ce dessin (ainsi qu'un autre non-exposé) d'une fenêtre de l'étage en attique (CC 3060) a pu parvenir à Cronstedt avec la collection Audran. La couleur verte, au centre, représente du verre non peint.

## D 13

### René Charpentier (?)

1680–1723

### TROPHÉE SCULPTÉ DE LA CHAPELLE

Plume, encre noire, lavis gris et aquarelle rose.
H. 465, L. 142.
Filigrane : griffon sous une couronne.
Inscription : fait charp... (Charpentier)
Collection Tessin-Hårleman : THC 2145.

Bibliographie : Souchal (1977) p. 87, n° 3.
Exposition : *300 Dessins* (1951), n° 55.

Charpentier fut payé 500 livres pour l'exécution de ce bas-relief (5ème pilier à gauche, bas côté Nord). Souchal en décrit le sujet : La Religion écrasant du pied l'Hérésie, tenant d'une main la croix et de l'autre la bible.

D 13                          Fig. 4

le plafond de la chapelle.) Ce nouveau programme changea considérablement le caractère du bâtiment tel qu'il avait d'abord été proposé (cf D 8).

On a souvent parlé de la beauté des lignes et de l'exécution de ces bas-reliefs. Il n'est pas surprenant que trois jolis dessins les représentant aient été acquis pour les collections suédoises (cf. D 14 et la figure comparative de cette description, *fig. 4)*).

Au début du dix-huitième siècle, à Versailles, on avait beaucoup discuté des trophées. Ceux qui ornaient les Salons aux extrémités de la Galerie des Glaces, avaient, à l'époque, été coulés dans le bronze. Tandis que ceux-ci de la chapelle consistant d'accessoires d'églises, de reliques et de vêtements écclésiastiques, étaient d'une grande originalité.

La plus grande caractéristique de leur conception se trouve dans une grâce et une légèreté sans précédent qui inaugurent un style entièrement nouveau, dont sera issue, en partie, l'ornementation Rococo.

Ces dessins posent deux questions importantes et difficiles à résoudre : leur fonction et l'identification de leur auteur. Les trois copies de Stockholm portent l'inscription «Charpentier», mais celle-ci fut, semble-t-il, portée ultérieurement. Seul D 13 porte une inscription plus ancienne, avec une partie du nom, et c'est le seul qui représente un bas-relief pour lequel Charpentier fut payé. Peut-être est-ce seulement le nom de l'auteur du bas-relief qui est mentionné et non celui du dessinateur.

Le fond du bas-relief, coloré en rose est l'un des traits caractéristique des trois dessins des allégories de Stockholm. Il est d'un bel effet mais tout à fait contraire à la fonction des bas-reliefs, qui était d'embellir de simples surfaces blanches. C'est peut-être la meilleure preuve que les dessins furent réalisés après coup et sans tenir compte du projet d'ensemble de la chapelle. D'autre part, à un certain moment, des dessins pour la présentation du projet ont du être réalisés et des libertés telles que la coloration ne sont pas tout à fait invraisemblables, comme l'utilisation du vert en D 12. Il existe un ou deux dessins de ce type en dehors de Stockholm. Il serait intéressant de savoir si, dans la fig. 198 de A et J Marie (1976), le fond est coloré. Mais Marie ne mentionne pas l'endroit où se trouve ce document.

Bien que les documents ne soient pas très explicites sur ce point, il semble qu'en 1708, on se mit à penser qu'il fallait enrichir les murs de la chapelle d'une série de bas-reliefs. (Ceci suivit de peu la décision de remplacer les ornements architecturaux de l'extérieur, tels que les «pots de feu» par des statues de saints et des allégories, ainsi que de peindre

D 14

# D 14

René Charpentier (?)

1680–1723

## TROPHÉE SCULPTÉ DE LA CHAPELLE

Plume, encre noire, lavis gris et aquarelle rose.
H. 409, L. 105. (Non exposé)
Filigrane : P (cœur).
Inscription : Charpentier.
Collection Tessin-Hårleman : THC 1008.

Bibliographie Comparative : Nolhac (P. de), *La chapelle Royale de Versailles,* Paris, 1912.
Exposition : *300 Dessins* (1951) n° 57.

Ce trophée orne le second pilier sur la droite, côté Ouest. Un assemblage hétéroclite d'armes et d'accessoires ecclésiastiques entoure une cartouche sur laquelle apparait un portrait ovale du Christ.
    Les problèmes d'attribution et de fonction sont les mêmes que pour D 13.

# D 15

Dessinateur des Bâtiments du Roi (?)

## INITIALES ET SYMBOLES HÉRALDIQUES DANS L'ORNEMENTATION DE LA CHAPELLE

Encre brune, sanguine et crayon.
H. 290, L. 315.
Collection Cronstedt : CC 3098.

Ce dessin représente une ornementation de surface qui apparait principalement sous forme de panneaux rectangulaires placés en différents endroits des murs de la chapelle. Des cartouches sont jointes à leur extrémité verticale et horizontale. Les signes S. L. (pour Saint Louis), le double L. (pour Louis XIV), la fleur de lys, les palmes et couronnes des martyrs apparaissent à l'intérieur des cartouches.

Des fleurs de lys et des rosaces les relient en alternance.

La chapelle de Versailles était dédiée au roi St. Louis, ce qui explique la combinaison particulière de symboles royaux et religieux que l'on voit ici. Le patron aussi laisse sa marque.

Même si ce dessin semble être une copie de travail, il a sans doute été reproduit à l'intention des Suédois. Toutefois certains détails de l'ornementation de la chapelle, excepté les trophées, n'apparaissent pas. Donc il est presque certain qu'il n'existait pas de série de ces dessins. De plus, il pourrait être significatif que ce dessin appartient à la collection Cronstedt et non à celle de Tessin.

D 15

## D 16

Pierre Lepautre

c. 1648–1716

### UN DES PREMIERS PROJETS POUR L'ORGUE DE LA CHAPELLE

Crayon.
H. 330, L. 378.

Filigrane : Heawood 716 ; filigrane additionnel : J (lys) *Cusson.*
Collection Tessin-Hårleman : THC 1307.

Bibliographie : Marie (A. et J.), (1976) fig. 205, p. 488.

Ce dessin est une proposition pour l'ornementation de l'orgue qui se trouve toujours au-dessus de l'autel, à l'étage de la tribune. A part une certaine similarité dans la forme et la disposition des armes de France, il y a très peu de ressemblance entre ce projet et la somptueuse réalisation achevée en 1711 et qui a souvent été considérée comme la premiere apparition de décoration rococo dans l'esthétique française. Ici, cependant, on peut faire d'intéressantes comparaisons avec les premiers projets du grand autel de Nôtre-Dame de Paris, à la même époque. Ce dessin s'inscrit tout à fait dans le style des motifs taillés en relief sur les murs de la chapelle et sur les voûtes des bas-côtés. Fiske Kimball (*The creation of the Rococo*, Philadelphie, 1943, p. 62 ff) a démontré magistralement le talent de ce grand créateur.

Puisqu'il n'est pas impossible que ce dessin soit une alternative proposée par un autre artiste, l'attribution en est incertaine, mais le travail est certainement très proche de celui de Lepautre.

D 16

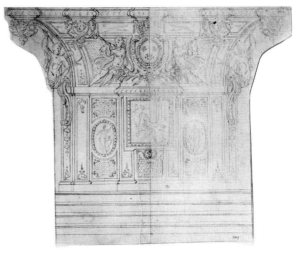

D

## D 17

### Christophe Charmeton (?)

? – 1708

### CHAIRE DE LA CHAPELLE DE 1682

Crayon, plume et encre noire, lavis gris.
H. 442, L. 580.
Filigrane : Heawood 3294.
Inscription : assez longue dont : « dessein de la
    Chapelle de Versailles par Charmeton – model
    de Bérin presendant corriger Charmenton sui-
vant les observation qui icy ecrites de sa main
    meme.

Collection Tessin-Hårleman : THC 2058.

Bibliographie : Marie (A. et J.) (1972) fig. p. 510.

Tant le style que le caractère démontrent qu'il
s'agit ici de la Chapelle de 1682. Les contrats de
Bérain tendraient à prouver que sa participation à
un projet antérieur est peu probable, mais non
impossible. Quoi qu'il en soit, ceci n'est pas un
dessin de la Chapelle Royale actuelle.

CC 2693 (non exposé), à Stockholm, représente
le projet de chaire que l'on peut voir ici, à gauche.

D 18

## D 18

### Dessinateur Anonyme

### PROJETS POUR LA CHAIRE DE LA CHAPELLE ROYALE

Sanguine, plume et encre noire, lavis gris.
H. 438, L. 297.
Sceau Hårleman.
Filigrane : proche de Heawood 2116.
Collection Tessin-Hårleman : THC 8257.

Exposition : *300 Dessins* (1951), n° 49.

Ce dessin plutôt rudimentaire semble proposer des solutions alternatives pour la chaire de la chapelle actuelle. Son exécution laisse à penser qu'il s'agit d'une copie d'après un dessin émanant des Bâtiments du Roi, plutôt que d'un original destiné à la présentation, même si ce genre de dessin rudimentaire devait être fait avant les présentations soignées qui ont le plus souvent survécu.

La présence du motif de palmes classe ce dessin parmi les projets d'ornementation les plus avancés. On peut le comparer au grand projet de l'orgue, qui fut exécuté entre 1709 et 1711, mais ce projet est certainement plus tardif.

# D 19

## Dessinateur Anonyme

### CALQUE D'UN PROJET PERDU CONCERNANT L'AUTEL PRINCIPAL DE LA CHAPELLE

Plume et encre noire.
H. 710, L. 543.
Inscription : Projet pour l'autel de Versailles.
Collection Cronstedt : Album de calques 15.k6.

Trouvé récemment à Stockholm, par Christian Baulez, ce dessin est d'un projet inédit pour l'autel principal de la chapelle de Versailles. St. Pierre et St. Paul sont placés de chaque côté de l'ostensoir, qui est monté sur un ensemble de nuages. De chaque côté, on peut voir deux grands anges. Au-dessus, apparait le Saint Esprit, et, dominant le tout, une couronne ouverte soutenue par des anges. Sur la balustrade supérieure, on peut voir les armes de Louis XIV.

La collection Cronstedt possède de nombreux calques de ce type, faits d'après des dessins que les architectes suèdois n'eurent pas la possibilité d'acquérir ; Il est certain que l'on trouvera d'autres projets « inédits » parmi ces calques.

L'état de préservation de ce dessin a interdit son transport à Paris pour l'exposition.

# E | Les Petites et Les Grandes Écuries

Stockholm ne possède que sept dessins des écuries de Versailles, mais ils sont tous d'un grand intérêt car ils semblent provenir des Bâtiments du Roi. Les deux moins intéressants sont signés et datés de Colbert : Le 30 Avril 1679.

L'un d'entre ces sept représente la Première Écurie et les cinq autres semblent témoigner des premières phases du projet des nouvelles écuries qui devaient border l'Avenue de Paris, à l'endroit où elle aboutissaient sur la grande « Place », face au château. Ensemble, ces cinq dessins montrent les différentes phases de la planification : d'abord quand les Hôtels de Lauzun et Noilles, qui bordaient l'avenue, devaient être préservés. Un changement radical, quand à l'échelle est cependant indiqué. Le plan le plus ancien ne montre guère que les Hôtels existants, avec quelques additions. Ensuite un nouveau projet fait son apparition avec des cours, situées autour de l'emplacement des anciens Hôtels, ainsi que des nouveaux bâtiments devant être construits derrière. Les documents les plus récents montrent un agencement similaire, mais pas exactement semblable au projet final.

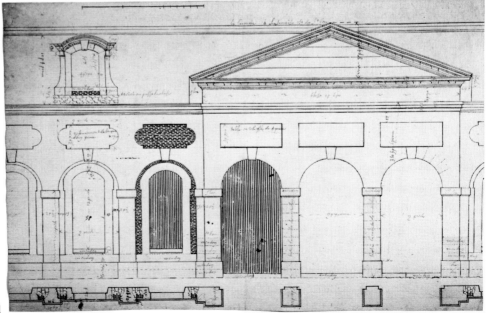

E 1

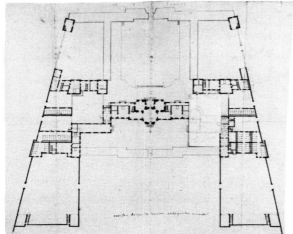

E 2

# E 2

## Dessinateur des Bâtiments du Roi

### ANCIEN PLAN POUR UNE ÉCURIE, PRÉSERVANT L'HÔTEL DE LAUZUN

Plume, encre noire et brune, nouveaux détails et changements ajoutés au crayon.
H. 526, L. 617.
Filigrane : Poisson ; B (cœur) COLOMBIER.
Inscription : Maison de mr de Lauzun et de Quitri à Versail (la même écriture apparait sur un certain nombre de dessins pour Sceaux, se trouvant à Stockholm).
Collection Cronstedt : CC 73.

Bibliographie : Laprade (1960) pl. VIII 2 B ; Marie A. et J. (1972) I, p. 106.
Expositions : Cronstedt (1942), n° 58 ; *300 Dessins* (1951), n° 94.

Ce plan du rez-de-chaussée montre une tentative pour utiliser l'Hôtel de Lauzun comme élément central des nouvelles écuries. Nul ne sait s'il fut rejeté pour des raisons esthétiques ou pratiques, mais ce bâtiment est bien plus petit que la Grande Écurie qui fut érigée sur les lieux et c'est peut-être ce qui a motivé la décision finale. Selon Marie, le résultat aurait été peu séduisant.

# E 3

## Dessinateur des Bâtiments du Roi

### PLAN D'UNE PETITE ÉCURIE AVEC ARCADE CENTRALE ET SANS DÔME

Encre et lavis noir.
H. 835, L. 900.
Filigrane : Aigle (deux têtes et couronne) ; B (cœur) C.
Inscription : Plan de la petitte escurie ; (et au verso) : Plan de la petite escurie de Versaille.
Collection Tessin-Hårleman : THC 6884.

Bibliographie Comparative : Marie E. et J. (1972), I, pp. 111–112, élévation.

# E 1

## Dessinateur des Bâtiments du Roi

### ÉLÉVATION DE LA PARTIE CENTRALE DE LA PREMIÈRE ÉCURIE DU ROI À VERSAILLES

Plume, encre noire, lavis rouge et orange, annotations au crayon.
H. 276, L. 419.
Filigrane : Heawood 2432.
Inscription : De nombreuses notes sur les pierres et de nombreuses mesures.
Collection Cronstedt : CC 2234.

Exposition : *300 Dessins* (1951) n° 66.

Ceci est un rare dessin de travail, apparemment destiné à l'usage des maçons (cf. cat. C 3).

On peut supposer qu'il fut executé pour Jacques Gabriel qui fut payé pour ce travail, de Janvier à Juillet 1672 (Guiffrey, Comptes des Bâtiments du Roi, I. 607). Cette écurie, qui a survécu en partie, était située à l'ouest de ce qui est aujord'hui la Place Dauphine, au centre de la nouvelle ville de Versailles, sous Louis XIV. Sa situation est clairement indiquée sur le plan cat. A 1 de cette exposition.

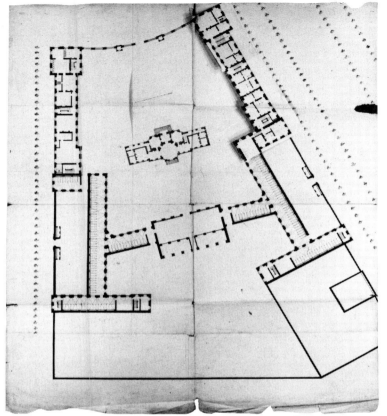

E 3

Dessinateur des Bâtiments du Roi

PLAN DE LA PETITE ÉCURIE AVEC
ARCADE CENTRALE ET DÔME

Crayon et lavis rose.
H. 1150, L. 980. (Non exposé)
Filigrane : B (cœur) C.
Inscription : (au verso) Chateau de Versailles ; les
    Ecuries de Versailles.
Collection Tessin-Hårleman : THC 471.

Bibliographie : Laprade (1960), pl. VIII 2 C ; Bourget P., *J.H.
    Mansart*, Paris, 1960, pl. LXXXI ; Marie A. et J., (1972), I, p.
    107.
Exposition : *300 Dessins* (1951), n° 63.

Ce plan est similaire, en bien des points, à cat. E 3.
Mais on n'y montre que quelques stalles, et un
dôme a été ajouté à l'extrémité du bâtiment, ce qui
ajoute de la profondeur à la façade principale. Le
dôme fut retenu pour la réalisation finale, mais pas
l'arcade qui lui faisait face. Plus tard, les murs de
cette arcade furent sensiblement incurvés, de chaque côté de l'allée centrale, et une seconde suite de
chambres fut construite derrière l'arcade, donnant
sur la cour intérieure des écuries.

Il est intéressant que l'Hôtel soit encore préservé,
et que, pour son histoire, le plan de son rez-de-
chaussée en soit si soigneusement déssiné.

Marie fait remarquer qu'on avait encore l'intention de préserver l'Hôtel, afin de loger Monsieur le
Premier, l'Écuyer de la Petite Écurie. Il mentionne
d'autre part l'existence d'un double de ce plan au
Cabinet des estampes de la Bibliothèque Nationale
(dans la série des grands formats).

Le dessin semble être inachevé et l'emploi inha-
bituel de crayon et de lavis rose est difficile à expliquer.

Le projet d'Arcade pour la grande Écurie est signé
et daté par Colbert, le 27 Janvier 1679. On peut
supposer que celui-ci, pour la Petite Écurie, est de
la même date, les deux projets étant très similaires
(cf. Marie (1972), I, p. 110).

Deux rabats, sur la droite et la gauche de ce plan,
représentent les étages supérieurs (pour le logement
d'une partie du personnel), et les chambres du rez-
de-chaussée sont dessinées, mais cachées en-dessous. Là, aucun lit n'est indiqué et une petite partie
des ailes adjacentes aux stalles centrales, sont réser-
vées à quelques chevaux.

On n'a pas encore pensé au dôme, comme élément central, mais sur bien des points, ce bâtiment
ressemble à celui surmonté d'un dôme, cf. cat. E 4.

L'ancien Hôtel subsiste ici, comme dans E 2 et E
4.

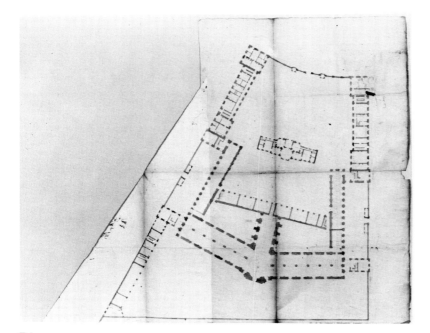

E 4

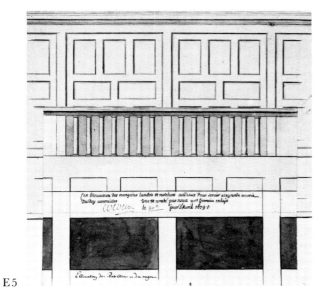

E 5

# E 5

## Dessinateur des Bâtiments du Roi

### ÉLÉVATION DES MANGEOIRES, LAMBRIS ET RATELIERS DE LA GRANDE ÉCURIE

Plume, encre noire, lavis gris et crayon.
H. 276, L. 276.
Filigrane : Heawood 1323 ; même que A 2 et B 10.
Collection Cronstedt : CC 52.
Inscriptions : Cest lelevation des mangoires lambris et rastelrers aux dessins pour servir alagrande ecuries Du Roy versailles ; veu et aresté par nous a st Germain enlaje le 30ᵉ jour d'Avril 1679. Colbert (signé); ellevation des Rasteliers ce derr augars. Sous flap : Design des lambris Rasteliers et mangeoires pour servir alagrande escurie Du Roy a Versailles ; veu et aresté par nous a st Germain enlaje le XXXᵉ jour D'avril 1679·1· (signé) Colbert ; Lambrey de la grande Escurie au dessous des augars.

Bibliographie : Marie A. et J., (1972), I, p. 124.

Ce dessin montre le contrôle exercé par Colbert, jusque dans les menus détails. Il existe à Stockholm un autre dessin, en profil, du même projet, également signé et daté de Colbert, CC 53. (non-exposé, cf. Marie (1972) I, p. 125).

La date, assez reculée, pourrait exclure la possibilité que ce dessin ait jamais été utilisé. Il a peut-être un rapport avec la phase du projet illustrée par cat. E 2.

# F | La Ville de Versailles

D'une façon générale, la ville de Versailles n'avait qu'un intérêt secondaire pour les architectes de la cour de Suède, à en juger par les dessins et les planches qu'ils ont réunis. Alors que certains aspects de la ville, essentiellement les bâtiments, retinrent leur attention, ils semblent s'être peu souciés des questions d'organisation urbaine. Néanmoins, il existe à Stockholm deux documents importants concernant la ville de Versailles. L'un fut probablement acquis parce qu'il s'agissait d'un grand plan du palais, du parc et de la ville (cf. cat. A 1). L'autre est d'un intérêt presque aussi grand, dont Alfred Marie a sous-estimé l'importance (F 1). Ces deux documents témoignent du travail de l'épique de planification, au moment crucial où fut prise la décision de créer une petite ville qui pourvoirait aux services du Château.

Le secteur contenu entre les trois grandes avenues menant au Château revêtait un intérêt particulier car des dessins concernant certains des premiers Hôtels là figurent parmi les collections du Nationalmuseum. Il est difficile de trancher quant à savoir si ces dessins des hôtels furent acquis comme témoignage historique des grandes et petites écuries qui devaient dominer le secteur (cf. cat. E 2) ou pour leur intérêt en tant que tel.

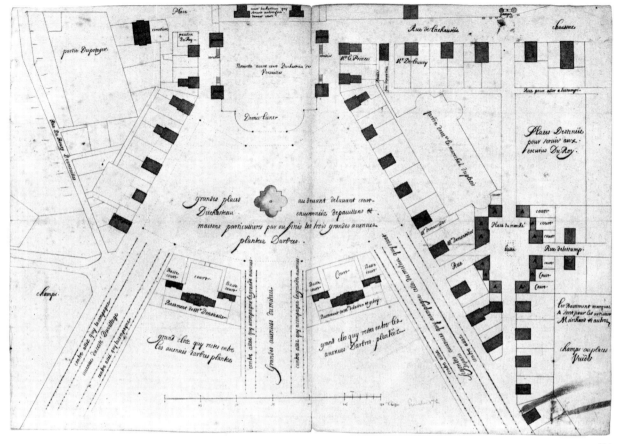

# F 1

## Dessinateur des Bâtiments du Roi

### PLAN DE LA VILLE DE VERSAILLES

Plume, encre noire et lavis gris, additions au
   crayon.
H. 392, L. 545.
Filigrane : proche de Heawood 1228.
Collection Tessin-Hårleman : THC 472.

Inscriptions : *Au verso*, Versailles. *Devant* (en haut, de gauche à
   droite) : partie Du potager ; esglises ; cimetière ; Palais ;

pavillon Du Roy ; pavillon, escalier, pavillon ; (En haut au
centre) : court duchateau quy servoit autresfois davant court ;
Nouvelle avant court Du chasteau de Versailles ; Demi lune.
(En haut à droite, en lisant de gauche à droite) pavillon ;
escallier ; Mr le Prince (écrit prés d'un Hôtel) ; ruelle ;
jeudepaulme ; Mr De Coumoy ; Rue de lachausséez ; pompe ;
chausseez ; Rue pour aller a l'estamps. (Au centre, en haut, de
gauche à droite) : Rue du Bourg Deversailles ; grands places
au devant delevant court – Duchasteau environééz de pavillons et maisons particuliers par ou finis les trois grandes
avenues plantez Darbres ; jardin de Mr marechal duplesis ;
Places destinééz pour servir aux escaries Du Roy. (Au centre,
en dessous, de gauche à droite) : champs ; contre allez qui
lacompagne ; avenue du costé Duvillage ; centre allée qui
lacompagne ; grand cloz guy restes entre les avenues darbres
plantez ; (Autour de l'hôtel) Basse court ; Bastiment de Mr

Denoualles ; court ; Basse court ; (prés de l'avenue central)
contre allez quy accompagne la grande avenue ; grande avenue du milieu ; contre allez qui accompagne la grande avenue ;
(autour du second hôtel) Basse court ; court ; Bastiment de
Mr delossun et getry ; Basse court ; (le long de l'avenue)
contre allez ; Secondes avenues qui accompagne celle du
milieu qui vient De paris ; contre allez. (Dans la ville, en bas à
droite) : (prés d'un hôtel) Mr demarcillac (et au-dessus, ré-
écrit au crayon) ; Rue ; court (plusieurs fois) ; Place du
marché ; halle ; Rue ; delestamp. ; Les Bastiment marques A
sont pour les artisans Marchands et autres ; champs ou places
vuide.
Et également une échelle en toises.

Bibliographie : Laprade, (1960), pl ; VIII 2 D ; Marie (A. et J.),
(1972), I p. 80 ; Castex, etc., *Versailles* 1980, p. 23–69.

Il s'agit ici d'une épreuve de travail, comme dans
cat. A 1; Sur des tracés au crayon, on peut voir des
propositions d'emplacement pour des hôtels, sur le
côté Ouest de l'Avenue de St. Cloud et une alternative possible pour la petite « rue » menant de cette
avenue au « marché ». Ce plan offre également une
vision plus claire du projet pour la ville de Versailles, comparativement à A 1 qui fut recouvert de
papier et retracé à une plus grande échelle, avec
addition d'une grande place.

F 2

# F 2

## Dessinateur Anonyme

### HÔTEL DE NOAILLES

Crayon et lavis gris, vert et bleu.
H. 421, L. 583.
Filigrane : cf. Heawood 701 ff ; deuxième filigrane :
F.F.
Inscription au verso : (inéxacte) Hôtel du Marquis
de Bellefonds, Versailles.
Collection Cronstedt : CC 3220.

Bibliographie : Laprade, (1960), pl. VIII 2 A ; Marie (A. et J.),
(1972), I p. 106.
Exposition : *300 Dessins* (1951), n° 95.

Il s'agit ici d'une interprétation de cet important
bâtiment, example typique du style de Le Vau.
Etant donné l'exécution plutôt hâtive de ce dessin,
on peut s'interroger sur l'usage auquel il était destiné.
    La représentation des bâtiments extérieurs est
particulièrement curieuse. Apparemment, il s'agirait de deux longues ailes, ce qui signifierait que des
ailes avaient été construites, mais destinées à être
détruites. Dans ce cas, cette planche serait un projet
pour une révision de la façade de l'Hôtel, comprenant la création d'une douve, et, des deux côtés, le
rétrécissement des terres, pour permettre l'élargis-
sement des deux avenues. Cette théorie expliquerait
aussi le déplacement du bâtiment extérieur droit,
indiqué au crayon. Aucun document publié ne permet d'affirmer que cette douve a été réellement
construite.

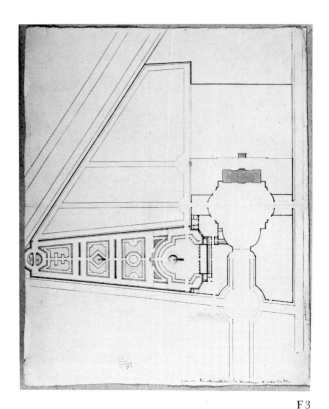

F 3

# F 3

## Atelier de J. H. Mansart (?)

1646–1708

### HÔTEL DE CONTY

Crayon, plume avec encre noire, lavis gris, bleu avec des points rouges pour quelques balustres. H. 580, L. 692.
Filigrane : Heawood 684.
Inscription : Maison du de vallier de la rene a Versailles (? transcription approximative) ; autre inscription, illisible. Au verso : M *porf* I.
Collection Cronstedt : CC 103.

Bibliographie Comparative : Marie (A. et J.), (1972), p. 91.
Exposition Cronstedt (1942), n° 59 ; *300 Dessins* (1951), n° 96.

Bien que des plans pour ces bâtiments de Mansart se trouvent dans les Grands Formats du Cabinet des Estampes (B. N.), ce dessin semble plutôt être un projet concernant les alentours du corps principal. On y voit quelques traits surprenants : une grande avenue parallèle à l'Avenue de Paris et le projet d'un jardin, au Sud de l'Hôtel, avec une étonnante terrasse surélevée. Il est intéressant de se demander s'il s'agit uniquement d'un « projet insolite », ou bien d'un ancien projet de jardin par Hardouin-Mansart. D'après d'autres plans, on connaît un jardin, mais très différent (cf. Marie, p. 91 ; planche aux Archives des Bâtiments Civils, album 63). Le projet des écuries, que l'on voit ici, semble avoir été supprimé, à moins qu'elles n'aient été déplacées.

# G | Clagny

Clagny était un château relativement petit, dominant l'étang de Clagny, au nord-est de Versailles et juste au-delà des limites de la nouvelle ville. Aujourd'hui, il n'existe plus, mais sa célébrité demeure d'une part parce qu'il s'agit d'un présent mémorable de Louis XIV à sa maitresse, Mme de Montespan, et d'autre part au travers de l'histoire que rapporta le Duc de Luynes : un premier château avait été construit et refusé par la dame qui déclara qu'il « ne pouvoit être bon que pour une fille de l'opéra ». Ce premier château fut attribué, par Desgots, Mariette et Dézallier d'Argenville, à Antoine Le Pautre. Le bâtiment trouva sa forme définitive d'après des plans de Jules Hardouin-Mansart, qui établira ainsi sa notoriété.

L'histoire du premier château a soigneusement été retracée par Robert Berger (*Antoine Le Pautre*, New York, 1968, p. 77). Cette propriété fut acquise par la Couronne en 1665, mais le premier bâtiment ne s'éleva qu'en 1674. Le Clagny de Mansart date de 1676.

Il existe à Stockholm, quatre dessins de Clagny, de la plus haute importance. Très évidemment différents du projet de Mansart, ils montrent un bâtiment petit. L'un d'eux porte une inscription : « ... Selon le premier panssé ». Celle-ci, ainsi que le peu de ressemblance avec les constructions de Mansart à la même époque, ont conduit Berger à affirmer que ces planches appartiennent au Clagny de Le Pautre. Parmi les richesses de Stockholm, on trouve également cinq dessins par ou d'après Mansart. L'un d'entre eux est signé et daté de la main de Colbert en 1676.

Ce que Tessin écrit, lors de sa visite à Clagny, en 1687, donne une idée de la fin malheureuse du château :

« A Clagny, le château n'est point meublé, ny le jardin trop entretenüe ; les deux bosquets y sont fort jolies ; celly à droit, que jay dessigné est des espines vinettes ; il a 250 aulnes de longeur sur 180 de largeur ; celluy à gauche et de la mesme grandeur, mais encore plus joly ; il est planté de charmilles avec chattaniers aux coins. Le berceau y est parfaitement beau. »

Au moment où Tessin écrit ces lignes, Mme de Montespan était, depuis longtemps, devenue une étrangère pour le roi : il s'apprêtait à l'envoyer au couvent, bien qu'elle soit la mère de plusieurs de ses bâtards.

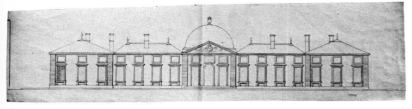

G 1

## G 1

Atelier d'Antoine Le Pautre

1621–1679

FAÇADE JARDIN
DU CHÂTEAU DE CLAGNY

Plume, encre noire, quelques lignes de crayon dans
les fenêtres.
H. 115, L. 490.
Filigrane : Heawood 228 ou 222 (semblable au
papier du cat. A 1 et A 4).
Inscription (au verso) : Elevation de la face du costé
du parterre du Chateau de Clagni. Selon le premier panssé.
Collection Tessin-Hårleman : THC 2441.

Bibliographie : Berger (Robert), *Antoine Le Pautre* ; New York,
1968, fig. 98 ; Marie (A. et J.), (1972), I. p. 5 : Reuterswärd
(P.) *Travaux présentés à Francastel*, (1969), pl. 27.
Exposition : *300 Dessins* (1951), n° 201.

On voit ici les armoiries et la couronne de Louis
XIV. De plus, l'inscription est d'importance primordiale, car elle permet à Berger d'attribuer ce
projet à Le Pautre. Une autre hypothèse consiste-
rait à supposer qu'il provient de la main d'un architecte anonyme ; mais l'existence de G 2, G 3 et G 4,
dessins en rapport avec le même projet, rend cette
thèse insoutenable.

La présence de la couronne et des armoiries
royales indiquerait que les premiers plans furent
exécutés pour le Roi lui-même, d'autant que l'esquisse d'une fleur de lys apparait aussi sur G 2.
Mais ce détail peut être dû à une erreur de l'Architecte, dont on se serait rendu compte plus tard et
qu'on aurait corrigée.

Le dessin fut percé en plusieurs endroits par une
épingle, sans doute pour transférer le dessin à un
autre papier.

## G 2

Atelier d'Antoine Le Pautre

1621–1679

ÉLÉVATION DE LA FAÇADE CÔTÉ JARDIN
DU CHÂTEAU DE CLAGNY

Plume, encre noire, lavis gris et bleu.
H. 268, L. 1373.
Filigrane : Heawood 226 ; filigrane additionnel : B
(cœur) C.
Inscription : 20 Clagny (au crayon, au verso).
Collection Cronstedt : CC 2136.

Bibliographie : Berger (Robert), *Antoine Le Pautre*, New York,
1968, fig. 97 ; Reuterswärd (P.), *Travaux présentés à Francastel*
(1969) pl. 27.

De petites ouvertures sous les fenêtres furent couvertes par des rabats collés, et des têtes de lion
rajoutées sur la ligne du toit, l'ornementation du
dôme a été modifiée et des reliefs apparaissent sur
les fenêtres du deuxième étage. Mais dans l'ensemble, ce dessin est très proche de G 1. L'utilisation de
cette technique de transfert, assez rare aux Bâtiments du Roi, semble avoir été une pratique répan-
due à l'atelier de Le Pautre. Il serait intéressant
d'en découvrir d'autres exemples. Elle apparait sur
G 4, mais non sur G 3. (cf. ci-après).

G 2

G 3

# G 3

Antoine Le Pautre (?) et son Atelier

1661–1679

CHÂTEAU DE CLAGNY :
COUPE TRANSVERSALE DU SALON
CENTRAL ET ÉLÉVATION DU CÔTÉ
NORD DE L'AILE SUD

Plume, encre brune, lavis gris, plusieurs additions
au crayon.
H. 412, L. 545.
Filigrane : proche de Heawood 2204 ; filigrane
additionnel : B (cœur) C.
Inscriptions : différentes mesures, remarques
concernant les colonnes telles que : « les collones
ont de dimension » ou « piedstalle ». Echelles.
Collection Cronstedt : CC 107.

Bibliographie : Berger (R.), *Antoine Le Pautre*, New York, 1968,
fig. 99. Reuterswärd (P.), *Travaux présentés à Francastel* (1969),
pl. 27.
Exposition : Cronstedt (1942), n° 77.

Il est possible que certains signes de la crise qui
entraîna l'abandonnement du projet pour le petit
château soient perceptibles ici. On y voit une élévation extrêmement soignée, sur laquelle de nombreux dessins ont été rajoutés au crayon : celà permet de supposer que, l'extérieur ayant déplu, l'architecte a eu recours à des colonnes, des balustra-
des, et même des statues, pour enrichir son projet.
Plusieurs ordonnances de colonnes, avec ou sans
piedestal, sont essayées. Une colonne entière, sans
piédestal, aurait dépassé les fenêtres. Cela expliquerait l'utilisation de ce motif peu commun. Ces
esquisses furent probablement faites par l'architecte lui-même. Mais la collaboration était si répan-
due, à Versailles, qu'il est difficile de l'affirmer.

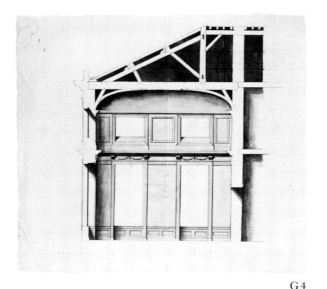

G 4

## G 4

### Atelier d'Antoine Le Pautre

1621–1679

### COUPE D'ANGLE
### DU CHÂTEAU DE CLAGNY

Plume, encre brune et noire, lavis gris.
H. 340, L. 377.
Filigrane : B (cœur) C.
Inscription (au verso) : P. 20 Clagny (au crayon).
Collection Cronstedt : CC 83.

Bibliographie : Berger (Robert), *Antoine le Pautre*, New York, 1968, fig. 100.

Apparemment, ce dessin rend compte d'un projet qui envisageait une seconde rangée de grandes fenêtres donnant sur le jardin. Celà aurait été possible avec G 1, mais pas avec G 2. On peut donc en déduire que même ce projet subit d'importants changements avant le commencement des travaux.

## G 5

### Atelier de Jules Hardouin-Mansart

1646–1708

### PAVILLON CENTRAL DU CÔTÉ
### DE LA COUR

Plume, encre noire et lavis gris.
H. 398, L. 555.
Filigrane : B (cœur) C.
Collection Cronstedt : CC 312 B.

Bibliographie Comparative : Marie (A. et J.), (1972) I pp. 9 – 12.
Expositions : Cronstedt (1942), nº 91 ; Audran (1950), nº 209 ; *300 Dessins* (1951), nº 214.

Cet important projet de Mansart, destiné à Clagny, de par son style, se rapproche d'une série de coupes du château, publiées par Marie, lesquelles sont exécutées en couleur (Archives Nationales, O[1] 1708). L'une de ces coupes (Marie (1972) I p. 12) montre exactement le même secteur que le dessin de Stockholm. La différence essentielle se trouve dans une plus grande représentation des décorations sculpturales du pavillon central sur la planche de Stockholm.

Il existe une autre différence dans la présence d'ouvertures en-dessous des fenêtres du rez-de-chaussée qui éclaireraient un sous-sol. Elles n'apparaissent pas sur la planche de Stockholm.

Les dessins O[1] 1708 montrent les éléments fondamentaux de la construction du bâtiment, avant une conception précise de l'aménagement intérieur. Ces éléments, Mansart les avait sans doute planifiés préalablement. La date du document de Stockholm est problématique. Il est sans doute postérieur au O[1] 1708 mais nul n'est capable de dire s'il est proche ou lointain, dans le temps.

G 5

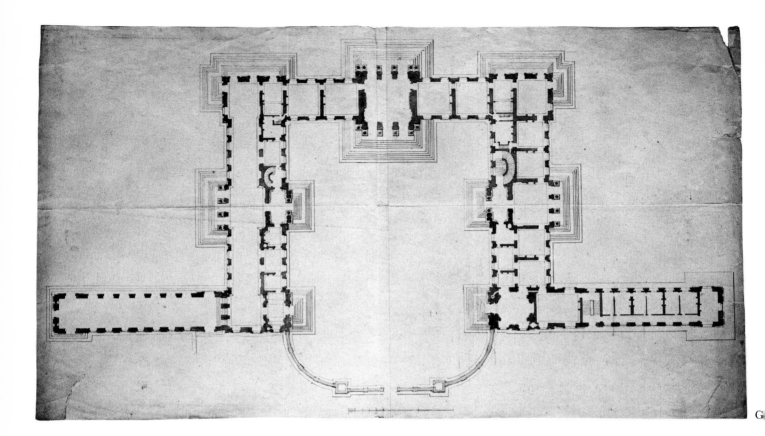

## G 6

### Atelier de Jules Hardouin-Mansart

1646–1708

PLAN AU SOL DU CHÂTEAU
TEL QUE CONSTRUIT

Plume, encre noire et lavis gris.
H. 437, L 774.
Filigrane : proche de Heawood 3407–08 (mais avec raisins) ; deuxième filigrane : B (crescent) BI-CARD.
Collection Cronstedt : CC 2134.

Bibliographie Comparative : Marie (A. et J.), (1972), I p. 16.

Ce plan donne une idée des principales caractéristiques de l'intérieur qui comprenait au moins deux grandes pièces décorées : un salon central et une grande galerie. Apparemment, les décors sculpturaux furent menés à bien, mais nul ne sait, si les peintures, sans doute conçues par Le Brun, furent terminées. Elles devaient représenter Énée, et peut-être Didon. Les deux pièces sont restées célèbres, ayant fait l'objet d'une gravure, en 1678 (cf. Marie (1972), I p. 14).

Cette planche de Stockholm, quoi que peu connue, est probablement contemporaine du plan, qui proviendrait de l'atelier de Mansart, tout comme la planche, plus connue, de la Bibliothèque Nationale (reproduite par Marie (1972), I p. 16). Ce sont des dessins très similaires.

## G 7

### Dessinateur des Bâtiments du Roi

**PARQUET DE LA PETITE CHAMBRE.**
**UNE PORTE.**

Plume et encre noire, lavis jaune (deux tints).
H. 443, L. 292.
Filigrane : Heawood 2432.
Collection Tessin-Hårleman : THC 2060.

Bibliographie : Marie (A. et J.), (1972), I, pp. 22, 23.
Inscription :
(Recto) Sera faict le parquet De lasusde petite chambre. D'Alcove qui sera De boix de deux pouces Despoiseur. les lam-
bourdes auront quatrepouces. enquaré sans aucun flaïlre leds
parquet sera de bon bois de chesnes. sain et net et le plus seiq
quil cepoura trouver aquel Il ny aura point D'aubrez ny
neudes ny autre mauvais qualitééz led parquet sera faict en
telle maniere qu'il ce trouvera une frize ou un parquet dans le
millieu de la croisééz millieu Des portes ou milieu Des chemi-
nééz et non autrement quart ainsy a esté Conveneu dont sera
payé pour chacune thoises quarééz de trante six pieds De
superficie la somme De (et, de la main de Colbert) Quarante
cinq livres et jugé a court. A St Germain enlaie le 12ᵉ Juillet
1676 Colbert ; (Verso) Sera faict de sapine avec (?) son chassis
De bois de chesne De 10 pieds De haut sur 6 piedz ½ De large
sur 1 po ½ Despousseaux.
Au verso : une simple porte en planches, avec chevilles (Une
échelle de mesures et une vue d'en haut sont placées à l'intérieur du chambranle).

Ceci est un exemplaire d'une série de dessins traitant des détails de la construction de Clagny et le
seul signé par Colbert. Ce type de dessin de travail
des Bâtiments du Roi a rarement survécu. THC
1780 (non exposé), représente (au recto) une cheminée (cf. Marie p. 22) et l'on peut lire (au verso) :
« profilz engrandz des chambranle pour servir à la
Cour de la petite Chambre ». Colbert a ajouté :
« deux cents quinze livres », après la description de
la cheminée, pour indiquer la somme à payer. THC
1838 (non exposé) montre la porte (en perspective)
et des détails du chambranle sur les deux côtés de
cette feuille. Là aussi, la somme « de cent vingt cinq
livres » est inscrite de la main de Colbert.

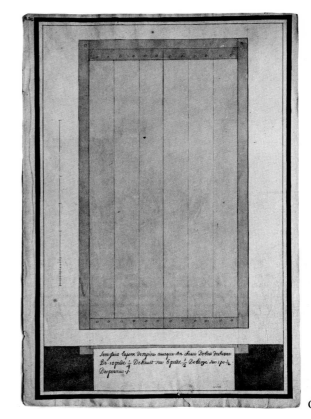

G 7

## G 8

### École d'André Le Nôtre

1613–1700

**PLAN DES JARDINS, CLAGNY**

Plume, encre brune, lavis gris et vert. Additions en
crayon et sanguine.
H. 751, L. 501.
Sceau de Hårleman.
Inscriptions : cour des offices ; echelle de 50 toises ;
et quelques mesures. (Autrefois, mais couvert
par le montage : ) nᵒ 215.
Collection Tessin-Hårleman : THC 7938.

Bibliographie : Strandberg (R.), till Humanistiska Fonden, p. 3.
Exposition : *300 Dessins* (1951), nᵒ 215.

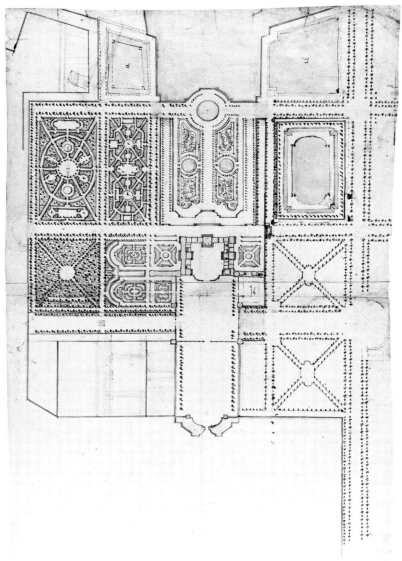

G8

Strandberg a mis en évidence les rapports étroits existant entre ce document et un autre qui se trouve à la Bibliothèque Nationale, intitulé à tort : « Plan général du premier projet pour Buen Retiro » et il a établi que ce dessin-ci était une représentation des jardins de Clagny.

Le style est de très grande qualité. L'exécution, les nombreuses variantes et les additions semblent indiquer qu'il s'agit d'un important dessin de travail. Cette idée est confirmée par un projet, sur une feuille séparée (attachée avec de la cire à cacheter), représentant un parterre de verdure pour le sud-ouest du château. De nombreux autres changements et additions sont portés à la plume, au crayon et à la sanguine, en différents endroits du plan.

Le style de ce dessin se rapproche de celui de Le Nôtre. Toutefois, Hardouin-Mansart ayant joué un rôle prépondérant dans la planification et la conception architecturale de Clagny, il ne faudrait pas écarter la possibilité de sa participation à ce dessin.

L'histoire de ce jardin est fort incomplète, mais à l'époque, on lui accorda beaucoup d'importance. Ce document est l'un des plus intéressants qui nous soient parvenus, mais il ne faut pas oublier qu'il s'agit d'un travail en évolution et qu'il est impossible de dire dans quelle mesure ce qui est représenté ici a été réalisé.

# H | Le Trianon

Le Trianon était le nom d'un petit village, dans le grand parc de Versailles, qui fut démoli par Louis XIV et remplacé par deux palais : l'un vers 1670 et l'autre, une petite merveille de l'époque, construite et détruite au moins deux fois, mais néanmoins prête pour que le Roi puisse y dîner neuf mois plus tard, en janvier 1688. Pour son caractère, Le Trianon fut choisi par Louis XIV, comme jardin de fleurs. À la fin de sa vie, il s'y-installa, dans une chambre face au nord, donnant sur un jardin clos. Là, 10.000 pots furent enterrés qui pouvaient être déplacés, changeant l'arrangement des couleurs, selon les désirs du Roi.

Les fleurs jouaient déjà un grand rôle dans le premier Trianon. Une des ses particularités était une salle entière consacrée à des plantes odoriférantes. A l'extérieur, des expériences furent tentées pour faire pousser des orangers en pleine terre, les abritant dans des serres amovibles pendant l'hiver. Les plantes avaient une grande importance et reflétaient un certain goût du Roi Soleil, qui vivait à Versailles entouré du fleurs de jasmin et d'oranger, lesquelles étaient parfois disposées dans des urnes en argent massif.

L'histoire du Trianon a été écrite plusieurs fois, tout d'abord par Pierre de Nolhac et tout récemment celle du Grand Trianon a été brillamment exposée dans un article de Bertrand Jestaz. Pourtant, les fils compliqués de cette histoire ne sont pas encore tout à fait débrouillés. Dès 1908, Magnien s'appliqua à résoudre le problème des premières rénovations. Mais bien des détails restent encore à examiner.

Les dessins de Stockholm concernant le Trianon sont d'un grand intérêt, mais ils ne donnent qu'une idée imprécise de son histoire. Il y a d'abord les documents que Tessin le jeune rassembla lui-même, en 1687. (Voir cat. K 1). Il est resté célèbre pour sa remarque selon laquelle le second château, alors en construction, ne serait jamais bien terminé. Mais il en suivit attentivement l'évolution. Tessin fit une esquisse de la fontaine située à l'extrémité de la section nord du canal et de l'allée qui montait au Trianon (cf. cat. K 1). Il fut, semble-t-il, l'un des derniers à voir le premier Trianon, ainsi nommé à cause du materiau employé, le Trianon de Porcelaine. Sur certains dessins impressionnants, Tessin a immortalisé un superbe « lit de repos » qui se trouvait dans ce petit château si peu connu. (Voir K 9).

Dans un article célèbre, Josephson a affirmé que ce n'est qu'en 1694 que Tessin montra à nouveau de l'intérêt pour ce château qu'il n'aimait pas (cf. Introduction du catalogue : sa remarque sur le Trianon). Celà n'est pas impossible. Mais puisque la collection de Stockholm contient des dessins des Bâtiments du Roi, on peut supposer que la demande de renseignements qu'il adressa à Le Nôtre en 1694 ainsi que l'engagement d'un artiste pour dessiner le Trianon en 1698 (qui figure dans sa correspondance avec Cronström) ne sont pas ses premières tentatives pour acquérir des documents concernant ce château. Malheureusement, la correspondance avec Cronström ne commence qu'en 1693 et il n'existe aucune autre source de renseignements, concernant les acquisitions du Tessin entre 1687 et 1693, qui ait été publiée.

Quoi qu'il en soit, il y a à Stockholm cinq dessins et un plan qui nous renseignent sur l'extérieur du Grand Trianon. La façade principale (au Nord) donnant sur la cour d'entrée, la célèbre façade sur jardin (à l'ouest) et son atrium, et même l'extrémité Sud du bâtiment qui domine le Canal, apparaissent toutes sur des vues bien étudiées. Deux d'entre elles semblent provenir des Bâtiments du Roi, les autres ont probablement été faites par des déssinateurs engagés par Cronström. Ce que Cronström ecrit à Tessin, à propos du Grand Trianon, pourrait signifier que certains dessins acquis alors sont perdus aujourd'hui.

Deux dessins du Grand Trianon, se trouvant à Stockholm, comptent parmi les plans les plus importants de « Jardins à la française » qui aient survécu. L'un fut réalisé par le grand André Le Nôtre, le créateur des jardins du Trianon, et envoyé par lui même à Tessin, accompagné de huit pages de commentaire (H 1 et H 1 bis). Celles-ci figurent toujours dans la collection de Stockholm, ainsi qu'un dessin de l'ensemble du Jardin, de 1722, par Degotes, le neveu et successeur de Le Nôtre. Apparemment, ce Degotes fut acquis par Hårleman, alors qu'il étudiait avec lui. (H 2)

# H 1

## André Le Nôtre

1613–1700

### PLAN DU GRAND TRIANON ET DE SON JARDIN

Plume, encre noire, lavis gris ; coloré en vert, bleu et brun.
H. 965, L. 660.
Filigrane : Heawood 1323 ; filigrane additionnel : B (cœur) Colombier.
Inscriptions : Recto : (à partir du bas) advenue ; place de l'entré ; (échelle de 4 à toises) ; (sur le canal) 40 de large ; des chiffres de 1 à 35 ; au verso : Trianon.
Collection Tessin-Hårleman : THC 22.
Provenance : Tessin (1712).

Bibliographie : Josephson (Ragnar), *Revue de l'Histoire de Versailles*, 1927, pp. 1–24 ; Bourget (P.), *J. H. Mansart*, Paris, 1960, fig. XLVII ; Marie (A. et J.), (1976), pp. 145–185. Hazlehurst (F. H.), (1980) p. 159, fig. 118 (Claude Desgots (?)).
Exposition : *300 Dessins* (1951), n° 289.

Le 22 Mai 1693, Daniel Cronström entreprit un voyage à Versailles et au Trianon, pour se renseigner sur de nombreux détails concernant l'architecture et la décoration. Du Trianon, il écrit :

> Quasy tous les apartements sont boisés avec des mouleures ou bordeures aux panneaux fort richement et proprement sculptées, le tout peint en blanc en de trompe, et cela par plusieurs raisons ; premiérement, pour éviter la dépense, car à cause de celles de la guerre on n'y a rien voulu dorer encore, et, outre cela, pour gagner du temps, car les dedans de Trianon ont esté achevés avec beaucoup de précipitation.

Alors, c'était surtout l'intérieur qui intéressait Tessin. Le rapport continuait sur des détails concernant les cheminées :

> (elles) sont toutes de marbre...
> (...ce sont partout de grands tableaux mis au dessus des cheminées et les corniches sont ornées de grandes porcelaines et de bronzes...

Ce n'est qu'en 1694, que l'attention de Cronström

se tourna vers les jardins. Le 19 Mars, il écrivait à Tessin : «J'ay parlé à Monsieur Le Nostre. Il m'a chargé de vous assurer qu'il vous feroit faire un plan géomitral sur nouveau Trianon, le plus fidèle et le plus achevé possible...» Le 26 septembre, Tessin répondait que les documents lui étaient parvenus. Il s'agissait de ce dessin et de H. 1 *bis*, l'explication des chiffres apparaissant sur ce plan.

Comme Le Nôtre était alors tres âgé, et qu'il avait évidemment des dessinateurs à sa disposition, on a dit parfois que cette planche était un produit de son atelier. Cependant il est caractéristique de son style et rien ne permet d'affirmer qu'il n'en a pas executé la plus grande partie. Toutes les inscriptions semblent être de sa main. Sa remarque sur le *mémo* ne laisse subsister aucun doute quant à l'importance de sa participation. Le Nôtre écrit : «J'en ay pris assez de peyne, et m'a esté plus difficile que le plan». Et il a ajouté, en conclusion : «Cette description avec le plus grand plan y joint sont de la main de M. Le Nostre.»

Comme l'a noté Josephson : «Le plan de Le Nôtre, exécuté en 1694, représente... l'état du bâtiment et, dans les grands traits, la distribution des pièces, après la transformation de 1692», (quand l'appartement du Roi fut déplacé du côté Sud au côté Nord de l'atrium donnant sur le jardin), «et avant celle de 1703» (quand le théâtre fut supprimé et que le Roi s'installa sur ce site). Il convient également de remarquer qu'à l'époque, le Roi ne possédait qu'un seul *«appartement d'apparat»* et qu'en fait, il ne dormait pas au Trianon. Celà, Josephson l'a déduit à partir du *mémo* de Le Nôtre.

Le plan du jardin du Trianon de cette époque étant connu grâce à de nombreux autres documents, celui de Le Nôtre n'a d'intérêt que dans dans la précision des mesures qu'il donne : il a l'autorité d'un dessin ayant été fait par l'auteur du jardin lui-même. Le Nôtre conçut les grandes lignes de ce jardin entre 1670 et 1672. Il y ajouta également quelques détails intéressants, notamment *Les Sources*, qui annoncent l'estéthique des Jardins Anglais du siècle suivant. En 1687, Tessin remarque à propos d'un autre jardin antérieur, mais semblable :

H 1

117

En haut (dans le parc de Versailles) du côté de l'Orangerie, Monsieur Le Nostre faisoit exécuter comme un petit marais, qu'il conduisot en differentes figures, selon les grands arbres le permettoient, les canaux esoient de gazons d'un pied de profondeur, et un peu plus de largeur, qui montoit en s'élargissant avec ses bordes de gazons, dans les endroits il y avait des petits rondeaux pour les jets, et dans les pentes des canaux, ça devoit faire differentes petites descentes pour affin que l'eau fasse de bruit...

Les remarques de Le Nôtre concernant plusieurs aspects du jardin soulignent les rapports entre l'intérieur et l'extérieur. Peut-être la Princesse Palatine les exprime-t-elle mieux encore, quand elle écrit, en 1705 : «J'ai quatre chambres et un cabinet (dans l'aile sous-bois du Trianon) dans lequel je vous écrit. Il y a vue sur *Les Sources*, comme cela s'appelle – De mon côté, les arbres entrent presque dans mes fenêtres. ».

Les grands parterres de la partie la plus au nord de l'axe est-ouest du parc attire l'intérêt. Il est difficile de dire si ces parterres avaient un but décoratif ou s'ils servaient à la production de plants ensuite utilisés ailleurs. Est-ce ici que les 10.000 pots transportables étaient entretenus? La présentation de cette partie du jardin ne concorde pas avec un plan daté de Mai 1693. Le plan de Le Nôtre semble être la première tentative pour changer cette partie utilitaire du jardin en quelque chose de plus esthétique : la plantation de quelques arbres et la redistribution des parterres. Il n'est pas possible d'affirmer que ceci a été réalisé ou s'il s'agit d'un projet qui avait été accepté.

Ceci est une petite version du premier parc du Trianon. La façon dont Mansart le transforma et l'agrandit considérablement est montrée en H 3.

# H 1 bis

## André Le Nôtre

1613–1700

### MEMO DU TRIANON

Plume et encre noire.
H. 33, L. 21. 4 pages semblables, formées de deux grandes feuilles H. 66, L. 42.
Filigrane : Heawood 719–720.
Intitulé : *Trianon* ; signé : servateur Le Nostre.
Inscription : (De la main de Cronström) : cette description avec le plan y joint sont de la main de Mr Le Notre pour estre executé à Trianon.
Collection Tessin-Hårleman : THC 2114–23.
Provenance : Tessin (1712).

Bibliographie : Josephson (Ragnar), *Revue de l'histoire de Versailles*, 1927, pp1–24 ; Bourget (P.), *J. H. Mansart*, Paris, 1960, fig. XLVII ;
Exposition : '*300 Dessins* (1951), n° 289.

L'intérêt de ce mémo réside dans les informations exceptionnelles qu'il nous donne sur l'utilisation des différentes pièces du Trianon, à l'époque. Le Roi n'y habitait pas. Son appartement dans l'aile droite n'était qu'un appartement d'apparat. Le Nôtre explique également l'usage de plusieurs autre pièces. Voici le résumé que Josephson en donne :

à gauche du péristyle, l'appartement du roi et des seigneurs, à droit, l'appartement des princesses et des dames et, comme appartement d'ensemble, l'avant-corps droit avec la salle de comédie, communiquant avec le salon de la musique et l'antichambre des jeux...

Ses remarques mettent en évidence la relation fondamentale existant entre les axes principaux et secondaires du jardin, et les salles les plus importantes du bâtiment. Ci-dessous, le texte dans son entier :

Description du Grand Trianon en 1694, par André Le Nostre.

1. Le péristelle. Enrichy des deux costés de colonne double d'un marbre de diférente couleurs et d'un beau poly quy sépare deux apartemens.

2. Apartement du Roy.

3. Grand Cabinet remply de grande glasse depuis le bas jusqu'au haut.

4. Logement ou les Segneurs mange et officiers des gardes.

5. Les offices.

6. Cour du palais de Trianon.

7. Apartement des Dames.

8. Salle de comedie.

9. Jardin particulier quy est toutjours plein de fleurs que l'on change touts les Saisons dans des pots et jamais on ne void de feuille morte ny arbrisseaux quy ne soit en fleurs ; il faut que lon change plus d'eux (1) millions de pots porté prix et raporté continuellement.

10. Gallerie.

11. Deux grands Sallon aux deux bouts de lad. gallerie, dont l'on regarde un grand jet d'eau dans un quaré d'eau, bordé dun cordon de marbre, a l'autre bout, regarde unne autre fonteine qui est ataché dans le petit jardin 9 d'une grande coquille de marbre avec un gros bouillon d'eau.

12. Salle de billard.

13. Est Trianon soubs Bois, ou loge les princesses et dames de la cour.

Le bout de l'apartement quy regarde et enfille la veu de deux Cascades marqué O et unne fonteine au bout de l'allé proche les Sources. Les deux cascades O sont dans unne grande allé bordé de grands arbres et d'une palisades d'ifve (1) quy finit par les deux cascade quy fait la plus belles allé et la plus sombre d'une pente douce : la cascade proche l'apartement 13 fait jouer celle du bout de lad. belle allé O B.

14. Est un autre petit jardin au bas du degré de l'apartement 13 ; de ce Jardin on communique par tout le jardin de tous les endrois de plein pied et le Jardin de tout Trianon va d'une pente insensible quy n'incomode point la promenade.

15. Les sources sont tout le lon de l'apartement de la gallerie 10 et de 11 et en retour de l'apartement de Trianon sous Bois dans la longeur et largeur, remply d'un bois en futaye dont les arbres sont séparé l'un de l'autre, quy ont donné moyens de faire des petits caneaux quy vont serpentans sans ordres et tourne dans les places vides autour des arbres avec des jets d'eau inégallement placé et tous les caneaux ce sépare et se tienne tombans l'un dans l'autre par unne pente que tout le bois est formé insensible. Des deux costé, dans les bois sont deux coulettes quy tombe en petite

nape et dedans des jets d'eau de 12 pied de haut et finisse dans deux groufre d'eau quy se perde dans la terre.

Je ne sçaurois assez vous escrire la beauté de ce lieu : c'est d'un frais ou les dames vont travaillé, joué, faire collation, et la beauté de ce lieu ; on y entre de plein pied de l'apartement 13 ; ainsy de cette apartement, on va a couverts dans toutes les beautés différente allés, bosquests, bois de tout le jardin à couvert, je puis dire que c'est le seulle Jardin, et le Thuillerie, que je cognoisse aisé à ce promener et le plus beau. Je laisse les autres dans leurs beauté et grandeur, mais le plus ayser.

Il faut revenir au parterre marqué 16.

16. C'est un parter de toute la longueur du bastiment où lon descend 7 marche quy esleve led. bastiment quy en font toute la beauté : led. parter fait unne terasse et ses allés quy va en pent(e) quy finy au salon 11 du bout de la gallerie 10. Tout le Jardin, partere ou terasse a unne belle veu et l'allé 17 quy donne au Cabinet des glasse 3 fait la plus belle ; ce voit le chasteau de Versailles, le Canal et les fonteines dans la piece d'eau du bas du grand degré marqué 29.

18. C'est le Jardin bas, au-dessous du parter 16, remply d'orangers et arbres a fleurs ; unne grande fonteine où est un jet d'eau d'une hauteur et grosseur puissante ; aux deux costés du parter est deux beaux berceaux de Jassemins rosée d'une beauté admirable, marqué 19.

20. Est tout le bois beau, dont l'allé du milieu fait unne voute admirable d'un couvert et d'une hauteur de 50 p. de haut, où le soleil ne pace jamais, dans tout le bois et allé marqué 20.

21. Est un Jardin en boulingrin, entouré d'allé tout autour qui font un cloistre d'ormes et de charme quy enferme des coulettes d'eau quy torne tout autour du cloistre (1), remply de jets d'eau sans nombre, de distence séparé esgallement de 12 p. de haut et au milieu toutes les eaux des coulettes tombes (sic) en napes 23, dans toute la largeur de 3 p. de haut quy fait la hauteur des glacis marqué 22 ; dans le bas est un tapis et unne grande fonteine d'un jet fort haut et for gros de deux pouces d'ajjoutage. Du jardin 21. où sont les coulettes, le roy fait tout le tour et va au bois en bosquest marqé 24 où est encore unne belle fonteine et fait le tour du bosquet couvert et remply d'allé qui vont a las cascague O B, et. de là, descend dans l'allé 25 quy descend au milieu de tout le jardin à la place en demy rond marqué 26 et où est la chutte de la nape

23 de toute les coulettes : c'est un des plus beaux endrois du Jardin, car on void l'allé du mileu du bois 20 où paroit unne voute couverte d'un bois d'une grande hauteur et l'on void les arcades du peristille du pallais.

De cette place on vient par l'allé 27 à l'allé 28 quy est la place quy fait le milieu du gran degré 29 et le milieu du parter bas 18, où sont les berceaux 19.

29. Grand degré de deux rampe bordé de balustrade et dans le fond est un bassin d'eau avec des jets fort gros, de hauteur de 30 à 40 p. de haut.

Led. grand degré fait le milieu d'un grand Canal de quarente toise de large et est un des bras du grand Canal du milieu du chasteau de Versaille, dont ledit canal de 40 t. de large, les deux bouts dud. canal est Trianon et l'autre la Mesnagerie. Canal marqué 30.

31. Est deux parter en bande remply de fleur dont l'un regarde l'apartement des glasses 3. Tout le parter va en pente, douce et toutjour remply d'àrbre à fleurs et plante annuelles, et de l'autre costé de mesme, le long des deux rampe du grand escallier.

J'ay oublié à vous expliquer un petit quaré d'eau borde de marbre et un autre en lon marqué 32 où sont des fonteine sous l'apartement de Trianon-sous-Bois : le tout de plein pied de tout le Jardin.

Voilà. Monsieur, ce que j'e bien voulu vous espliquer autant que je peu. afin que le plan vous fut plus inteli(gi)ble et que vous en fusiez instruit ; excusé mon peu de sçavoir et mon discors que je vous avoue tel qu'il est. J'en ay pris assez de freyne, et m'a esté plus dificille que le plan. Les mesures i sont fort juste.

Grande place devant le pallais de Trianon, avec beaucoup d'allé quy vienne dans lad. place.

35. Il est donc de vous faire remarquer que lad. advenu du milieu de Trianon va rendre à la grande pièce de Neptune, où descend l'allé des petit Enfans quy porte des bassins de marb(e) et vienne à la grande fonteine où est un grand jest d'une hauteur admirable et plusieurs dedans lad. fonteine quy fait le milieu de la grande pièce de Neptune où est des vase, des jets d'eau sans nombre par haut et par bas : c'est ce lieu par où l'on vient en carosse pour aller dans *tout le parq* et à Trianon : escusé mon long discours et croyés que tout ce que je pour(rai) pour vous tesmoigner la passion de vous servir je le feroy de tout mon cœur en vous asseurant que je suis, Monsieur, vostre très humble et obéissant serviteur,

LE NOSTRE.

Je vous prie de faire voir le plan à Mons' l'embassadeur et l'assuré de mon service. Quand vous avé besoing, mandé le moy ; et aussy, sy vous avés de medalle nouvelles, faite le moy sçavoir, car j'en ay beaucoup ; il faut me le faire sçavoir.

Faut remarquer que le point 29 est le milieu du jardin 18 et le milieu du degré 29, mais les deux ligne du partere ny la ligne du Canal ne sont pas d'une d'une (sic) mesme alignement, mais il fait que de parter on vien au milieu du demy rond de l'escalier, et puis ce forme de là le milieu du Canal 40, quy va à la Mesnagerie et led. Canal tombe d'esquere sur le grand Canal de la fasce du chasteau de Versaille.

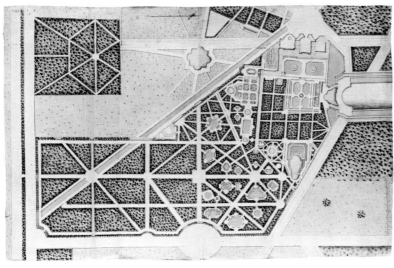

H2

# H 2

## Claude Desgots

† 1732

### PLAN DES JARDINS DU TRIANON EN 1722

Plume et encre noire, lavis gris ; aquarelle en plu-
sieurs couleurs, dont vert, bleu et rose.
H. 657, L. 983.
Filigrane : proche de Heawood 1304, mais une cou-
ronne ouvert est substituée pour la fleur de lys.
Sceau de Hårleman.
Inscription : (verso) Plan de Trianon Par Mons[r].
Desgot 1722.
Collection Tessin-Hårleman : THC 7927.

Dans les premières années du dix-huitième siècle,
les jardins du Trianon furent considérablement
agrandis au nord, et un peu moins à l'ouest. De
nombreux bosquets furent ajoutés, bien qu'au nord,
une grande superficie fut relativement peu mise en
valeur. Les grandes lignes du plan de Le Nôtre
restèrent intouchées, même si la grande pièce d'eau,
au bout du grand axe ouest venant de l'atrium, fut
remplacée par une petite cascade.

Le changement le plus frappant se trouve dans la
suppression des parterres nord (cf. cat. H 1). Ils
sont remplacées par quelque chose de tout à fait
différent : un jardin gravissant la petite colline au
nord, qui s'arrondit et finit sur un bassin. La partie
ouest des parterres de Le Nôtre fut transformée en
trois bassins et deux petits bosquets. Celà est caractéristique d'un jardin « à la française » et l'idée de
faire du Trianon un Palais de Fleurs semble avoir
été oubliée.

Ce document datant de la période où Hårleman
étudiait auprès de Desgots on peut présumer que
c'est de lui qu'il l'obtint.

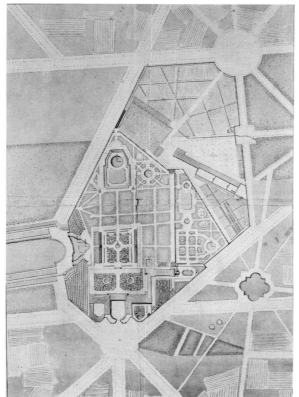

H 3

## H 3

Dessinateur Anonyme

### PLAN DES JARDINS DU GRAND TRIANON

Plume, encre noire et bleue, lavis gris, vert et brun.
H. 968, L. 663. (Non exposé)
Filigrane : proche de Heawood 1236.
Collection Tessin-Hårleman : THC 7923.

Ce dessin des jardins nous montre un stade intermédiaire entre celui de Le Nôtre en 1694, et celui de
Desgots en 1722. On s'aperçoit que la suppression
des terrains de plantation de Le Nôtre et leur rem-
placement par un jardin traditionnel (cf. cat. H 2)
eut lieu relativement tôt, avant les changements du
début du 18ème siècle. Son exécution laisse à penser qu'il pourrait faire partie de l'important ensemble de dessins de Le Nôtre que Hårleman a fait
recopier.

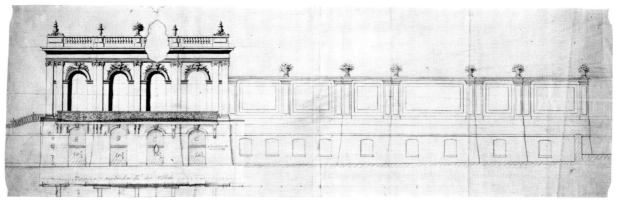

H 4

## H 4

### Dessinateur des Bâtiments du Roi

#### ÉLÉVATION SUD DU GRAND TRIANON

Crayon, encre et lavis noir.
H. 273, L. 847.
Filigrane : proche de Heawood 2290 ; filigrane additionnel : B. R.
Collection Cronstedt : CC 96.
Inscription : (verso) Trianon ; (recto, sur le rabat) : mesures, *B. B., C. C., rez dechauffé des offices, plancher des entresolles* ... et de nombreuses mesures.

En levant le rabat : on voit un rez-de-chaussée sans fenêtre. En bas des supports du balcon, il y a un mur, avec une frise horizontale. La section se trouvant sous les deux fenêtres centrales est légèrement projetée en avant.

Bibliographie : Marie (A. et J.), (1976) p. 25, fig. 9.
Exposition : Cronstedt (1942) n° 48 ; *300 Dessins* (1951), n° 286.

C'est une vue de l'extrémité Sud de l'aile gauche du Grand Trianon. Elle inclut le bâtiment et le mur d'une ancienne cour de cuisine. On pourrait l'intituler « Façade sur le Canal », comme le fit Marie quand il la publia.

L'avancée des deux fenêtres centrales fut supprimée à la construction de même que le fenestrage du sous-sol. On peut donc dire que l'alternative du rabat fut acceptée. On peut voir, au bas de la planche, une projection horizontale de la petite cave.

Il s'agit évidemment d'un dessin de travail qui ne suivit pas l'évolution du projet. Sinon dans le détail, il donne, dans ses grandes lignes, une idée du bâtiment tel qu'il fut achevé. La réussite tient surtout dans la décoration qui permit d'harmoniser des proportions relativement inélégantes.

L'exécution, particulièrement soignée, permet de penser que l'auteur en est l'un des meilleurs dessinateurs ou architectes des Bâtiments du Roi. L'incessante, et célèbre, remise en question de ce bâtiment a du générer un nombre incalculable de dessins de travail, dont trés peu nous sont parvenus. Il n'est pas question de J. H. Mansart ici qui était en voyage.

## H 5

### Dessinateur Anonyme

#### LA FAÇADE JARDIN OUEST DU GRAND TRIANON

Plume, encre noire, lavis gris et rose.
H. 280, L. 2197.
Filigrane : proche de Heawood 2119.
Inscriptions : aucune, une échelle incomplète.
Collection Cronstedt : CC 101.

Expositions : Cronstedt (1942), n° 49 ; *300 Dessins* (1951), n° 287.

Le dessin est inachevé, mais seulement pour certains détails tels que les urnes, les paniers décorant le toit, les clefs de voute et les sculptures florales entre les arches et la frise.

En 1687, cette couleur du Trianon choqua Tessin, qui écrivit : « La frieze et les pilastres sont d'un marbre brun, rouge et jaune, les chapitaux ioniques et les bases sont d'un marbre blanc, tout le reste est des pierres communes ... » Ce dessin indique les différentes couleurs qui furent finalement choisies, et pour lesquelles il fut probablement acquis.

H 5

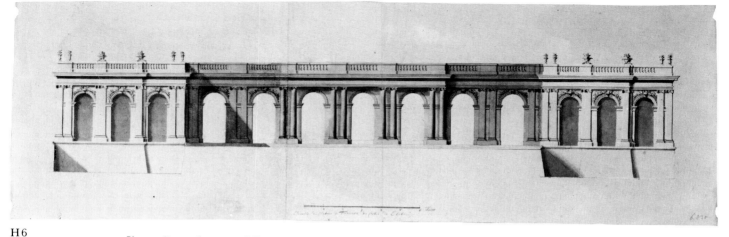

H 6

Il est d'une facture différente de la série acquise par Cronström, à l'intention de Tessin, en 1698 (cf. introduction à la section « H » Trianon). Il est possible, mais non certain, qu'il provienne d'une toute autre source : soit d'un des exécutants de Le Nôtre, soit même des Bâtiments du Roi. La qualité est bonne, mais non brillante, et bien en-dessous du niveau de H 4.

Parmi la série de 1698, THC 4425 montre presque la même vue, c'est pourquoi il n'est pas exposé ici.

## H 6

### Dessinateur Anonyme
### au service de Cronström

#### ÉLÉVATION DU CHÂTEAU

Crayon plume et encre noire, lavis gris avec des rehaussements blancs.
H. 265, L. 840.
Filigrane : proche de Heawood 1227.
Sceau de Hårleman.
Inscription : Elevation du Chateau de Trianon sur coster de l'Entrée.
Collection Tessin-Hårleman : THC 6838.

Bibliographie Comparative : Josephson (Ragnar), *Revue de Versailles*, 1927, pp. 1–24.

Josephson a associé cette remarque, que Cronström fait parvenir à Tessin, et THC 4425, une vue de la façade sur jardin (cf. sa fig. 1) qui n'est pas exposée ici.

Ce que j'ai trouve de nouveau en graveure touchant Le Trianon est peu de chose, mais une personne m'a promis tous les plans et élevations du dedans et dehors dessignés à la main pour un prix assez médiocre ; mais je ne scauroy, au juste, que lorsqu'il scaura ce que le copiste luy coustera...

Le 24 Octobre 1698 il poursuivait :

Trianon se dessigne et vous en scaurez le prix par le 1.er ordinaire...

Cette supposition semble juste, en on pourrait y ajouter trois autres dessins, sur le même papier : H 6, H 7, et H 8.

Il s'agit de dessins très nets, et d'après les remarques de Cronström, il semble qu'ils ont été faits d'après d'autres dessins et non d'après nature. Ils représenteraient l'état des choses, au Trianon, en 1698, et seraient donc de quelque intérêt historique.

H 7

# H 7
Dessinateur Anonyme
au service de Cronström

DEUX ÉLÉVATIONS DU TRIANON

Crayon, plume et encre noire, lavis gris.
H. 338, L. 262. (Non exposé)
Filigrane : fragment proche de Heawood 1236.
Sceau de Hårleman.
Inscription : Le Trianon.
  Verso : Plan des douves du Trianon et des structures avoisinantes.
Collection Tessin-Hårleman : THC 6719.

Bibliographie Comparative : Josephson (Ragnar), *Revue de Versailles*, 1927, pp. 1–24.

Cette petite planche nous montrerait le détail d'élévations, côté droit de la cour du Trianon. En haut, on peut voir l'élévation de la partie où se trouvait, à l'époque, un théâtre. L'élévation sur la partie supérieure de cette feuille correspondrait au mur du fond de la Galerie qui dominait le jardin des *Sources* de Le Nôtre. Dans ce cas, l'interprétation serait inexacte dans l'écartement latéral, car les panneaux carrés, sur la façade galerie sont de même largeur. Cela expliquerait le tracé au crayon. L'échelle donnée en H 7 et H 8 soutiendrait cette thèse.

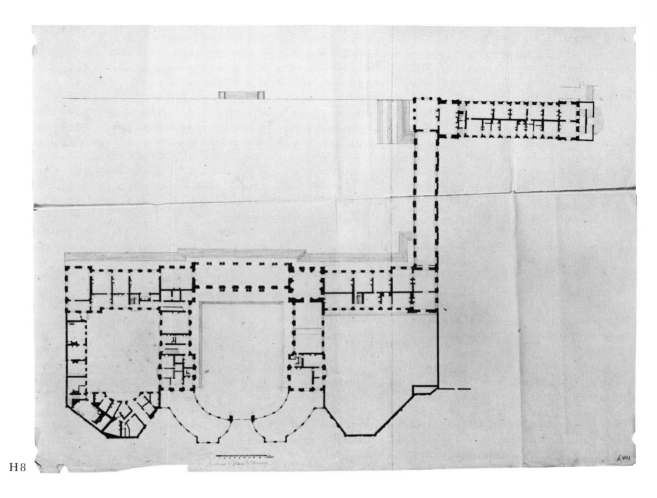

H 8

# H 8

Dessinateur Anonyme
au service de Cronström

### PLAN DU PALAIS DU GRAND TRIANON

Crayon, plume et encre noire, lavis gris-noir.
H. 670, L. 910.
Filigrane : cf. H 5 et H 7.
Sceau de Hårleman.
Inscription : Plan General du Château de Trianon.
Collection Tessin-Hårleman : THC 6401.

Bibliographie Comparative : Josephson (Ragnar), *Revue de Versailles*, 1927, pp. 1–24.

Ce dessin, apparemment de la série de 1698, n'est
donc qu'une copie, mais le fait de pouvoir être daté
précisément, le rend intéressant. La représentation
de l'aile du théâtre est difficile à expliquer. Certaines lignes laisseraient à penser que la scène était
encore en place, mais ce n'est pas évident. Peut-être
qu'à l'époque, un mur avait été érigé au milieu de la
pièce.

# I | La Ménagerie

La ménagerie fut l'une des premières parties du Parc à être terminée. Sa conception était très originale. En arrivant, le visiteur découvrait une cour, encadrée de trois corps de bâtiments, comme un petit château. Le dernier au fond, de deux étages, comprenait des chambres rectangulaires au rez-de-chaussée et des chambres de repos au premier. Derrière une ouverture centrale, (une arche, plutôt qu'une porte, selon Gérard Mabille) s'élevait un escalier sans vestibule, et de chaque côté, deux portes menaient à des chambres en contre-bas.

Les caractéristiques les plus étonnantes se trouvaient à l'arrière, dans une structure octogonale en forme de tour et surmontée d'un dôme. Au rez-de-chaussée, il y avait une grotte (qui apparait déjà dans la Fête de l'Isle enchantée, 1664). En haut de l'escalier, il y avait deux chambres, une antichambre, et un salon. Ce salon octogonal constituait l'élément le plus original du bâtiment. Ses quatre portes vitrées donnaient sur un balcon qui, sur sept côtés, dominaient de larges enclos où évoulaient des oiseaux et des animaux rares. Il était donc possible de se restaurer, en contemplant les animaux du haut du balcon. La ménagerie a été commentée par Mabille, dans le numéro de Janvier 1974 de la *Gazette des Beaux Arts*.

Tessin fut plus laconique : « Vis à vis de Trianon est la Mesnagerie, où je suis allé le long du Canal en jacht, et où il y a beaucoup de différents curiosités à voire. » La vérité, c'est que la Ménagerie était alors vétuste et peu fréquentée en 1687.

C'est certainement à cause de l'état d'abandon de ces bâtiments aux alentours de 1680, que les dessins de la Ménagerie sont rares à Stockholm : Tessin et ses successeurs ont fait peu d'efforts pour les acquérir. Il existe cependant un plan important, non publié, des bâtiments et du jardin, daté du 14 Septembre 1696, ainsi que deux autres dessins, signés Audran qui pourraient témoigner de la beauté de la décoration intérieure après 1697 : quand la Ménagerie fut reconstruite pour servir de lieu de récréation à la Duchesse de Bourgogne, Marie-Adélaïde de Savoie, la favorite de Mme de Maintenon et Louis XIV.

## I 1

### Dessinateur Anonyme

### PLAN DE LA MÉNAGERIE

Crayon, aquarelle verte et blanche. Inscriptions à l'encre noire.
H. 960, L. 760.
Filigrane : proche de Heawood 3294 ; filigrane additionnel : I (fleur de lys) C.
Collection Cronstedt : CC 2739.

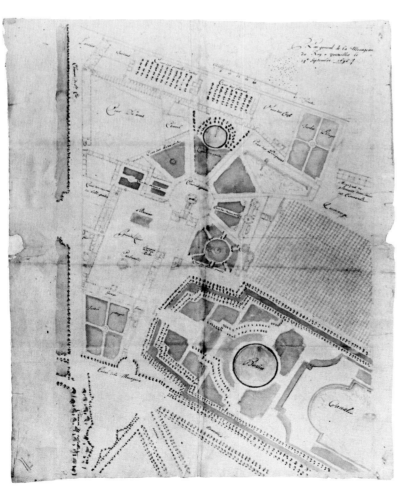

Inscriptions : en haut à droite : Plan general de la Menagerie du Roy a Versailles le 14ᵉ septembre 1696, (et une echelle en toises.) Au travers de la partie supérieure du jardin : 1) Chemin de St Cir 2) Lavoirs 3) Jardins 4) Cour de Poulles Dindes 5) Cour des faisants 6) Cour des Cerfs 7) Jardin Potager (En haut, au-dessus du bâtiment principal) : 1) Cour Du ârack 2) Chenil 3) Cour du rondo 4) Cour des Peliquans ; (Derrière la mare aux pélicans, à droite) : 1) Magazine de plusieurs demolitions des Carousseles 2) Luineonge ; (Sur le bâtiment principal) : grotte ; (les courts adjointes au bâtiment central, de gauche à droite) : 1) Cour des courier des belles poules 2) Grande Cour – (Dans ou à côté) a) a Brevoir b) four c) Coulombier d) Logement de Mʳ la Roche e) Grange f) Letrie 3) Cour des oiseaux 4) Cour des Autriches 5) Cour du rondo 6) Cour des demoiselles 7) Cour des belles poules ; (Autour du bâtiment principal : Cour octogonne ; (En bas du plan, de gauche à droite) : 1) Jardin potager 2) Chemin de Versailles 3) Entrée de la Menagerie 3) avenue 4) avenue 5) Bassin 6) Canal.

Expositions : Cronstedt (1942) nᵒ 53 ; *300 Dessins* (1951) nᵒ 90.

Que cela ait été ou non l'intention du dessinateur, ce plan montre le zoo à la veille, littéralement, de sa transformation pour la Duchesse de Bourgogne. Mais le bâtiment principal apparait encore tel qu'il avait été construit vers 1660.

Le pavillon à la fontaine, au fond de la Cour des demoiselles est représenté de façon claire et détaillée. Curieusement, la structure élaborée de ce jardin avec apparemment une arcade et des fontaines intérieures, n'est que rarement mentionnée dans les descriptions de Versailles, bien que Garms l'ai récemment commentée. Les nombreuses inscriptions donnent une idée précise du type d'espèces que le Roi y rassemblait.

Il existe à Stockholm un autre plan du Zoo (THC 7739) qui n'est pas exposé ici, car il montre essentiellement les mêmes aspects que I 1, mais ne porte aucune inscription. Marie a publié un plan similaire (B. N. Cabinet des Estampes, Va 448g) qui contient les mêmes informations que celui de Stockholm, mais qui n'est pas daté.

I 1

I 2

## Dessinateur des Bâtiments du Roi

### ÉLÉVATION DU CABINET D'EN BAS

Plume et encre noire.
H. 338, L. 407. (Non exposé)
Filigrane : Heawood 2992.
Inscription : (verso) : 4 chiffres et TG ; (recto) : 1)
    pour les deux Cotez du Cabinet d'en bas 2) Tru-
    meau du Cabinet d'En bas ; (sur le rabat supé-
    rieur, de la main de Mansart) : bon pour les deux
    trumeaux du cabinet d'Enhaut ; (sur le second
    rabat, de la main de Mansart) : il me paroit bas
    *(sic)* agreable.
Collection Cronstedt : CC 196.

Bibliographie Comparative : Marie (A. et J.), (1976), pp.
    200–213 ;
    Mabille G., *GBA* (1974) pp. 25–31.

Ce dessin délicat donne une indication du type et
du niveau de ce qui était présenté à l'approbation
du Superintendant des Bâtiments du Roi. Il est
intéressant de voir que, pour des raisons de commodité, des projets pour deux pièces différentes sont
inclus sur la même feuille.

Le style de ce dessin est très proche de celui des
grandes séries, aujourd'hui aux Archives Nationales, et qui concernent la restauration du zoo à
l'intention de la Duchesse de Bourgogne (O[1] 1805).
C'est pour cette raison qu'il est exposé dans la
section ménagerie, mais il pourrait aussi avoir été
fait pour un autre château. On a parfois établi un
rapport entre cette planche et le Grand Trianon.
Mais la présence d'un cabinet à l'étage exclut cette
thèse, puisque le Trianon n'avait pas d'étage supérieur. A Versailles, l'appartement du Duc de Bourgogne, construit à la même époque, est d'un style
très ressemblant.

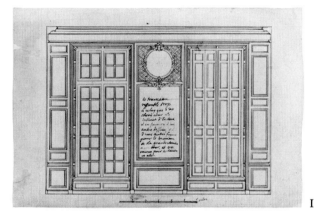

I 3

## Dessinateur des Bâtiments du Roi

### UN TRUMEAU

Crayon, plume et encre noire.
H. 333, L. 471. (Non exposé)
Filigrane : cf. I. 2.
Inscription : le trumeau ressemble trop a celuy que
    j'ai choisy pour le cabinet d'Enhaut il en faut un
    d'un autre dessin, et l'une autre figure pour le
    trumeau de la grande chambre a coucher, et un
    encore pour la chamre en aile. (de la main de
    Mansart) ; aussi une échelle.
Collection Cronstedt : CC 197.

Le rapport entre I 2 et I 3 est évident : ils sont
proches de par leur style et complémentaires par
leurs inscriptions.

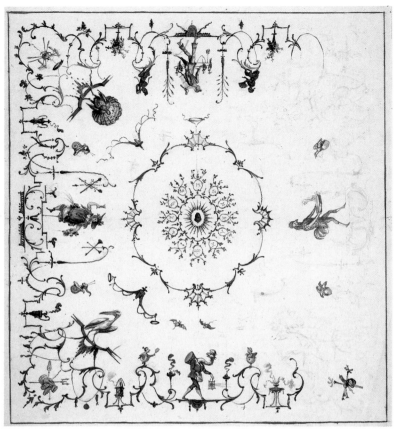

I 4

# I 4
## Claude III Audran
1658–1734

PROJET DE PLAFOND,
PEUT-ÊTRE POUR LE ZOO

Aquarelle et sanguine, touches d'or.
H. 338, L. 294.
Filigrane : Heawood 2432.
Collection Cronstedt : CC II 34.

Exposition : Audran (1950), n° 24.

Dans le catalogue Audran, il est suggéré que ce dessin aurait été réalisé pour Louis XIV, à l'occasion du ré-aménagement de la Ménagerie, pour sa petite-fille par alliance, en 1699. Audran reçut 27.800 livres pour les travaux qu'il y accomplit en 1700. Ce dessin ne correspond pas au programme décrit dans un document (Archives Nationales O[1] 1805, 113) : 1) Chambre A. pastorales 2) Chambre B. jeux d'enfants 3) Chambre C. Jeux de cour 4) musique 5) culture et amusements de jardin. Toutefois, il coïncide avec les fameuses remarques de Louix XIV concernant le décor du zoo ; « il faut qu'il y ait de la jeunesse mêlée dans ce que l'on fera... il faut de l'enfance partout » (document au château). On trouve ici un Papageno, un bacchus vêtu d'un tonneau et des hommes-oiseaux. Plus intéressante est la présence de dindons et de pélicans, très appropriés au zoo de Louis XIV (cf. I 1). Au milieu du plafond, les signes du zodiaque encercle le soleil. Dans un papier non-publié, Märta Sahlberg tente de démontrer le rapport entre ce dessin et la Ménagerie. Mais Audran réalisa ce type de décoration ailleurs, à Anet par exemple. L'identification des dessins d'Audran pour le zoo, parmi les centaines dont il est l'auteur, et qui se trouvent à Stockholm, reste encore à entreprendre. Il serait possible de commencer sur la base des deux études d'Audran pour les plafonds de la Ménagerie qui se trouvent à la Bibliothèque Nationale (Cabinet des Estampes B. 2a), publiées par Marie (1976) p. 226 fig. 99 et 100.

# J │ Marly

A la fin de sa vie, Louis XIV adopta pour résidence, quasi permanente, ce qu'on appelait le Château de Marly. On raconta même qu'il avait l'intention d'abandonner Versailles, car il passait à Marly plusieurs jours de la semaine, y préférant l'atmosphère moins formelle et moins tenue par l'étiquette.

Conçue vers 1679 par Mansart comme une retraite campagnarde alors que Versailles était en plein travaux de transformation pour devenir la résidence principale du Roi et que la Cour se préparait à déméneger de la ville à la campagne, Marly avait su préserver un certain style de vie semblable à Versailles à ses débuts, au Versailles des grandes fêtes champêtres des années 1660.

Situé sur le flanc d'une colline plus tourmentée Marly était constitué d'un pavillon central, pour le Roi et ses proches, ainsi que de douze petits pavillons, de deux appartements chacun, entourés d'un jardin, et destinés aux invités d'honneur. A Marly, on ne suivait pas l'étiquette. Le Roi s'installait avec ses invités autour d'une table ronde (cf. N 3) et les conversations tenaient lieu de rituel. Après une période d'abandon, les faveurs du Roi se retournèrent progressivement vers Marly, au cours des 35 années de règne.

La façon dont le jardin se developpa illustre bien cette tendance. A la simplicité des débuts, on ajouta graduellement des changements importants tels que la célèbre cascade, au-dessus du pavillon principal. Dés après 1700, de nombreuses commandes sont faites aux plus

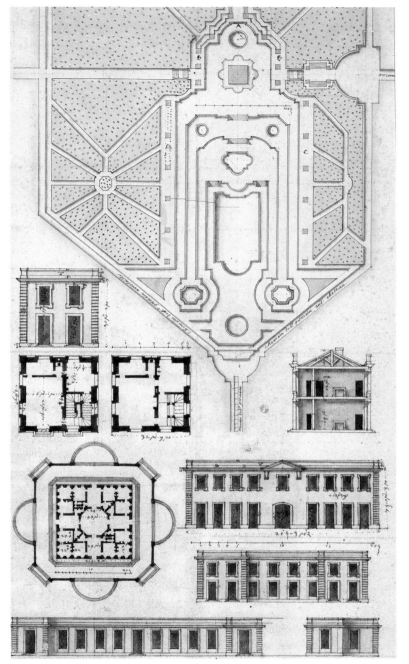

J1

grands sculpteurs, alors que des bosquets, compositions rares à l'époque, se mettent à proliférer. (cf. Betsy Risasco, «New Documents and Drawings Concerning Lost Statues from the Château of Marly» *Metropolitan Museum Journal*, vol. 10 (1975), pp. 79–96.

Cette nouvelle vie sans étiquette annonçait le 18ème siècle. Bien qu'on ait souvent dit que tous les princes d'Europe voulaient avoir leur Versailles, Pierre le Grand, et beaucoup d'autres, préféraient franchement Marly. Louis XIV semblait trouver que chacun avait sa propre fonction.

Pour Tessin, en 1687, le principal intérêt de Marly résidait dans la machinerie, située sur la rivière, qui alimentait les fontaines de Versailles. Il la décrit dans son journal avant même de mentionner le château. Plus loin, cependant, il consacre de longues lignes à Marly. Ce qui retient particulièrement son attention, c'est l'intérieur et les jardins. Cela est évident dans les dessins de Stockholm. On y trouve quatre élévations du pavillon principal, ainsi que deux projections horizontales sur lesquelles on peut voir également deux petits pavillons. Les autres planches nous offrent : le plan des jardins, le plan des pavillons et des élévations. Quatre plans concernent uniquement les jardins. Il y a aussi l'élévation d'une fontaine et différentes planches de sculptures destinées à Marly. Comme l'a montré Betsy Rosasco, aujourd'hui, certaines sculptures de Marly sont uniquement connues par quelques dessins se trouvant au Nationalmuseum (cf. ci-dessus J 13).

# J 1

## J. Heulot le jeune

### PLANS ET ÉLÉVATIONS DU CHÂTEAU DE MARLY

Plume, encre brune, aquarelle grise, verte et rose. H. 425, L. 230.
Pas de Filigrane.
Inscription : Plan generalle du chateau Royalle de Marly avec ces ellevation et profilles exactement levé mezurée et dessigné par J ; Heulot le Jeune natif des bry enbourgogne come elle est comanté et suivant les dessins et modelles qui ennont été présanté a sa Majesté. (Sur les routes, en bas du plan) : 1) avenue de St germain chemin de St germain 3) chemin de St germain à Versaille. Une échelle, différentes mesures, ainsi, sur la facade du pavillon principal : 21 toises, 3 pieds. Hauteur : 4 toises, 3 pouces (à la corniche). Salon central : 43 pieds ; facade des petite pavillons : 32 pieds, 9 pouces ; hauteur : 3 pieds, 2 pouces (à la corniche).
Collection Tessin-Hårleman : THC 25.

Bibliographie : Josephson, Ragnar «Le plan primitif de Marly» *Rev. Hist. Vers.*, 1928 ; Weber, Gerold, *Wiener Jahrbuch für Kunstgeschichte*, (1975) II ; Rosasco Betsy *Journal of Garden. History* vol. 4. no. 2, fig. 3, p. 101.
Exposition : *300 Dessins* (1951), n° 231.

On a souvent considéré ce dessin comme la première représentation connue de Marly. Il ne faudrait pas cependant en déduire que le Château fut construit exactement ainsi. L'inscription précise d'ailleurs qu'il s'agit de l'œuvre d'un dessinateur étranger aux travaux. Weber (1975, II) s'est longuement penché sur ce dessin pour montrer combien la manière dont été traités les jardins différait, sur de nombreux détails, par rapport à d'autres sources ; toutefois, ces différences étaient insuffisantes pour que ce plan ne soit pas accepté en tant que premier témoignage. Les pavillons du centre et des côtés furent construits tels que montrés ici.

Ceci se passant bien avant le voyage de Tessin en

J 2

1687, le dessin a pu être acquis à cette date. L'inscription indiquerait qu'il a été réalisé pour un spécialiste, tel que Tessin, qui souhaitait avoir des informations précises sur les bâtiments.

Il semblerait que les riches décorations peintes sur l'extérieur et conçues par Le Brun, n'aient pas été connues du dessinateur (cf. J 2).

## J 2

### Dessinateur Anonyme

### ÉLÉVATION D'UNE DES QUATRE FAÇADES IDENTIQUES DU PAVILLON ROYAL À MARLY

Plume, encre noire, lavis gris.
Filigrane : Heawood 691.
H. 242, L. 442.
Collection Cronstedt : CC 2206.

Bibliographie : Josephson, *Tessin*, 1ère partie, Stockholm 1930, fig. 106.
Exposition : Cronstedt (1942), n° 61.

P. Reuterswärd a noté, dans les dossiers de Stockholm, que ce dessin a pu être réalisé en 1688, ou plus tard, au moment où les ornements du toit, des chérubins et des paniers de fleurs, furent mis en place. Cela parait justifié, car des coupes antérieures, à Stockholm, ne montrent pas ces éléments. (cf. J 5). Toutefois, il n'est pas impossible que le dessinateur ait illustré un projet non-réalisé. Donc la date de ce dessin demeure très approximative. Une autre possibilité serait qu'il fut commandé de Tessin en 1687.

On ne peut pas imaginer, d'après ce dessin que toute l'ornementation architecturale est peinte, y compris les pilastres géants et les reliefs sculptés entre les fenêtres, exception faite de l'encadrement des portes et des fenêtres et la corniche supérieure. Au Cabinet des Estampes des dessins du Fonds Le Brun montrent clairement l'importante participation du peintre à ce projet. Les petits pavillons étaient également décorés, d'une architecture en trompe-l'œil.

Les symboles n'apparaissent pas clairement ici. Excepté les armes de Louis XIV, au-dessus de la porte centrale, seule la partie frontale est ornée d'une scène reconnaissable : Apollon sur son char, précédé de l'Aurore et suivi par le Jour (?). L'usage répété d'armoiries et de trophées sur ce qui était considéré comme une retraite campagnarde, pose un problème qui mériterait d'être étudié. Les mêmes motifs apparaissent à l'intérieur du bâtiment (cf. J 3).

J 3

## J 3

### Dessinateur Anonyme

**COUPE TRANSVERSALE DU PAVILLON ROYAL à MARLY**

Plume et encre noire, lavis gris.
H. 397, L. 535. (Non exposé)
Filigrane : Heawood 2959.
Sceau de Hårleman.
Collection Tessin-Hårleman : THC 6690.

Exposition : *300 Dessins*, (1951), n° 212.

Ce dessin possède de nombreuses similarités avec J 2 et pourrait être une illustration parallèle, tant du style que du sujet. Il est un excellent complément à la lecture de la description de l'intérieur que nous a laissé Tessin. Lui-même était tellement intéressé par ce sujet, qu'il fit l'acquisition de deux autres coupes, presque identiques à celle-ci (cf. J 4 et J 5). Tessin a dessiné une coupe de Marly en 1687. Son description de l'intérieur de Marly se trouve dans l'article sur K 2.

## J 4

### Dessinateur des Bâtiments du Roi

**COUPE DU GRAND SALON DU PAVILLON ROYAL à MARLY.**

Plume et encre noire, lavis gris.
H. 320, L. 335.
Filigrane : Heawood 690.
Collection Cronstedt : CC 121.

Expositions : Audran, (1950), n° 213 ; *300 Dessins* (1951), n° 234.

Ce salon mesurait 43 pieds de côté et le dôme intérieur s'élevait à environ 50 pieds. Le décor est identique à celui de J 3. L'intérêt de ce document réside dans la façon dont est présentée la terrasse : on peut y voir des panneaux et une frise de personnages qui font le tour du premier étage du Grand salon. L'exécution de J 5 laisse à penser que ce décor ne fut jamais réalisé. Ce dessin, tant par son tracé que par ses détails, semble provenir des Bâtiments du Roi.

J 4

J 5

# J 5

Dessinateur Anonyme

## COUPE CENTRALE
## DU PAVILLON ROYAL à MARLY

Plume et encre noire, lavis gris, rose, vert et brun-
 jaune.
H. 480, L. 810.
Filigrane : proche de Heawood 1236.
Inscription : (verso) Le chateau de Marly ; (recto)
 Coupe du grand Pavillon de Marly (avec
 échelle).
Collection Tessin-Hårleman : THC 28.

Bibliographie Comparative : Kimball (Fiske), *Creation of the
 Rococo* Philadelphie, 1943.

Quatre portes du Grand Salon furent supprimées et
remplacées par des cheminées, surmontées de
grands miroirs. Kimball voit dans ce changement
un importante évolution de l'architecture intérieure
vers 1700. C'est le moment où de grands progrés
techniques permirent, en France, l'utilisation
d'aussi grandes surfaces de verre. D'aprés Kimball,
ces détails, apparemment mineurs, apportèrent à
cet intérieur une grâce et une légèreté tout à fait
nouvelles.

Cette planche fut certainement acquise pour
montrer, en Suède, ce que l'on considérait comme
une grande innovation, à la fois technique et stylistique.

135

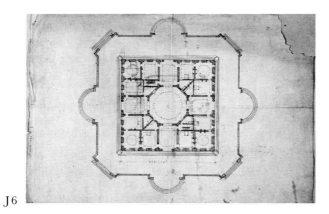

J 6

# J 6

Dessinateur des Bâtiments du Roi

PLAN DU PREMIER ÉTAGE
DU PAVILLON ROYAL à MARLY

Plume et encre noire, corrections et mesures au
 crayon.
H. 293, L. 429.
Collection Cronstedt : CC 2259.

Ceci doit être un des plans les plus anciens qui nous
soient parvenus. Il est évidemment antérieur à la
décision de laisser une sorte de terrasse fermée
autour du Salon Central du premier étage (cf. J 4).
En fait, cette idée est esquissée ici, au crayon ; et il
est possible qu'elle ait été développée à partir de ce
dessin. Un autre trait remarquable, qui n'apparait
pas sur d'autres plans publiés, se trouve dans l'utilisation de colonnes (en ordre monumental?) de chaque côté des quatre portails d'entrée et auprés des
quatre portes donnant sur le salon octogonal.

On y voit également des indications sur la
manière de procéder à la courbe des plafonds et de
placer les lits.

Il existe un autre plan traitant de la disposition
finale du premier étage, THC 27, qui n'est pas
exposé. Il s'agit d'une copie conventionnelle qui
décrit l'état des lieux après l'installation des cheminées et des miroirs, dans le Salon Central, en 1700.

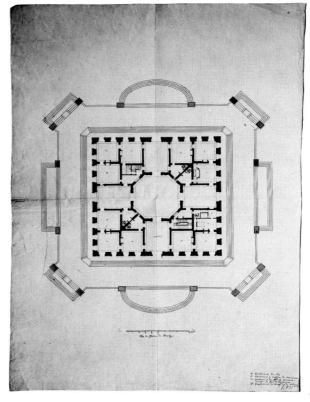

J

De nombreux plans analogues existent aux
Archives Nationales, mais J 6 constitue un document exceptionnel.

## J 7

### Dessinateur Anonyme

#### PLAN DE MARLY

Plume et encre noire, lavis gris.
Sceau de Hårleman. (Non exposé)
Filigranes : proche de Heawood 1236.
Inscriptions : Plan du Château de Marly ; (plus loin :
une clé) A. Apartement du Roy ; B. Apartement
de Madame de Maintenon ; C. Apartement des
Jeux aproitant a Monseigneur le Duc de Bour-
gogne ; D. Apartement de Mons. et de Madame.
(aussi :) vestibule. (au Verso) : No 4 1. Plan de
Chateaux Covents et eglisés.
Collection Tessin-Hårleman : THC 6931.

La mort de Monsieur permet de dater cette inscription entre 1700 et 1701. Elle nous dit qui étaient les
occupants du rez-de-chaussée à l'époque.

## J 8

### Dessinateur Anonyme

#### LES BASSINS DE MARLY EN 1681

Plume, encre noire, lavis brun, jaune et bleu.
H. 878, L. 366.
Filigrane : Heawood 642.
Inscription : (verso) Plan de Marly de 12 May *1681*
; (avec une échelle)
Collection Cronstedt : CC 97.

Bibliographie : Marie A. et J., Marly, 1947 ; Weber (1975, II) ;
Rosasco Betsy, *Journal of Garden History*, vol. 4, no. 2 (1984),
fig. 4 p. 101.
Expositions : Cronstedt (1942), n° 62 ; *300 Dessins* (1951) n° 232 ;
Hall (1975).

Ce dessin, a peu de chose près, montre le jardin tel
qu'il est représenté par le plan J 1. Weber s'appuie
sur ce document pour évaluer la précision de J
(1975 II, pp. 60–62).

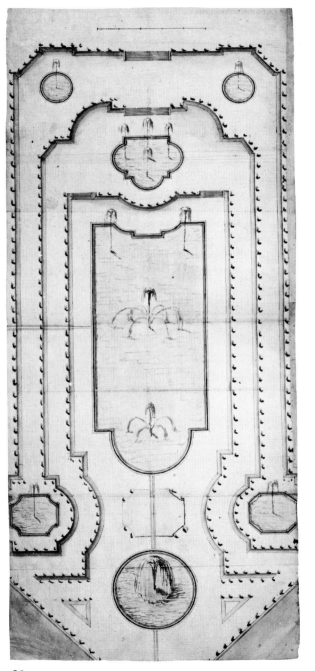

J 8

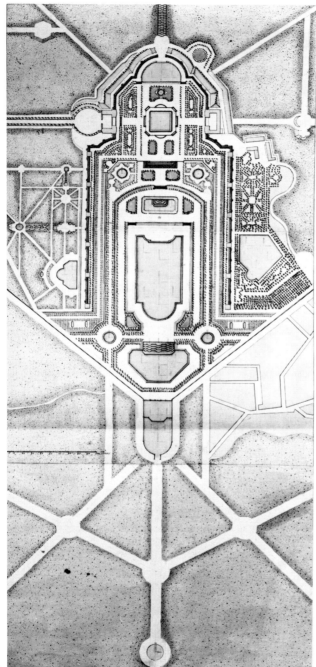

J 9

Dessinateur Anonyme

PLANS DES JARDINS DE MARLY

Crayon, plume et encre noire, lavis vert, rose et
  bleu.
H. 1177, L. 550.
Sceau de Hårleman.
Filigrane : proche à Heawood 1236 ; deuxième
  filigrane ; P (cœur) G.
Inscription : (verso) 322.
Collection Tessin-Hårleman : THC 7929.

Bibliographie : Rosasco, Betsy, *Metropolitan Museum Journal*, 10
(1975), p. 81, fig. 2.

On voit ici le jardin après la construction du célèbre
abreuvoir. On y voit aussi la cascade, qui n'apparaît pas sur les plans plus anciens, présentés plus
haut. Le tracé du jardin demeure très géométrique :
les allées sinueuses apparaîtront plus tard (cf. J 10).

Le style de ce dessin s'apparente à celui de la
série de copies qui aurait été faite pour Hårleman,
vers 1720 à partir d'éléments mis à sa disposition
par Desgots.

J9

J1

J 11

## J 10

### Dessinateur des Bâtiments du Roi

**JARDINS DE MARLY : LE BOSQUET
DU LEVANT (Louveciennes)**

Plume et encre noire, lavis vert, bleu et rose. De
nombreuses mesures et quelques modifications
rapides au crayon.
Pas de filigrane visible ; une échelle de 45 toises.
Inscription : Marli, Bosquet du Costé du Levant.
Collection Tessin-Hårleman : THC 24.

Bibliographie : Strandberg R., « André Le Nôtre et son école »
*BSHF,* 1960, p. 124.
Bibliographie Comparative : Weber (1975, II).
Expositions : *300 Dessins* (1951), n° 235.

Ceci est un dessin important des Bâtiments du Roi,
à l'exécution très soignée. Il a très évidemment
servi de dessin de travail pour la construction, à en
juger par les innombrables mesures qui y figurent.
C'est là qu'on voit apparaître un nouveau type de
jardin à Marly, un développement à grande échelle
des idées naturalistes prônées par Le Nôtre, en

particulier aux *Sources* du Trianon. Mais ici, un bois
remplace la promenade à travers les étangs. Certaines caractéristiques traditionnelles sont aussi
conservées et le piédestal des sculptures est particulièrement intéressant, étant donné l'importance que
Marly devait accorder à cet art quelques années
plus tard (1692–1697) (cf. Rosasco, *Met. Museum
Journal,* 1975, p. 81). Sur ce sujet, voir Weber
(1975, II, fig. 52, 53).

## J 11

### Dessinateur Anonyme

**PROJET POUR UNE FONTAINE
SURMONTANT LA CASCADE DE MARLY**

Crayon, sanguine, plume et encre noire, lavis vert,
gris et bleu.
H. 328, L. 458.
Filigrane : proche de Heawood 715 et AJ (fleur de
lys) Cusson (dans une cartouche).
Pas d'inscription.
Collection Tessin-Hårleman : THC 394.

Bibliographie : Weber (1975, II, fig. 86).
Exposition : *300 Dessins* (1951) n° 75.

Identifié par Gerold Weber en 1974 (sur le mont)
comme un projet pour une fontaine surmontant la
cascade de Marly et datable de 1701.

Il existe à Stockholm, des dessins importants en
rapport avec la Cascade de Marly, mais ne figurant
pas dans cette exposition : THC 418 (Weber 1975,
II, fig 68) par exemple ou un document étonnant
concernant les projets de cascade pour Versailles
(THC 7810, Weber, 1974, fig. 12).

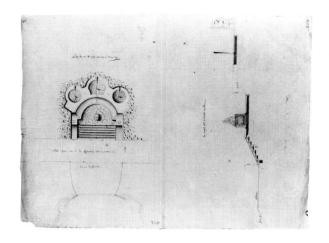

## J 12

### Dessinateur Anonyme

### LE BAIN D'AGRIPPINE À MARLY
### PLAN ET PROFIL

Crayon, plume et encre noire, lavis gris et bleu.
H. 450, L. 606.
Filgrane : cartouche (illisible)
Sceau de Hårleman.
Inscription : (Recto) : 1) Le bains d'agripine à
  Marly 2) allée qui va à La Cascade champestre
  3) Glacis de Gacon 4) Ce profil est le double du
  Plan ; ainsi qu'une echelle de 4 toises et de nom-
  breuses mesures (verso) : la jatte des collat (illisi-
  ble) de Marly. De nombreuses mesures, et le
  nombre 85.
Au verso : quatre esquisses, au crayon, des fon-
  taines de Marly, et aussi : deux yeux humains.
Collection Tessin-Hårleman : THC 7691.

Bibliographie : Rosasco, Betsy, *Journal of Garden History* vol. 4,
  no. 2 (1984), fig. 12 p. 110.

Le dessin est du type de ceux que commandait
Hårleman. Les additions au crayon semblent indiquer qu'il l'emporta avec lui lors d'une visite au
jardin et qu'il y nota quelques détails précis, lesquels se trouvent au verso.

La fontaine représentée ici se retrouve sur le dessin catalogué J 10. Rosasco a commenté l'usage de
statues antiques dans le programme symbolique de
Marly (1984).

## J 13

### Dessinateur Anonyme

### SPHINX DE MARLY

Plume, encre brune, lavis rose et brun.
H. 236, L. 175.
Pas de filigrane.
Pas d'inscription. Apparemment, il s'agit d'une
  page détachée d'un carnet.
Collection Tessin-Hårleman : THC 8613.

Bibliographie : Rosasco, Betsy, *Metropolitan Museum Journal*, 10
  (1975) p. 88; Souchal (1981), p. 113, fig. 37.

Selon Rosasco, il s'agit de l'un des Sphinx commandés en 1701, en même temps que quelques
groupes d'enfants se livrant à des jeux. Elle a identifié ces derniers à partir des planches THC 7137,
7138, 7151, 8612 à Stockholm, ainsi que J 13. Ces
statues étaient destinées à la terrasse du Château.

# K | Dessins, par Tessin le jeune, de Versailles, Marly etc.

Le célèbre récit de Tessin raconte sa visite en plusieurs lieux, y compris Versailles, en l'année 1687. Il s'agit d'un rapport unique, fait par un professionnel, c'est à dire un architecte, un paysagiste et un conseiller en élégance, et destiné à l'une des plus grandes cours d'Europe. Il y décrit la situation telle qu'il la découvrit au cours d'un long séjour en France, à l'apogée du Roi Soleil. Il vit un Versailles près d'être achevé, mais encore en chantier, à une période d'activité frénétique. Il y fit de fréquentes visites, rencontra tous ceux qui pouvaient lui apprendre quelque chose. Certains des plus grands artistes et décorateurs lui servirent de guide : François Girardon, le sculpteur ; André Le Nôtre, l'architecte paysagiste ; ou Jean I Bérain, le décorateur des Menus Plaisirs (cf. cat. K 1). Ces quelques phrases permettent d'apprécier ses écrits : « J'ay esté plusieurs fois à Trianon et deux fois avec M. Le Nôtre, où le nouveau chateau se pousse à toutte vigueur ; le corps du logis fut abattu de rechef lorsque j'y estois... » Ces textes remarquables, découverts en Suède par Oswald Sirén (et aujourd'hui aux Archives Nationales Suédoises) furent publiés en 1927 par Pierre Francastel qui exprime son enthousiasme dans sa courte préface : « Les pages... demeurent, malgré leur évidente gaucherie, d'une clarté et d'une précision remarquables... C'est une témoignage de premier ordre pour l'histoire de Versailles... »

Toutefois, Francastel n'expliquait pas clairement de quels textes, qu'il annota avec compétence, il s'agissait. C'était en fait cette partie du journal de voyage de Tessin qui avait été écrite en français. Neuf ans plus tard, R.-A. Weigert permit d'accéder bien plus facilement à ce récit grâce à la traduction et la publication des passages du livre concernant la capitale française. Si ces publications ont établi, sans aucun doute possible, l'importance de ce document, on n'a jamais publié ni le texte allemand original, ni les sections relatives à d'autres villes visitées par Tessin, hors de France, et ni celles ayant trait à d'autres villes que Paris, Versailles ou leurs environs. De tous les dessins réalisés par Tessin lors de ce voyage (ceux qui illustrent son journal et ceux qui ont été faits sur des feuilles volantes), un seul exemplaire, trés important a été reproduit (cf. cat. K 1). Il est évident que l'auteur les considérait comme une partie capitale de ses notes. C'est pourqoui certains d'entre eux, trouvés parmi la collection Tessin au Nationalmuseum, sont montrés ici, afin de donner une idée d'ensemble du compte-rendu de Tessin.

# K 1

## Nicodème Tessin le jeune

1654–1728

### ÉLÉVATION LATÉRALE DU CABINET DES CURIOSITÉS, ETC.

Crayon.
H. 346, L. 447.
Filigrane : proche de Heawood 185.
Inscription : voir ci-dessous.

Il s'agit d'une très grande feuille, à présent pliée en quatre. Une moitié est écrite et dessinée au recto et au verso. En plus de la vue du cabinet, Tessin nous donne une projection horizontale (cf. fig. comparative à cat. *nr. 5*). On peut y voir un certain nombre d'autres esquisses : a) une élévation de la Galerie des Glaces ; b) la sculpture de Domenico Guidi (dans le jardin) : La Renommée de Louis XIV, (représentée par une figure ailée) ; c) la rampe et la fontaine du fer à cheval, au Trianon ; d) une étude d'un dais, ou ciel de lit, peut-être au Trianon (cf. cat. K 8) ; e) une esquisse rapide du profil d'une corniche ou d'une cheminée en marbre ; f) deux éléments circulaires, mesurés approximativement : le socle d'une statue, surmontée d'un bassin. (Est-ce une fontaine de l'ancienne allée d'eau? à cause des mesures, on peut en douter.)
Collection Tessin-Hårleman : THC 1315.

Bibliographie : Francastel (P.), « Relation de Tessin » (1927) p. 286 (signala la perte de cette esquisse) ; Marie (A. et J.), (1972) II, p. 407.
Expositions : *300 Dessins* (1981) n° 87.

Dans son journal, Tessin conclut ses remarques sur le Cabinet avec cette phrase : « La petit'eschisse que le peu de temps m'a permis d'y faire, servira pour un peu plus d'éclaircissement... »

Voici le texte de Tessin :

En reprenant par la grand Escallier et passant par la première Antichambre, l'on traverse à main droit encor un'autre chambre fort richement ornée, ou il y a un grand tableau de M^r. Mignard, et l'on entre dans le beau Cabinet des medaglies, ordonné par M^r. Be-

rin. Cette chambre est presque quarrée, mais aux quatre coins il ÿ a quatre Niches ornées des glaces tout à l'entour en cinq faces differentes, dont les deux premieres ne sont pas si larges que les autres, le haut sous les angles, et le bas dessous les Niches va en s'arrondissant en dedans, et dans la niche on a fait comme des estages dorés et fort ornées avec leurs petits supports, dont il y en a quatre et celle d'en bas s'estant presqu'en rond, et les autres en haut vont en se dimminuant par des differentes angles : sur touttes ces estages l'on voit posées et bien rangées diverses statues antiques et modernes d'argent de bronze et d'autres, tout en haut l'on voit par tout l'enlevement des Sabines en argent, plus en bas il y a dans chacque niche une des quatre parties du monde que le Cav. Bernin a reppresenté sur sa fontaine à la place Navone, au reste il y a quantité de petits grouppes, comme aussy des pieces d'or guarnies des joyaux a voir, à costé de ces niches il y un espece de petits pilastres estroits représentés des miroirs et bordés des orures, devant lesquels on voit sur des petits soustiens posées des petittes statües d'agathe dont il y en a quatre l'une sur l'autre, auprez de ces pilastres des deux costés de la Niche il y a des petits tableaux des plus grands maistres, qu'on a choisies et rangés au nombre des trois l'un sur l'autre, dont celluy d'en haut va un peu en s'arrondissant par le haut, le nombre en est de 24. à costé de ces trois tableaux nommés il y a par tout des pillastres de rechef, ordonnés de mesme comme je viens de dire, entre lesquelles du costé de l'entrée le chambranle de la porte occupe l'espace, de même vis a vis la fenestre, du costé gauche de la cheminée avec ses glaces en haut, et les pieces et ornements d'or qu'on a posé sur la cheminée, à l'opposite delaquelle il est egualement orné des glaces. En bas dessous les quatre Niches, et 8 places des tableaux il y a par tout des especes d'armoirs, ou l'on garde 27000 Médailles dedans, dont il y en a une parmÿ sans prix, de l'Empereur Auguste, comme il est receü entre les Dieux, elle est d'Agathe, l'Otton ÿ est aussy. Mais pour revenir à l'ordonnance du Cabinet au dessus les niches et pillastres il y a une petite corniche dorée qui regne tout au tout, sur laquelle il y a un'autre elevation, la quelle avance par en haut prez de six quartiers, et s'arrondist aux quatre coins pour joindre l'ovale du Dome, l'avancement en haut est de prez de six quartiers, et fait un effect admirable par le reflex des miroirs, que l'on a posés des quatre costés, au dessus de la porte et de la fenestre il y a quatre

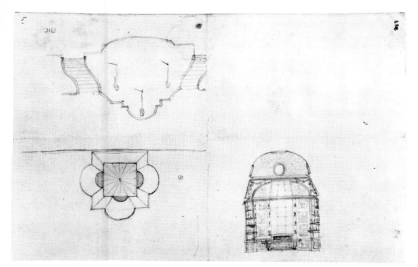

K 1

glaces au millieu à deux sur deux, lesquelles ont com-
m'une architrave dorée à l'entour qui va tant ce peu
en s'arrondissant par le haut bout, avec une pettite
console au millieu, de deux costes il y a d'austres 4
glaces de chacque coste, lesquelles l'on a arrondy par
en haut, tout cecÿ est entouré comme d'une bordure
de voute, de deux autres costés il y a des bordures de
même plus oblongs, selon que le Dome ovale en haut
les a requises, au millieu desquelles il y a trois glaces
assez grandes en haut et d'autant en bas, le reste de
deux costéz de la voute est orné d'une couleur de lapis
et de l'or. Les quatre grandes niches finissent dessous
la corniche en trois angles, et sur la saillÿ qui s'arrondist un peu, il y a aux quatre angles un enfant relevé
et doré qui soustient un Ovale, dans lequel on a peint
à couleurs sur un fond d'or, des figures entieres assises, qui representent les Sciences, au dessus desquelles Ovalles il y a un ornement d'une petite teste à
la quelle des festons sont attachés, qui finissent entre
les espaces de quatre glaces separés que je vien de
parler du coste de la porte et de la fesnestre ; et de
deux autres costes prèz de six glaces : sur les quatre
niches il y a des festons le fond est orné avec des
petites roses d'or, dans des incavatures quarré, dont
l'angle va en haut, et le ond et blanc, au dessus de tout
cecÿ regne à l'entour en ovale une bordure dorée en
haut delaquelle il y a de quatre costés, quattre glaces
par tout formés en ovale, dont celles au dessus de la
fenestre fournissent du jour, ces quattr'ovalles ont des
petites corniches en haut, qui descendent jusques au
millieu, et s'unissent, en faisant le tour de l'un à
l'autre, laquelle bordure est toutte d'orée, dans les
espaces en bas il y a au millieu par tout un globe avec
une Couronne Royalle dessus et les ornements de
deux costes sont peints et rehaussés d'or sur un fond
blanc, et le globe est tout bleu d'outre mer : au millieu
de la voutte il y a un tableau petit oval environné
d'une bordure dorée, au reste toutte la voutte qui est
fort rehaussé, est ornée avec des incavatures de roses à
l'imitation de celles d'un temple du Solleil et de la
Lune, le fond derrier les roses est bleu, les roses sont
peintes en or, et les ornements quarrés à l'entour de
meme entre les quarres le fond est blanc...

Tessin inclut les notes suivantes, qui sont quelque
peu différentes de celles du journal, citées ci-dessus,
mais inscrites sur le même papier que cat. K 1.
Elles n'ont jamais été publiées :

Wenn man oben nach der *Gallerie des bijoux* gehet, so
kömpt man erstens in ein zimber/worinnen eine par-
tey schöne schyldereyen seyndt, alss die pest von *Poussin*, sein styck von/*manna* undt unterschiedliche andere herliche schildereyen, auf der rechten seiten/von

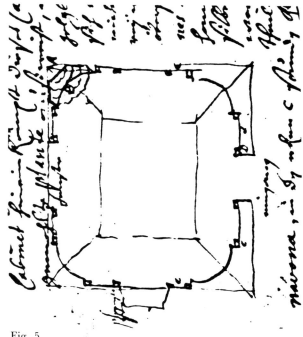

Fig. 5

143

diesem zimber seyndt in einem anderen (zim) *logement* dass *M:r Mionards*/styck von die ausssfuhrung Christi, undt auff der anderen seiten gegen über/ist dass styck von *M:r le Brun* wie sie dass Chreutz aufrichten, auf beyden/seiten (sassen) hingen schildereyen von *Poussin etc.* Auf der linkeren seiten/vom erstgedachtem zimber kahmen wir erstens in eine cammer da ausserhalb/den mengde von herlichen schildereyen von den besten meistern stunden/auf allen 3n seiten eine mengde von *filegran* sachen, die helffte von/goldt undt die andere helffte von silber ; nechst diesem zimber wahr/eine mengde herlicher schildrejen undt Christallen von unerhörten preiss/zu sehen undt theils mit juwelen undt goldt besetzt, hierauf ging man durch/ein klein zimber, worinnen auch einige schöne schildereyen hingen undt/eine bude (?), wo durchbrochen schönen *filegran* stunde, undt so kahm/man *â la gallerie des bijoux* welche in ( ) sehr herlichen *Agaten* bestunde/von dem reichtumb von dem man es nicht schätzen könte, undt theils mit/diamanten undt edelgesteinen besetzet : diese *gallerei* hat wie ein Cabinet(ten)/an jedwedem ende, doch so dass die offnung (schw) zwischen die *gallerei*/undt den *cabinet* nur wenig zurtheilet ; Oben ist diese *gallerei* gantz/van M:r Mignard gemahlet unter dem gewelbe, auf den seiten hängen/des königs beste *cabine* stycke alss die *nativitet* (dess) von *Annibal Carratz,* /so (wie) den *Marchis d'Autrive* (?) zuvorn hat zugehört, wie auch noch ein anderes/von ihm, sehr schöne dinge von *Rafael* undt *Titiaen* wahren dar auch/zu sehen, wie auch dass Abend grosse stykke, so *Baudet gravieret* hat. Am ende stunden zwey schöne tapffeln, mit hubshen fussen *orniret.* / Darauf wurden wir in dess Königs *Cabinet des bijoux/ou des medailles* gefuhret ; dieses zimber liget zur rechten handt/wenn man die grosse undt reichste treppe hinauf kömpt,/ so nimpt man durch den ersten grossen sahl auf die rechten/handt ab, undt kömpt man in ein 4kantig zimber, wor man/wieder zur rechten 5 tritt hinauff steigt, undt so in dass gemelten/*Cabinet* hinein kömpt dieses *Cabinet* hat einen grundt wie ungefehr/gemelte *plante* aussweist. in den 4 ecken wie bey A wahren eitel spie/gelglässer, undt undten undt oben rundete ess/sich bey B ein, undt in diesen 5 eckigten spiegel/nichen (?), wahren 4 *etagen*, die sauber von bildhaue/rey wahren vorgestel auf diesen stunde zu/oberst auf allen 4n dass *enlevement des sabi/nes* von silber, unten herumb stund aller/handt *antique bronz statuen* undt von/silber die in den spiegeln dubbelten *reverberirten,*/worunter auch von silber wahren die 4/

theile; den welt vom *Cav : Bernin* in *piazza/navona.* in den eken C stunde kleine *antique statuen* von *agat,* undt/vohr die mengde von *curiositeten* hierin unmöglich zu beschreiben, die/pfeiler c. d. wahren auch von spiegelplasern, undt auf gewisse *estagen* mit/rariteten besetzt, doch nicht uber 4 in die gantzen högde, hiezwischen alss bey l l l (?) wohin die/rare schilde.

Une traduction du texte allemand:

Quand on monte vers la *Galerie des Bijoux,* on arrive d'abord dans une pièce dans laquelle se trouve une collection de beaux tableaux, comme « La peste » de Poussin, son tableau « *La Manne* » et divers autres tableaux merveilleux. Côté droit de cette pièce se trouve dans un autre *logement,* le tableau de *M. Mignard* « la Resurection du Christ » et de l'autre côté en face, le tableau de *M. Le Brun* nous montrant « L'Erection de la Croix ». Sur les deux côtés sont accrochés des tableaux de Poussin *etc.* A gauche de la première pièce citée, nous arrivions d'abord dans un salon, où se trouvaient, en plus d'une quantité de merveilleux tableaux des meilleurs maîtres, et sur les trois côtés, beaucoup d'objets en *filigrane,* moitié en or et moitié en argent. Près de ce salon, on pouvait voir une quantité de tableaux merveilleux et de cristaux d'un prix inestimable et partiellement décorés de joyaux et d'or ; ensuite, en passant par une petite pièce où se trouvaient également quelques beaux tableaux et par un boudoir où il y avait de beaux filigranes ajourés, et ainsi on arrivait à la *Galerie des Bijoux* constituée *d'agates* merveilleuses, d'une richesse inestimable et incrustée de diamants et de pierres précieuses. Cette *Galerie* se termine à chaque bout par une sorte de Cabinet, qui sont disposés de telle façon que l'ouverture entre la Galerie et le *Cabinet* se rétrécit à peine. En haut sous la voûte, cette *Galerie* est entièrement peinte par M. Mignard. Sur les parois sont acrochées les meilleures œuvres du Cabinet du Roi comme « *La Nativité* » d'Annibal Carratz qui appartenait auparavant au *Marquis d'Autrive* (?), ainsi qu'un autre tableau de lui. On y voyait aussi de très belles choses de *Raphaël* et du *Titien,* ainsi que « Le soir » de grandes dimensions, *gravé par Baudet.* Au bout de la galerie se trouvaient deux très belles tables, *ornée* de jolis pieds. Ensuite, on nous conduisit dans le *Cabinet des bijoux* ou des *Médailles* du Roi ; ce Cabinet se trouve côté droit en montant le grand et richissime escalier ; on bifurque alors à droite après avoir passé par la première grande salle et on arrive dans un Salon Carré où, de nouveau à droite, on monte 5 marches et ainsi on pénètre dans le *Cabinet* déjà mentionné. Ce *Cabinet* a à peu près la forme que montre le *plan* cité précédemment. Dans les quatre coins, comme indiqué par A il n'y avait que des miroirs coquets et en bas et en haut les courbes rejoignaient B, et dans ces niches à miroirs pentagonales, il y avait 4 étagères qui étaient destinées à recevoir des sculptures. Au sommet des 4 *étagères* était placé « *L'Enlèvement des Sabines* », en argent ; plus bas se trouvaient toutes sortes de statues antiques en bronze et en argent qui se reflétaient doublement dans les miroirs, parmi lesquels étaient, également en argent, les quatre parties du monde du *Chevalier Bernin*, à la *Piazza Navona*. Dans les coins C se trouvaient de petites *statuettes antiques en agate* et la quantité de *curiosités* ici était difficile à décrire. Les colonnes C et D étaient également recouvertes de miroirs et décorées à certaines hauteurs de raretés, mais pas plus que 4 sur toute la hauteur, entre cela, comme chez 111 (?), aux armoiries rares. (*Traduction du texte allemande par Josephine Pech.*)

Ces deux textes donnent une idée précise de la valeur des descriptions de Tessin qui sont à la fois plus recherchées et plus sensibles à la qualité de ce qu'il voyait et à l'intérêt de certains points de détails que toutes les descriptions de Versailles qui nous sont parvenues.

Il n'est donc pas nécessaire de commenter ce petit chef-d'œuvre de Jean Bérain à Versailles, sinon pour ajouter que Tessin entretint avec l'artiste des relations particulièrement cordiales, fondées sans doute sur son appréciation de travaux tels que celui-ci. Stockholm est une grande réserve de dessins de Bérain ; s'y trouve également un carrosse de couronnement conçu par lui. (cf. cat. R).

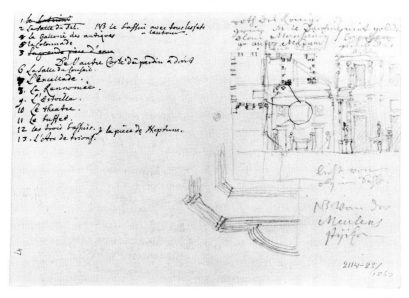

K 2

# K 2

## Nicodème Tessin le jeune

1654–1728

### PLAN ET ÉLÉVATION DE MARLY

Crayon, avec quelques traits de plume et des notes à l'encre et à la plume.
H. 162, L. 223.
Filigrane : Heawood 627.
Inscription : sur le dessin, notes en allemand, y compris une clé avec des chiffres de 1 à 13 et qui forme une sorte de table des matières de ces notes.
Collection Tessin-Hårleman : THC 2114–23 (page 47 du carnet de Tessin).
Verso : des notes, concernant surtout des reproductions à acquérir, mais aussi d'autres remarques.

A l'époque de la visite de Tessin (1687) le château de Marly, retraite royale près de Versailles, n'avait pas l'importance qu'il devait revêtir à la fin du règne de Louis XIV. Ce dessin et le commentaire correspondant dans le *Journal* de Tessin constituent les meilleures sources d'information sur l'intérieur et le mobilier de ce petit château, à cette période.

Tessin écrit :

> *A Marly le chatteau* est assez jolyment disposé, le Salon est octogon, avec quatre entrées et leurs especes de Vestibule ; desquels costés l'octogone est un peu plus grande qu'aux autres ; à chaque angle du Salon il y a sur des piedestaux des statües de marbre, des costés desquelles il y a sur des piedestaux des pilastres cannellés assez singulierement, l'ornement y est entier, et dessus il y a un ordre Attique avec des cariatides, entre les quelles le jour donne dedans le Salon, puisque le toits hors de la maison ne paroissent point, ils descendent en dedans au dessou des fenestres du salon : la voute en haut va en se finissant vers un rondeau assez proprement orné et profilé à l'entour ; dans les vestibules les grandes portes sont touttes de vitres jusques en bas, ils sont voutés, de deux costèz y a des grandes tables de marbre avec leurs pieds de sculpture d'orée, au dessus de chacque table il y a un tableau de M$^r$. Vandermeulen, comm'il y en a par tous les appartemens de mesme, de deux costés de table, comm'aussy aux quattres coins des Vestibules il ÿ a par tout des bustes antiques. Au millieu du grand Salon il y a un lustre de cristal d'une furieuse hauteur de prèz de 6 aulnes, entouré de huit autres petits, dans chacque vestibule il y en a un de mesme, comme aussy dans chacque chambre du Chatteau ce que compose 25 lustres de cristal, le grand au millieu est orné des aigles et quantité d'autres bizarries. A chacque coin du Salon il y a un'antichambre, chambre d'Audience, et Alcove avec une petite guarderobe aux coins vers le Salon. Tout l'appartement du Roy est meublé d'un damas rouge cramoisy, le lict est de mesme avec sa crepine d'or ; l'appartement de Monseigneur est verd, celluy de Monsieur est bleu, et pour Madame c'est du damas auror avec les crepines du lict d'argent, et par tout il y a des tableaux de Mons$^r$. VanderMeulen.

Ici, la relation entre le texte et les dessins peut montrer combien il est regrettable que ces croquis de voyage du Tessin n'aient jamais été publiés avec le commentaire qu'il en a fait.

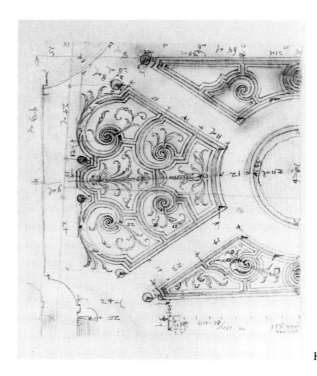

K

## K 3

### Nicodème Tessin le jeune

1654–1728

### LA BRODERIE DU PARTERRE NORD À VERSAILLES

Crayon.
H. 214, L. 186.
Filigrane : Heawood 690 (les arms de Colbert) : I (cœur) A (cœur) A (cœur) SAVADE.
Inscriptions : mesures diverses (cf. ci-dessous).
Collection Tessin-Hårleman : THC 2114–23/1863, carnet d'esquisses de Tessin p. 42.

Bibliographie Comparative : Francastel (P.), «Relation de la visite de Nicomède Tessin à Marly, Versailles, Clagny, Ruel et Saint-Cloud en 1687», *Revue Historique de Versailles et de Seine et Oise*, 1926.

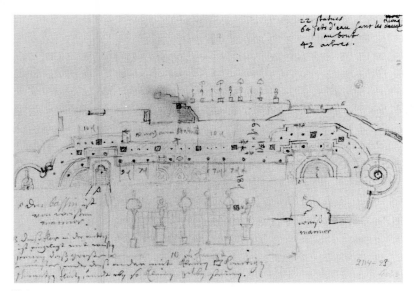

K 4

# K 4

Nicodème Tessin le jeune

1654–1728

LA GALERIE DES ANTIQUITÉS
À VERSAILLES

Crayon ; sanguine ; inscriptions à l'encre.
H. 154, L. 225.
Filigrane : Heawood 690.
Inscriptions : 1) 22 statues 2) 64 jets d'eau . . . 3) 42
   arbres ; ainsi que la description de la couleur des
   marbres, etc. (en allemand).
Historique : cf. K 1.
Collection Tessin-Hårleman : THC 2114–23/1863,
   carnet d'esquisses du Tessin p. 41.

Ce dessin montre la portion Nord-ouest du parterre
Nord. Selon Francastel (Revue de Versailles 1926),
les mesures de Tessin étaient très approximatives.
Pourtant, grâce à l'attention qu'il a accordée aux
détails, on peut considérer ce document comme une
reproduction fidèle du motif de broderie inscrit sur
le parterre en 1687. En France, Tessin s'intéressa
surtout à la décoration intérieure et aux jardins.

Son *Journal* ne fait aucune mention des planta-
tions de ces parterres. Très évidemment, il laissait à
ses dessins le soin de décrire cet aspect de Versailles.

Ce dessin montre des plans et des élévations de ce
fameux bosquet qui devait disparaître dix ans plus
tard. La plupart des informations de Tessin sont
connues par d'autres sources. Mais son dessin
explique certains détails demeurés obscurs, comme
par exemple d'après les célèbres vues peintes. Voici
ce qu'il en dit dans son *Journal* :

> Le quattrième bosquet est celluy de la Gallerie des
> antiques dont j'aÿ tiré le plan, de sorte qu'il n'est pas
> necessaire d'en faire un ample recit, elle est en pente,
> le pavé est figuré, les arbres des charmilles sont fort
> proprement taillés avec leurs boulles et figures quar-
> rées en bas, formées de jeunes charmilles, l'eau coule
> tout à l'entour des piedesteaux des statues, et forment
> des petittes douces pentes ; et se rend à la fin tout en
> bas dans un rondeau, ou elle fait des différentes tours,
> et s'abisme avec assez de bruit dans un gouffre. Des
> statues de marbre antiques il y en a 22, et des jets
> d'eau de l'espaisseur d'a peu prez de trois lignes serré
> conter les trois jets d'eau en haut et les deux en bas,
> des charmilles taillés en boulle il y en a 42.

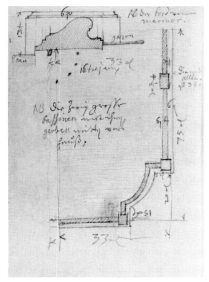

K 5

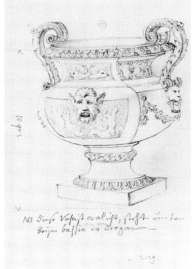

K 6

# K 5

Nicodème Tessin le jeune

1654–1728

CONSOLE DANS LE BOSQUET
DE L'ARC DE TRIOMPHE
À VERSAILLES
(PLAN ET ÉLÉVATION)

Crayon et sanguine.
H. 157, L. 222.
Filigrane : Heawood 690.
Inscriptions : plusieurs, en allemand.
Collection Tessin-Hårleman : THC 2114–23/1863,
    carnet d'esquisses du Tessin p. 72.
Verso : Plan et élévation (avec mesures) d'un des
    étangs devant la façade-jardin Ouest de Ver-
    sailles. (Les statues des Rivières, en bronze, n'é-
    taient pas encore en place.)

Sur le Bosquet de l'Arc de Triomphe, voir précédemment, cat. B 6 à B 9.

# K 6

Nicodème Tessin le jeune

1654–1728

VASE SUR LE BASSIN
DU DRAGON À VERSAILLES

Crayon.
H. 163, L. 108.
Filigrane : Heawood 694.
Inscription : explique que le vase est ovale et se
    trouve au bord du bassin du Dragon : ainsi que
    « 10 qv ».
Collection Tessin-Hårleman : THC 2129.

Ce ravissant petit dessin et sa mise en place soignée
montre clairement l'énorme respect que Tessin
avait pour le travail des sculpteurs français de
l'époque. (Il était moins impressioné par l'architecture française et restait un ferme partisan de ses
mentors, Bernin et Fontana.) Cette œuvre fait partie d'un ensemble de petites feuilles soit volantes,
soit détechées d'un carnet autre que celui qui contenait K 1, 2, 3, 4 et 5.

K 7

# K 7

Document
Extrait des Notes de Tessin le jeune

FONDS DES BASTIMENTS, 1680

Plume.
H. 365, L. 228.
Filigrane : Heawood 338.
Inscriptions : portant le numéro des pages 74 à 80,
à la fin du carnet de croquis du Tessin (cf. cat. K
2 à K 5).

Provenance : acquises par Tessin, à Paris, en 1687.
Collection Tessin-Hårleman : THC 2114–23/1863
(pp. 74–80).

Il est surprenant que Tessin ait pu acquérir ce
relevé financier de l'année 1680 lequel devait rester
confidentiel. Cela laisse à penser que toutes les
portes lui étaient ouvertes pour s'informer auprès
des Bâtiments du Roi. La « Récapitulation », à la
fin de ce rapport, est d'un grand intérêt, même si la
plupart de ces renseignements sont publiés dans les
papiers de Colbert (Clement, *Colbert* (1868) V) :

Versailles, 4.871.600 livres ; Le Louvre 1.202.000 ; Fontainbleau 1.150.000 livres, etc. On n'a peut-être pas assez dit, qu'à ce moment-là, l'achèvement des travaux de Versailles n'étaient pas la préoccupation majeure de Louis XIV. St. Germain-en-Laye, Marly et Chambord figurent également sur ce document, selon lequel la somme totale des dépenses pour l'année s'éleva à 7.283.796 livres. Seule la première page est exposée ici.

La texte sur Versailles suit :

Pour continuer les bastimens du costé de l'orangerie 800 000 livres.

Pour ceux de la grande escurye 500 000 livres.

Pour ceux de la petite escurie y compris les fouilles de terre 500 000.

Pour achever les deux aisles De l'avantcourt les pavillons et corps de garde, les murs de terrace et autres ouvrages de ladite avantcourt 90 0000.

Pour les quatre grouppes de figures qui doivent estre sur les loges des sentinelles de la dite avantcourt 4 800.

Pour les ouvrages de la grande aisle et de la cour du commun 150 000.

Pour les amortissemens et boursaux des combles et autres ornemens 16 600.

Pour achever les ouvrages de marbre du vestibulle sous le sallon 13 200.

Pour la dourure de touttes les portes et des balcons 17 000.

Pour les ouvrages de marbre du grand escallier de la Reyne 30 000.

Pour les portes de fer dudict escallier 12 000.

Pour tous les ouvrages de la grande gallerie 200 000.

Pour achever les grouppes et figures du parterre d'eaüe 30.000.

Pour ceux de marbre de l'alcove de la chambre des bains 10 000.

Pour les ouvrages du grand escallier fermettures de la cour et autres 10 000.

Pour les ouvrages de pavé 20 000.

Pour achever les grouppes et figures du parterre d'eaüe 30 000.

Pour achever la muraille de la puée d'eaux au dissus du dragon 40 000.

Pour les ouvrages du pottager 114 000.

Pour le transport des bonnes terres 60 000.

Pour la grande pièce d'eaüe Et$^a$ 85 000.

Pour la charpenterie des costez du mail et pour le dresser 6 000.

Pour achever la fontaine de l'arc de triomphe 50 000.

Pour la renommée 20 000.

Pour les acqueduces de Roquancourt 100 000.

Pour ceux de Trianon 50 000.

Pour achever le reservoir dudiet trianon 57 000 livres.

Pour les acqueducs de l'eaüe a boire du chesnay 20 000.

Pour ceux de St Cir 50 000.

Pour le reservoir des ëaues desdites acqueducs de St Cir 30 000.

Pour touttes les conduittes du plomb et du fer 300 000.

Pour les ouvrages des Estangs des graissetz 220 000.

Pour ceux des Estanges detrappes et bois d'arcy 200 000.

Pour des dommagement de terres et acheter de bois des environs de Versailles 400 000.

Pour achever lornement du bout du Canal vers la mesnagerie 6 000.

Pour les plants du parc Et des avenues 30 000.

Pour tous les ouvrages à faire aux fontaines 200 000.

Pour les gages des fonteniers et Jardiniers 60 000.

Pour les appoinctements et solde de tous ceux qui servent sur tous les vaisseaux du Canal 30 000.

Pour achever le bastiment de Clagny 100 000.

Pour l'entretenement des jardins de Clagny et glattigny 40 000.

Pour les despences extraordinaires et impreveües 200 000.

Total de Versailles 4871600 Livres.

A remarquer : dans les dépenses de Fontainebleau : « Pour continuer les ouvrages Du bastiment de Marly . . . 300 000 ».

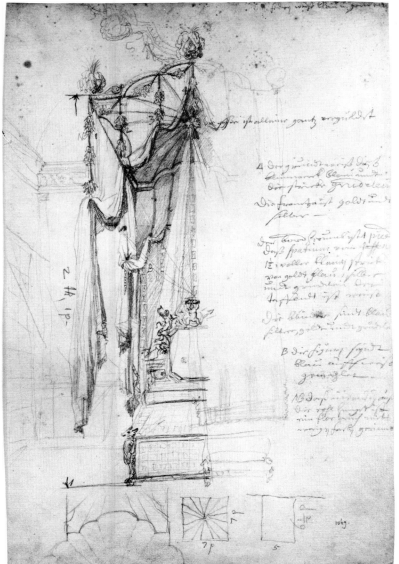

K 8

## Nicodème Tessin le jeune

1658–1728

UN LIT

Crayon.
H. 430, L. 282.
Inscriptions : mesures du lit : 6½ × 5 pieds, et celles
    du canapé : 7 × 7 pieds.
Provenance : Dessin datant de la visite du Tessin en
    1687. (C'est, selon toute vraissemblance un der-
    nier regard sur l'intérieur, avant la démolition du
    bâtiment.) Cf. K 1.
Collection Tessin-Hårleman : THC 1069.

L'emplacement exact de ce lit n'est pas défini, mais
il se trouvait probablement dans l'une des chambres du Trianon de Porcelaine, à en juger par la
forme de la pièce et par la similarité du lit et de son
cadre avec ceux de cat. n° K 9 (cf. ci-après). En tous
cas, il s'agit du même type de lit, de dimensions et
de papier que K 9, lequel a été identifié d'après un
inventaire : c'était certainement un lit de repos
important, datant probablement de 1670. Le caractère peu usuel des draperies suspendues laisse à
penser que ce lit avait plus d'élégance et de recherce
que les Lits d'Etat du Palais, lesquels étaient bien
plus traditionnels. Ni ce dessin, ni K 9 n'ont jamais
été étudiés quant à l'information qu'il pouvaient
apporter sur le premier Trianon, qui fut détruit
pendant la visite de Tessin.

Les déssins en bas de page explicitent un croquis
de cat. K 1 : on peut y voir un canapé similaire.

K 8

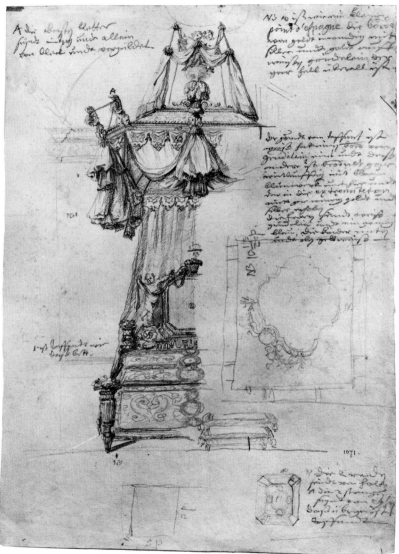

K 9

## K 9

### Nicodème Tessin le jeune

1658–1728

LIT APPARTENANT
À LA CHAMBRE DES AMOURS
AU TRIANON DE PORCELAINE
(INSTALLÉ EN 1672)

Crayon.
H. 415, L. 282.
Filigrane : Heawood 2432.
Inscriptions : Nombreuses, en allemand, ayant trait
   aux coleurs et aux matériaux, ainsi que les me-
   sures du lit : 6 × 5 pieds.
Collection Tessin-Hårleman : THC 1071.

Bibliographie : Marie (A. et J.), (1976) p. 555, fig. 210 ; Thornton, (1978), p. 18 et p. 402 ; Thornton (Peter), *Authentic Decor*,
   London, 1984, p. 57, et 61, 62.

Un dessin de ce lit, également à Stockholm (THC
1063) a été publié deux fois. Sa relation avec la
Chambre des Amours, où il fut apparemment installé en 1672, a été démontrée de façon convainquante (cf. Guiffrey, *Inventaire* II, p. 263). Ce dessin
du Tessin montre, de toute évidence, le même lit,
quoique d'une façon plus esquissée. Il est d'une
bien plus grande qualité, et contient des détails fort
intéressants, omis sur l'autre planche, en particulier
pour ce qui concerne les motifs de la broderie du
couvre-lit et de l'intérieur du baldaquin. L'inventaire indique que le lit se trouvait dans une chambre meublée de « 4 carreaux, 4 larges fauteuils de
commodité, 4 portières » et une table flanquée de
guéridons. Les enfants, au-dessus de la tête de lit,
étaient en papier maché. Ce dessin a du être fait à
peine quelques semaines, ou même quelques jours
avant que la chambre ne soit démolie, en 1687.
   Selon le n° 434 d l'« Inventaire général des Meubles de la Couronne », t. II, p. 263, éd. Guiffrey :

...un lit extraordinarie dont le bois est une conchelle
enrichie de sculptures, dans le dossier de laquelle il y a

un grand miroir et le fond est composé de ... corniches et... frise entouré de rubens gris de lin et argent suporté par trois enfants de carton en l'air qui tiennent les huit cordons et plusieurs rubens qui leur servent d'escharpes, trois grands rideaux, quatre petits, le fond, le dossier, huit morceaux qui servent de frise... trois soubassements, le tout de taffetas blanc en broderie bleu gris de lin, or et argent... onze consoles et onze feuilles de carton, avec onze gallonds pour retrousser les rideaux... une grande escharpe de mesme estoffe que le lit et deux autres plus petites qui entourent les enfants du dossier.

## K 10, 11
## Nicodème Tessin le jeune

1654–1728

### LIT DU TYPE UTILISÉ AU TRIANON DE PORCELAINE

Crayon.
N° K. 10 : H. 409, L. 273.
N° K. 11 : H. 275, L. 202.
Filigrane : Heawood 690.
Collection Tessin-Hårleman : THC 1070 et 1072.

Bibliographie : Thornton (1984) pp. 52–62.

Selon Thornton, ce lit a été conçu pour le Trianon de Porcelaine, et il est fort vraisemblable qu'il s'y soit trouvé. Toutefois cela n'est prouvé que par sa similarité avec K 9. L'absence d'inscription sur les deux dessins est plutôt surprenante et le fini de leur exécution pourrait indiquer qu'ils ont été travaillés d'après des esquisses exécutées sur place par Tessin. Mais il semble qu'ils aient été faits en France, car K 10 est fait sur le même papier que K 9, lequel a dû être fait au Trianon. Il convient de remarquer qu'il s'agit du lit le plus sophistiqué, avec aux coins de remarquables sculptures massives étudiées en détail sur K 11.

K 10

K 11

Project auf Hb. Exᶜ Graf N. Tessin Liee de Sallon D'appollon. — a Versailles

L 1

154

# L | Le projet de Nicodème Tessin le jeune pour « Un grand pavillon d'Apollon »

Parmi les projets de Nicodème Tessin le jeune pour la France figure « Un grand pavillon d'Apollon » qui devait être erigé dans le parc du château de Versailles.

Tessin mentionna pour la première fois ce projet le 9 Avril 1712 dans une lettre adressée à Daniel Cronström, alors envoyé de Suède à Paris : « Depuis trois mois, j'ay formé un grand dessein d'un salon de glaces au milieu d'un grand pavillon d'Apollon. »

Le 7 Août 1714, Tessin fit savoir à Cronström que les dessins seraient apportés par son fils Carl Gustaf, lors du voyage d'étude que celui-ci allait faire en France, et que ces dessins se composaient d'une façade, d'un plan, d'une coupe et d'une étude de détails. Les dessins étaient complétés par un mémoire minutieux.

Lorsque, l'année suivante, Louis XIV mourut, Carl Gustaf Tessin n'avait pas encore eu l'occasion de présenter les dessins et le Duc d'Orléans qui les vit en 1716 ne s'intéressa évidemment pas à la réalisation de ce projet. Le mémoire est aujourd'hui conservé à la Bibliothèque Nationale à Paris. D'autres versions, en majeure partie identiques au mémoire de la Bibliothèque Nationale, se trouvent dans les archives du Nationalmuseum à Stockholm. Il n'a pas été retrouvé de dessins en France, mais le Nationalmuseum possède les copies de ceux que Tessin envoya par l'intermédiaire de son fils. Ces copies ont été executées par le collaborateur de Tessin, Carl Palmcrantz, qui accompagna Carl Gustaf à Paris et qui devait y mourir âgé seulement de 21 ans.

Deux des études préliminaires de Tessin lui-même pour le pavillon d'Apollon se trouvent également au Nationalmuseum. En outre, les douze feuilles d'annotations et d'esquisses, qui se trouvent à la Bibliothèque Royale à Stockholm, permettent de compléter notre connaissance de la manière dont le projet a vu le jour et instruisent sur les modèles littéraires et artistiques de Tessin. (Ces feuilles sont reliées en un même tome avec les « Traités de l'Architecture » de Carl Hårleman.)

Le pavillon d'Apollon est un hommage rendu par l'architecte suédois à Louis XIV en tant que protecteur des arts et des sciences. Il ressort de la lettre de 1714, mentionnée ci-dessus, que Tessin n'escomptait pas que le Roi « en un âge aussi avancé » entreprît de réaliser le projet, mais Tessin espérait qu'il servirait d'introduction pour son fils à la Cour et dans les cercles ayant influence sur la vie artistique.

La préface du mémoire résume le sens du projet : « Comme la Devise du Roi m'a fourni cette pensée que l'on ne pourroit rien faire de trop grand ni de trop magnifique, tant par son sens propre qui est le Dieu du jour, qu'à son sens allégorique qui est le Roi. »

Toute la construction, avec son salon central circulaire, de même que la décoration ornementale très élaborée, font référence au Roi en tant qu'Apollon, dieu du soleil et des arts. Le salon central devait être entouré de plusieurs salles dont quatre étaient destinées à abriter des œuvres représentatives des collections royales de livres et d'œuvres d'art. Le pavillon devait servir à la fois de cadre pour les fêtes de la Cour et de musée. Tessin proposait qu'il soit édifié au bout du Grand Canal ou près des Pièces des Suisses.

Les conditions du salon richement décoré et garni de glaces était évidemment les fêtes de la Cour dont le Roi était le centre. La conception de Versailles dans son ensemble, que Tessin connaissait bien depuis ses séjours en 1678 et en 1687, avait joué un rôle essentiel dans l'élaboration de son projet. Lors de sa visite en 1687, il avait aussi été question de la nécessité de prévoir un nouvel édifice pour les collections du Roi. Ce Palais des Musées, qui aurait dû être placé près des Pièces des Suisses, ne fut jamais réalisé. La connaissance de ce projet a pu cependant inspirer à Tessin ces « salles de musée » du pavillon d'Apollon.

Agneta Börtz-Laine

# L 1

## Nicodème Tessin le jeune

1654–1728

### PROJET DE FAÇADE DU PAVILLON D'APOLLON

Dessin à la plume avec, au verso, esquisse de coupe à la mine de plomb.
H. 215, L. 205.
Inscription : « Projet af Hs Ex^ce Graf N. Tessin till le Sallon d'Apollon à Versailles. »
Collection Celsing : 122.

Bibliographie : Ragnar Josephson « Apollotemplet i Versailles », Uppsala Universitets årsskrift 1925, I, p. 11, fig. 4 ; Agneta Börtz-Laine « Nicodemus Tessin d.y.:s projekt till en « Grand pavillon d'Apollon » », Konsthistorisk tidskrift, årgång XLIX 1980, 3, p. 101, fig. 12.
Expositions : Nicodème Tessin le jeune (Nationalmuseum 1954/ 55), n° 267 ; Hall (1974), p. 29 ; Palladio : « La sua eredità nel mondo » (Vicenza 1980), p. 104, fig. 7 A.

L'esquisse de façade qui se trouve au Nationalmuseum est la seule étude préliminaire connue de l'extérieur du Pavillon d'Apollon en son ensemble. Elle montre l'édifice complètement élaboré, avec les pièces latérales et les portiques accolées à la partie centrale surmontée de sa coupole. Toutefois, les proportions diffèrent par rapport à la version finale, avant tout parce que le tambour de cette esquisse est plus élevé et que la coupole a ici une forme semi-sphérique.

Le verso montre une coupe, très réduite, esquissée au crayon, du salon, qui est compartimentée par douze colonnes au lieu de vingt-quatre comme ultérieurement. Outre cette esquisse, il existe au Nationalmuseum une étude de détail du tambour de la coupole, exécutée à la plume et à la mine de plomb. (THC 1258:123).

A. B.-L.

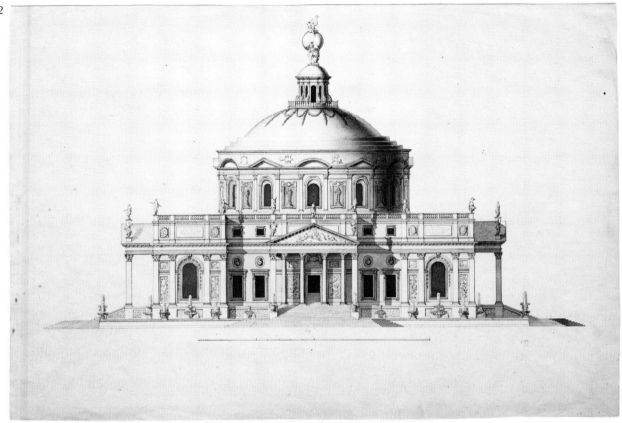

# L 2

Carl Palmcrantz

(d'après Nicodème Tessin le jeune)

1694–1715

## FAÇADE DU PAVILLON D'APOLLON

Dessin à la plume, lavis gris.
H. 355, L. 513.
Collection Tessin-Hårleman : THC 1199.

Bibliographie : Josephson (1925) I, p. 11, fig. 8 ; Börtz-Laine
(1980), p. 101–105, fig. 1.
Expositions : Nicodème Tessin le jeune (1954/1955) n° 269 ;
Hall (1974) p. 29 ; Palladio (1980), p. 104, fig. 7 b.

Afin que le Pavillon d'Apollon constitue le point de mire du château jusqu'à l'extrémité opposée du Grand Canal – distant d'environ 3 km – comme prévu par Tessin, il fallait que ses dimensions soient importantes. L'édifice, escaliers compris, devait mesurer 90 m en largeur et 53 m en hauteur.

D'après le mémoire, le Pavillon d'Apollon devait être construit en marbre blanc avec des sculptures et des reliefs en marbre et en bronze doré, seuls matériaux qui, selon Tessin, convenaient à cet éminent sujet. De chaque côté, des escaliers meneraient à des portiques, dont les tympans devaient être décorés de reliefs représentant Minerve et les muses. Les sculptures de l'attique devaient représenter des vertus et des souverains qui auraient encouragé les arts. Autour du tambour de la coupole, des fenêtres alterneraient avec des niches dans lesquelles serait placé le trépied d'Apollon. Au-dessus devait courir une frise avec les signes du Zodiaque. Au sommet de l'édifice devait être placée une statue d'Apollon, assis sur le globe céleste, supporté par Atlas.

Les pans de mur entre les portiques devaient « être enrichis de diverses fontaines et cascades, dont le murmure d'eau ne sauroit faire qu'un agréable effet de diversité ».

L'édifice présente ici un caractère plus lourd que dans l'étude antérieure de la façade (L 1 du catalogue). La rotonde centrale massive et, en particulier, la coupole aplatie font penser au Panthéon. Parmi les études préliminaires à la Bibliothèque Royale figure une feuille qui montre comment Tessin est parvenu à cette forme de coupole par des comparaisons, justement, avec la coupole du Panthéon. Cette modification indique que Tessin souhaitait que son hommage à Louis XIV en tant que dieu du soleil fasse penser au Panthéon – l'un des édifices les plus illustres de l'Antiquité – dont la coupole avait été formé pour ressembler à la voûte céleste, avec, au centre, une ouverture laissant passer la lumière.

L'ensemble carré avec les quatre portiques pourrait faire penser à la Ville Rotonda de Palladio, mais cette ressemblance est surtout frappante lorsque l'on regarde le plan.

A. B.-L.

# L 3

## Carl Palmcrantz
## (d'après Nicodème Tessin le jeune)

1694–1715

### PLAN DU PAVILLON D'APOLLON

Dessin à la plume, lavis gris et bleu.
H. 686, L. 467.
Filigrane : Fleur de lis, dans un blason, avec, dans le bas, les initiales WR et la marque de contrôle.
Collection Tessin-Hårleman : THC 1201.

Bibliographie : Josephson (1925) I, p. 11, fig. 7 ; Börtz-Laine (1980), p. 100–101, fig. 2.
Expositions : Nicodème Tessin le jeune (1954/1955), n° 271 ; Hall (1974), p. 29 ; Palladio (1980), p. 104, fig. 7 d.

De chacun des portiques le visiteur devait pénétrer dans une salle voûtée. Le plan ne montre qu'une seule entrée vers le salon rond – unique indice d'un axe principal dans cette construction centrale. De cette manière la salle extérieure où s'ouvre cette entrée constitue, de fait, le seul véritable vestibule. La salle se trouvant en face devait être utilisée pour jouer au billard et les deux autres pour les bains.

Tessin avait prévu que les quatre pièces d'angle seraient des sortes de salles de musée ou « cabinet », selon son propre terme. Le premier cabinet devait être consacré à l'histoire et à la philosophie, le second à l'architecture et à la sculpture, le troisième à la peinture et à l'optique et le quatrième à la poésie et à la musique. Chaque cabinet serait orné d'un décor peint et sculpté rappelant son sujet. Dans les salles extérieures, Tessin avait prévu de placer des bustes des principaux représentants de chaque science et art et il en précise les noms. Les mêmes critères sont repris pour les objets qui seraient exposées dans chacun des cabinets. Les goûts classicisant de Tessin sont nettement perceptibles dans ce choix.

Les espaces de moindres dimensions à l'extérieur devaient servir de pièces de repos.

Une esquisse de ce plan qui se trouve à la Biblio-

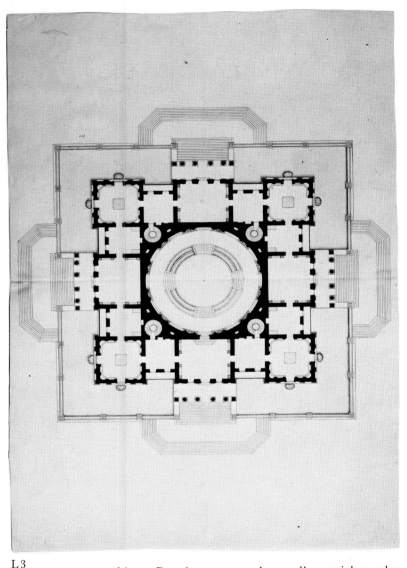

L 3

se retrouve sur le plan de J. Hardouin-Mansart pour Marly qui a été l'une des sources d'inspiration pour le pavillon d'Apollon. (Cf. K 2) Cela est notamment vrai pour la distribution des pièces : un carré avec un salon central, entouré de quatre vestibules. Marly comportait toutefois une suite de pièces d'habitation ce qui n'était pas prévu pour le pavillon d'Apollon. Il est probable que Tessin ait trouvé une solution plus proche de ses intentions dans la Villa Rotonda, dont la fonction principale, à l'instar de son projet était d'abriter une grande salle de fête, elle aussi circulaire et inscrite dans un plan carré.

A. B.-L.

## L 4

Carl Palmcrantz
(d'après Nicodème Tessin le jeune)

1694–1715

COUPE DU PAVILLON D'APOLLON

Dessin à la plume, lavis gris.
H. 354, L. 513.
Filigrane : Fleur de lis, dans un blason, avec, dans le bas, les initiales WR.
Collection Tessin-Hårleman : THC 1200.

Bibliographie : Josephson (1925) I, p. 11, 18–20, 30, 31, fig. 9 ; Börtz-Laine (1980), p. 92, 99, fig. 3.
Expositions : Nicodème Tessin le jeune (1954/1955) n° 270 ; Hall (1974), p. 29 Palladio (1980), p. 104, 105, fig. 7 c.

Le « Salon d'Apollon », circulaire et surmonté d'une coupole, devait constituer le centre de l'édifice. D'après le mémoire, le salon devait avoir une hauteur de 32 mètres et mesurer 28 mètres de diamètre. Dans son mémoire, Tessin donne une description minutieuse des proportions des différents détails du salon de même que des riches matériaux qui seraient utilisés. Les murs devaient être tapissés de miroirs qui seraient séparés par vingt-quatre semi-colonnes groupées par deux. Entre les co-

thèque Royale correspond pour l'essentiel au plan ici reproduit. La seule différence dans la distribution des pièces est que le salon possède, sur cette esquisse, deux entrées l'une en face de l'autre.

Au lieu des bassins dont les bordures épousent la forme carrée du bâtiment, Tessin a sur cette esquisse dessiné une terrasse, de forme carrée, aux côtés bombés et coins coupés. Une forme semblable

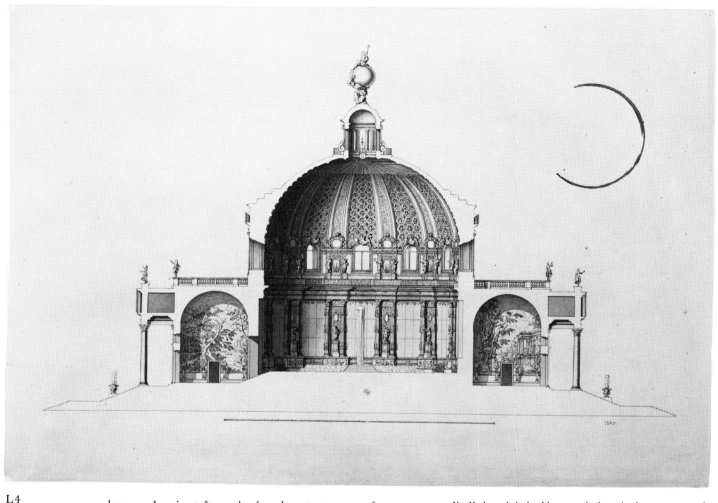

L 4

lonnes devaient être placées des statues représentant les douze mois de l'année. Au-dessus de l'entablement, seraient placées douze fenêtres, en alternance avec des sculptures des vingt-quatre heures, groupées deux par deux. Toute la coupole devait être dorée avec les caissons et les nervures en verre bleuté.

Tout le reste de la décoration devait être en verre, en cristal, en argent, en bronze doré, en marbre, en jaspe et en agate.

Un arrangement théâtral – que Tessin avait vu utiliser Bérain – consistait en un lustre en cristal,

rempli d'alcool à brûler, qui devait être suspendu dans le lanternon et rehausser ainsi les effets produits par l'or et le verre. Il devait être dissimulé par un disque en verre en forme de soleil, qui formerait à la fois le sommet et le centre du salon d'Apollon.

Au centre du salon était prévu un bassin circulaire, dont les jets d'eau se réflechiraient dans les glaces tout autour. En couvrant le bassin, on obtenait une piste de danse et l'orchestre serait alors placé dans la galerie qui courait au-dessus de la corniche.

Il ne fait pas de doute que Tessin a voulu ici

imiter et égaler les créations françaises dans lesquelles il avait pu voir plusieurs exemples d'utilisations des reflets dans les glaces ; ainsi, à Versailles, il y avait, outre la Galerie des Glaces, également le salon octogonal dans les Appartements des Bains qui était décoré de glaces et de sculptures en bronze représentant les mois.

A ce propos, un autre exemple intéressant est fourni par le Cabinet des Curiosités (cf. K 1. du catalogue), où les objets sont installés sur des sortes de tablettes dorées à l'intérieur de niches tapissées de glaces. Tessin relate dans ses notes de voyage les impressions que produisirent sur lui les salons de glaces de Meudon et de Marly. (Cf. K 2).

Il est également tout à fait probable que les arrangements, temporaires mais très étudiés, qui étaient réalisés à l'occasion des fêtes dans le Parc de Versailles, aient inspiré Tessin. Citons pour exemple le salon de bal octogonal, aux murs couleur de marbre, avec une ouverture ronde pour la lumière dans le plafond voûté et au centre de la pièce un bassin, tel que le décrit Mademoiselle Scudéry au moment d'une fête en 1668 : « Si l'on pouvait faire concevoir l'effet merveilleux de cent chandeliers de cristal... et de pyramides de flambeaux dans ce grand salon, où l'éclat des eaux disputait de beauté avec les lumières où le bruit des fontaines s'accordait avec les violons... ». Le feu d'artifice par lequel la fête se terminait dans la nuit et qui éclairait le château et les fontaines est décrit de manière tout à fait significative : « En effet le palais parut véritablement le palais du Soleil ».

L'une des études préliminaires qui se trouvent à la Bibliothèque Royale montre le Salon d'Apollon garni de douze colonnes au lieu de vingt-quatre, comme c'est aussi le cas sur la petite esquisse à la mine de plomb figurant au verso du projet de façade (nº L1 du catalogue). Tessin a ici non seulement donné des indications en ce qui concerne les matériaux et les effets recherchés à travers leur utilisation, mais également précisé les proportions du salon – la hauteur de la pièce devait être plus grande que son diamètre – en se référant au projet, jamais exécuté, de Michel Ange pour l'église San Giovanni dei Fiorentini, de même qu'à une source littéraire, à savoir le Temple de Venus tel que décrit dans « Le songe de Poliphile » de Francesco Colonna. Sur une autre feuille, comportant une étude de détail du projet finalement retenu avec vingt-quatre colonnes, Tessin fait intervenir, en y faisant expressément allusion, les proportions intérieures du Panthéon : la hauteur y est égale au diamètre avec la corniche placée à mi-hauteur. Sur le dessin de coupe de Palmcrantz nous voyons comment Tessin a finalement repris les proportions initialement prévues du salon. Il ne recherche pas l'équilibre et le repos de la pièce tels que ressentis dans l'édifice du Panthéon, mais la dynamique du style baroque, qui lui était contemporain. Nous pouvons nous faire une idée de l'aspect des vestibules par les deux dessins de coupe et par le mémoire ; ils devaient être décorés de paysages peints avec des arbres s'élevant, sans être coupées par aucune corniche, jusqu'au ciel de la voûte. Il n'existe, ni parmi les dessins, ni parmi les esquisses de la Bibliothèque Royale aucune représentation des « salles de musées ». Leurs plafonds devaient, à en juger par les descriptions données dans le mémoire, être du même type que ceux que nous pouvons encore voir dans la salle du propre palais de Tessin à Stockholm comportant au centre une composition figurative entourée d'un décor dans le style créé par Jean Bérain. Dans la salle consacrée à l'Histoire et à la Philosophie le plafond devait représenter : « La Renommée entourée de plusieurs volumes, dictant à l'Histoire... Au reste le plafond ne contiendroit que des ornements, feuillage et guillochis rehaussées d'or sur un fond blanc en manière grotesque, avec des figures plutôt petites que grandes, afin que cela caractérise le cabinet, ce qu'on observeroit pareillement dans les trois autres. »

A. B.-L.

# L 5

## Carl Palmcrantz
### (d'après Nicodème Tessin le jeune)

1694–1715

### DÉTAIL DU SALON D'APOLLON

Dessin à la plume, lavis gris.
H. 928, L. 660.
Filigrane : Fleur de lis dans un blason avec, dans le
bas, les initiales WR et la marque de contrôle.
Collection Tessin-Hårleman : THC 1202.

Bibliographie : Josephson (1925), I, p. 33–42, fig. 17 ; Börtz-Laine (1980), p. 99, 100.
Expositions : Nicodème Tessin le jeune (1954/1955), n° 272.

Tessin a voulu, par un dessin spécifique, montrer plus nettement tous les détails de la décoration du grand salon (détail du L 4 du catalogue).

Le dessin reprend la partie qui montre les sculptures de Janvier et de Février entre les semi-colonnes et les quatre premières Heures de la journée représentées deux par deux entre les fenêtres. La description que donne le mémoire des attributs des Mois et des Heures correspond exactement aux indications contenues dans l'Iconologia de Cesare Ripa. Le modèle formel de Janvier est la sculpture de ce même mois par Girardon dans le Parc de Versailles. Sur les pans de murs octogonaux se trouvant au-dessus des Heures devaient être illustrées les aventures amoureuses d'Apollon. La représentation d'Apollon et de Daphné tire sa source de la sculpture fait par le Bernin du même motif. Le relief représentant Apollon et Sybile a été inspiré d'une illustration de ce mythe dans l'édition de Benserade des Métamorphoses d'Ovide. La signification des détails décoratifs tels que la lyre et le sphinx se rapporte à Apollon, tandis que leur forme a été inspirée par l'art ornemental de Jean Bérain.

Ainsi que nous l'avons déjà indiqué, le matériau qui devait prédominer dans le salon était le verre. Les pans des murs devaient être recouverts de miroirs, les cannelures des colonnes devaient être réalisées en verre bleuté, les entre-colonnements exécutés en mosaïque de verre, la frise était également prévue en verre avec des guirlandes d'acanthe « taillée à la vénitienne », les cassettes et les nervures de la coupole seraient de même en verre sur fond d'or.

Les sculptures des Mois et des Heures devaient être réalisées en marbre de différentes provenances de manière à imiter les propres couleurs de la nature.

Les autres décorations, telles que luminaires en appliques et balustres, devaient être exécutées en argent et en bronze doré. Enfin, et pour finir, le tout devait être encore « enrichis de bijoux et de pierreries dont on a des exemples parmi les Antiques. »

A. B.-L.

# M | Mobilier en Argent du Grand Appartement du Roi

L'argenterie a été considérée comme l'une des merveilles des Versailles sous Louis XIV. En 1687, Nicodème Tessin note : « il y a de grands miroirs, tables et guéridons d'argent avec des grandes pièces, comme vases, cuives et cassettes et chenets d'argent d'une pesanteur et grandeur prodigieuse..." Il décrivit plus en détail une certaine pièce qui se trouvait dans la Chambre de Parade du Grand Appartement du Roi :

« ... sur les grands guéridons il y avoit des girandoles d'argent fort jolyment imaginées, avec une hydre dont les sept tests soutennoient des petittes inventions pour les chandelles, l'une au milieu et les autres six à l'entour... »

La quantité d'argenterie était pour le moins imposante. Tessin note :

« Dans le première pièce en entrant du grand escailler (le grand appartement), il y a 8 pieces d'argent, entre lesquelles sont l'enlèvement de la Prosperine du Cav. Bernin... et sa Dafne et apollon. Dans la seconde chambre il y a 22 pieces, dans l'alcove 17 et dans la argend chambre d'audience 17 autres, dans la premiere Cabinet 6 pieces, dans la Gallerie (des glaces) 76, et dans la second Cabinet 9 pieces, lesquelles contées ensemble font le nombre de 167 pieces d'argent, parmÿ lesquelles il y en a qui passent l'hauteur de 3 aulnes... » (3 ou 4 mètres)

Selon un édit du 14 Novembre 1689, toute pièce d'argenterie à usage séculier, et dépassant un certain poids, devait être fondue pour faire face aux dépenses de la guerre contre la Ligue d'Augsbourg. C'est ainsi que les pièces qui avaient tant impréssionné Tessin (et toutes celles appartenant aux contemporains du Roi) furent fondues en 1690. Toutefois, Claude Nivelon, le biographe de Charles Le Brun, laissa à penser que tout ne fut pas perdu : « Ces belles choses... pourrait paraître un jour gravées aux yeux du public, M. D. (de Launey?) les ayant fait dessiner à cette fin avant leur destruction... » Malheureusement ces gravures ne furent jamais publiées.

de Launay semble avoir trouvé un autre moyen pour payer ses efforts. Le 19 avril 1693, Daniel Cronström écrit au Tessin, lequel était rentré en Suède depuis longtemps :

« D'ailleurs, je crois que de certains desseins de feu Baslin (Claude Baslin ou Ballin, 1615–78) pouront vous servir... Je puis me vanter, Monsieur, qu'il n'y a que moi en France qui a ces dessins là... Vous trouverez au bas si je me souviens bien, le nom de Launay (Nicholas de Launay † 1727), qui a succedé a Baslin... mais ils sont véritablement de Baslin... cecy merite d'estre conservé, quand ce ne seroit que c'est tout ce qui reste en France de ces beaux ouvrages d'orfeverie que le Roy a fait fondre. »

C'est ainsi que les dessins qui consignaient le souvenir de l'argenterie fondue se retrouvèrent en Suède.

Au Nationalmuseum, il existe aujourd'hui environ 15 dessins qui semblent avoir fait partie de la série que Cronström était si fier d'envoyer. Cependant, certains d'entre eux sont probablement des copies suédoises des originaux égarés et certains autres, des œuvres conçues dans l'esprit des originaux de Versailles. En fait, deux ou trois d'entre eux n'étaient certainement pas inclus dans l'envoi de Cronström. Ils ne furent envoyés à Stockholm qu'en 1699. (cf. catalogue M. 10).

De même, l'attribution à Ballin, par Cronström, de tous les ouvrages représentés par les dessins qu'il fit parvenir à Tessin, semble être discutable. D'après les inventaires et paiements de la Maison Royale Française, nous savons que plusieurs orfèvres avaient travaillé, pendant de nombreuses années, à l'exécution des œuvres qui décoraient Versailles. En plus de Ballin, on peut avancer les noms de Debonnaire, Merlin et de Launay qui apportèrent leur contribution. Leurs livraisons de cuvettes, guéridons, buires et autres pièces furent soigneusement enregistrées. (cf. F. Buckland, « Gobelin's tapestries and paintings as a source of information about the silver furniture of Louis XIV », *B. M.*, May, 1983.) Puisque Ballin mourut en 1678, quatre ans avant que le grand appartement ne soit meublé en l'honneur de l'installation définitive de la cour à Versailles, il est évident qu'une grande partie de l'argenterie a dû être réalisée par d'autres artistes.

Il est curieux que Cronström ait demandé à Tessin d'ignorer la signature de de Launay, car ailleurs, il déclare clairement qu'il considère de Launay comme l'orfèvre le plus remarquable de France à cette époque. Il n'est pas improbable que de Launay soit l'auteur de certaines planches de Stockholm. Mais elles semblent avoir été réalisées par différentes mains. Les dessins exposés ici ont été selectionnés pour illustrer les différentes types de travaux qui se trouvent dans la collection de Stockholm. De plus, ils peuvent donner une idée de la superbe argenterie de Louis XIV.

M

## M 1

Claude Ballin ou Nicolas de Launay

DESSIN POUR, OU D'APRÈS,
UN CHENET D'ARGENT

Plume et encre noire, lavis gris.
H. 394, L. 249.
Inscription : Annoté ou signé au centre, en bas :
   *Delaunay fecit.*
Collection Tessin-Hårleman : THC 2109.
Provenance : acheté par Cronström et envoyé à N.
   Tessin, le Jeune, en 1693.

Bibliographie : Hernmark (C.), «Claude Ballin et quelques
   dessins d'argenterie du Musée National de Stockholm», *GBA*
   6:41, 1953, p. 108, fig. 4.
Exposition : *300 Dessins,* (1951) n° 135.

Il s'agit ici du seul dessin qui pourrait avoir quelque rapport avec ce que dit Cronström de certains
travaux, faits dans le style de Ballin, mais signés
par de Launay (cf. l'introduction à cette section).
Les armoiries de la famille Colbert apparaissent ici
sous la forme d'une serpent et d'une paire de
licornes. Il est évident que cet objet n'était pas
destiné à Versailles. Par ailleurs, étant donné que
les Gobelins, qui produisaient des chenets semblables pour Versailles, étaient essentiellement une
fondation de Jean-Baptiste Colbert, il ne serait pas
surprenant que de telles pièces d'argenterie aient
été créées pour l'une de ses résidences. Ce dessin
donne donc une idée des œuvres destinées à Versailles, qui ont été perdues. Deux autres dessins, de
technique très voisine et se trouvant également à
Stockholm, présentent de nombreux traits communs avec cette planche : CC 2389 et CC 2419 (cat.
M 2, M 3). Il existe également à Stockholm un
autre dessin, par un autre artiste, d'un projet de
chenet en argent pour Colbert (cf. THC 1134, M.
11). Puisque des mesures strictes avaient été prises,
en 1672, afin d'empêcher la fabrication d'argenterie
à usage privé, ce chenet, de même que celui présenté en M 11, date probablement d'avant cette
année-là.

M2

## M 2

Claude Ballin ou Nicolas de Launay

PROJETS POUR DEUX TABLES
D'ARGENT OU QUATRE CONSOLES
(SOUS FORME DE DEUX TABLES, DONT
LES MOITIÉS SONT DIFFÉRENTES)

Plume et encre noire, lavis gris.
H. 425, L. 353.
Filigrane : proche de Heawood 1236 ; deuxième
   filigrane : B (cœur) C.
Collection Cronstedt : CC 2389.

Bibliographie : Le Brun, (1963) p. 281 (d'après une copie de Le
   Brun) ; Thornton (1978) p. 15.

La table en bas à gauche a été identifiée par Thornton comme étant une de celles apparaissant sur le
dessin de Le Clerc représentant la Galerie des
Glaces et publié dans «Conversations nouvelles sur
divers sujets, dédié au Roy», de Mlle de Scudérie,
Paris, 1684. La signification des trois autres dessins
n'est pas très claire, mai il peut s'agir de différents
types de consoles qui furent utilisés pour la Galerie.

Il n'existe aucun élément qui permettrait d'avancer le nom de l'auteur de ces tables et rien n'a encore été publié qui puisse définir la date précise des projets de tables en argent de la Galerie des Glaces. Un dessin provenant de l'atelier Le Brun et concernant ce projet identifié se trouve au Louvre (inv. 29.552).

Il est probable que la plupart des tables furent executées à l'époque où la Galerie était décorée par Charles Le Brun, soit 1678–84. Il est vraisemblable que, pour un décor d'une telle magnificence, on envisageait la création d'un nouveau mobilier. Mais il n'est pas possible d'exclure la possibilité qu'il s'agirait d'une reproduction d'un modèle provenant de l'entourage de Ballin et fait quelques années auparavant. En effet, Cronström et quelques autres, même Voltaire *(Histoire de Louis XIV)* avaient la conviction que Ballin était le grand inspirateur de ce magnifique décor. Le filigrane du papier est de ceux abondamment utilisés à la cour de France, dans les dernières décennies du XVIIème siècle. Le style du dessin est proche de M 1, ci-dessus, et peut donc être attribué soit à de Launay, soit à Ballin (cf. Introduction à ce chapitre).

# M 3

## Claude Ballin ou Nicolas de Launay

### DESSIN POUR OU D'APRÈS UNE TORCHÈRE OU UN GUÉRIDON (DAMES VÊTUES A L'ANTIQUE)

Plume et encre noire, lavis gris.
H. 493, L. 317.
Filigrane : fragmentaire.
Collection Cronstedt : CC 2419.

Bibliographie : Hernmark, *G.B.A.* 6:41, 1953 ; Le Brun (1963) n° 120, p. 283 ; fig. 8, p. 14.

Il ne s'agit pas ici d'une œuvre spécialement faite pour Versailles. Mais elle a été retenue en tant que troisième et dernière planche de cette série fonda-

M

mentale se rapportant à M 1 : dessins de style Ballin, signé de Launay.

Il semble qu'une telle torchère ait été réalisée, car ce modèle apparaît sur la gauche de la tapisserie intitulée « Entretien avec le Cardinal Chigi », qui fait partie de la série *Histoire du Roi*. Cette tapisserie fut commencée en 1671. Toutefois, la torchère de la tapisserie n'est pas tout à fait identique à M 3 : le buste des dames n'est pas recouvert d'un drapé et le pied est différent des études proposées en M 3. Il existe au Louvre, Cabinet des Estampes (Inv. 29.835), un dessin de Le Brun qui est plus proche de l'interprétation finale de ces figures, mais dont le socle des torchères est différent de celui de la tapisserie.

Ce dessin, s'il peut être situé à une date aussi reculée, est des meilleurs arguments pour attribuer la paternité de cette série au groupe Ballin et selon la conviction de Cronström. Pourtant, il pourrait également s'agir d'un dessin fait d'après une torchère semblable, mais légèrement différente de celle que l'on peut voir sur la tapisserie : ce serait l'une de celles qui se trouvait dans la Salle du Trône à Versailles, au moment où l'argenterie fut fondue (1690).

En Août 1685, trois œuvres sont consignées dans l'inventaire de la Salle du Trône : « trois guéridons dont le corps est de trois figures de femmes qui portent le plateau, posées sur un pied à trois consoles terminées en patte de lion pesant ensemble 1263 marcs, 5 onces... » (Inventaire publié par Guiffrey). Dans ce cas, les différents pieds montrés en M 3 représenteraient les pieds de deux de ces guéridons, apparaissant sur la même feuille afin d'éviter au graveur de faire deux épreuves séparées de travaux très semblables. En conclusion, tant la paternité que la date de ce dessin (et d'ailleurs des trois formant ce groupe) restent à établir.

Tessin décrit le salon ainsi :

La cinquiesme piece qui suivoit estoit la Sale ou Chambre d'Audience aussy à deux croisés ; La Magnificence de cette piece est surprenante : Le meuble est distingué par des pilastres brodés d'or et relevés jusques à trois pousces : les Figures ÿ sont presque grandes comme nature, et relevées d'argent massiv pour touttes les nudités, et le reste y est brodé d'or et relevé jusques a 4 ou 5 pousces d'hauteur dans des endroits, comme particulierement aux trophées en bas ; l'on a un peu melé des couleurs parmÿ les broderies par tout pour les mieux distinguer, le fond est brodé tout d'argent. le tapis sous la chaise d'Audience relevée d'une demarche est tout de mesme, mais pas tant relevé, les portieres sont aussy de mesme, et l'or qui est brodé dessus, est comme du Fillegrain. Des grandes pièces d'argenterie environnent de mesme cette chambre ; et il y avoit un miroir avec une table et gueridons, ce qui est assez extraordinaire dans les chambres d'Audience. La chaïse estoit toutte d'argent, fort bien ordonnée, avec un grand coussin rouge et or dessus.

M 4

## M 4

Atelier de Charles Le Brun

1619–1690

### TORCHÈRE OU GUÉRIDON EN ARGENT

Crayon.
H. 349, L. 131.
Collection Cronstedt : CC 502.

Bibliographie : Le Brun, (1963) n° 120, p. 283.

Ce dessin se rapproche beaucoup de la description
que fait Nivelon des Guéridons de la Salle d'Audience : « douze grands guéridons de six à sept
pieds de haut composés de trois figures de casques… » En ce qui concerne les « casques », M 3.
offra plus de ressemblance avec les études connues
de guéridons qu'avec ceux de la Salle du trône. Il
existe au Louvre, Cabinet des Estampes, inv.
29.835, un dessin de la main de Le Brun, qui est
ressemblant, mais où les casques n'apparaissent
pas. On peut voir une légère différence, également,
avec le guéridon figurant sur la tapisserie de Le
Brun (cf. cat. M 3).

## M 5

Atelier de Nicolas de Launay (?)

Mort en 1727

### DESSIN D'UN LUSTRE D'ARGENT, PEUT-ÊTRE CELUI DU SALON DE MERCURE À VERSAILLES

Plume et encre brune, lavis gris.
H. 475, L. 330.
Filigrane : du soleil avec rayonnement ; deuxième
    filigrane : B COLOMBIER dans un cercle ;
    même que C. 19.
Collection Cronstedt : CC 1549.

Bibliographie : Hernmarck, *G.B.A.* 6:41, 1953, p. 118, fig. 12 ;
    Thornton, (1978) p. 273, fig. 263 (dit probablement aussi de
    Claude Ballin).

Les trompettes de la Renommée surmontent une
couronne fermée sous laquelle des chérubins soutiennent les cornes d'abondance. Cette pièce semblable au chandelier à six branches figurant dans
l'Inventaire Royal de Février 1681 (Guiffrey, *Inventaire*, 1585, n° 954–5) bien que la Renommée n'y
soit pas mentionnée. Par contre, elle est présente
dans la description du Lustre du Salon de Mercure
contenue dans le *Mercure Gallant* de 1682. L'Inventaire Royal attribue cette pièce à Ballin.

La finesse des traits de ce dessin lui donne une
certaine allure et l'utilisation abondante de lavis
met en évidence des qualités d'exécution similaires,
mais plus précises que celles de M 1, M 2 et M 3,
lesquels sont remarquables par la subtilité de leur
texture et la complexité dans l'utilisation du lavis.
Ce célèbre dessin trouve clairement sa contre-partie
en M 6 (CC 3187) et ensemble, ils pourraient

constituer la base d'un groupe homogène auquel s'ajouterait le dessin d'un autre lustre qui se trouve à Stockholm (à l'encre brune et au lavis) THC 682.

Bien que Tessin ne mentionne pas ce lustre, il décrit le salon dont il est question et concernant ce document :

> D'icy l'on entre dans l'Alcove à deux croisés ou sur la cheminée se voit le tableau de St Michel, et vis à vis la Ste Famille, tous deux de Rafael, dont François I a payé 20.000 escus de la piece et lesquels sont estimés les deux principaux tableaux de France. Le lict est en forme de lict d'Ange, et admirablement beau, tout de point d'Espagne d'or et moins d'argent, avec un peu des couleurs melées, où la couleur de feux domine. L'Emperiale en haut est percée à jour, et fait le plus bel effect du monde, au millieu il y a un petit pourtrait e, forme presque ronde, le pavillon est suspendu au toict avec des cordons et houppes d'or, qui le soustiennent par des petits enroullements d'orés au coins du pavillon. La crepine est d'une broderie extrement riche, resemblante au point d'Espagne, avec laquelle les extremites des rideaux se conforment. Le Dossier n'est que des mesmes ouvrages ; aux coins en bas il y à des enfans qui soustiennent des Vases avec des Fleurs d'argent. le pavé dessous le lict (derrier la ballustrade d'argent avec ses piedestaux) est d'un ouvrage fort fin de touttes sortes des bois. Le meuble est de broccards d'or et argent, assorties au point d'Espagne et en haut au dessous la petite lais de broccard il y a une crepine de la derniere finesse, assortissante avec celle du Lict ; ou il y a des chiffres du Roy et des lis entremelés, elle est fort platte, mais d'une finesse sans pareille, et avec fort peu des couleurs. Les portieres sont partout assortissantes aux meubles. Toutte l'Alcove est ornée à l'entour des grandissimes pieces d'argent, et dans chacque chambre il y a des beaux lustres d'argent. Sur les grands gueridons il y avoient des girandoles d'argent fort jolyment imaginées, avec une hydre dont les sept testes soutennoient des petites inventions pour les chandelles, l'une au millieu et les autres six à l'entour.

# M 6

Atelier Nicolas de Launay (?)

Mort en 1727

DESSIN D'UNE CONSOLE

Plume et encre brune, lavis gris.
H. 330, L. 460.
Filigrane : un soleil, même que M 4.
Collection Cronstedt : CC 3187.

Bibliographie : Hernmarck, *G.B.A.*, 1953, p. 117, fig. 11.
Exposition : *300 Dessins*, (1951) n° 113.

On voit ici la console vue de face et, en dessous, un plan partiel de la partie inférieure, vue du dessus. La relation qui a été avancée entre cette pièce et le Salon de Mars est entièrement fondée sur le motif des pieds de la console (des chérubins jouant avec des casques) qui aurait été assorti aux moulures du plafond (cf. T. Hedin, *The Marsy Brothers*, 1983, p. 154, fig. 27.1 et notre cat. C 11). Il est plus vraisemblable que la console ait été utilisée dans la Galerie des Glaces, où le motif aurait été en harmonie avec le décor. C'est peut-être cette table que l'on voit dans le coin en bas à gauche de la gravure de Le Clerc représentant la Galerie des Glaces.

Non seulement le style de ce dessin est très comparable à M 5 (CC 1549), mais les deux dessins sont réalisés sur un papier de même filigrane.

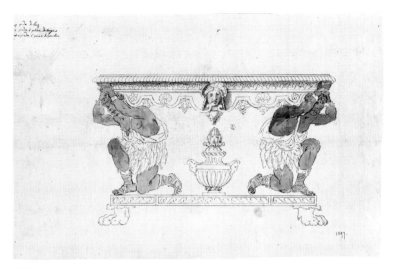

M 7

# M 7

Atelier Nicolas de Launay (?)

## DESSIN D'UNE CONSOLE, OU TABLE, SOUTENUE PAR DES MAURES

Plume et encre brune, lavis gris foncé.
H. 217, L. 322.
Filigrane : double couronnes fermées vice à vice.
Inscription : 4 pieds de long, 2 pieds 5 pouces de large et 2 pieds 6 pouces de haut.
Collection Tessin-Hårleman : THC 1097.

Bibliographie : Hernmark, *G.B.A.*, 1953, p. 110, fig. 6.

Le travail à la plume est presque identique à celui de M 5 et M 6 (CC 1549, CC 3187) et l'on peut considérer que cette planche fait partie de la même série, malgré un usage différent du lavis. Le motif des maures rappelle une autre composition de l'époque Ballin : un guéridon garvé par Jean Le Pautre (cf. Thornton, ... *Interior Decoration*..., 1978, p. 26, fig. 24 ; et ce cat. M 13). Cette table est du modèle de celles qui ont pu être apportées à Versailles en 1682, bien qu'aucun rapport n'ait pu être clairement établi avec les renseignements contenus dans les inventaires de Versailles.

# M 8

Carl Hårleman (?)

1700–1753

## GUÉRIDON POUR LES GRANDS APPARTEMENTS DE VERSAILLES (?)

Plume et encre ; lavis gris.
H. 465, L. 280.
Sceau de Hårleman.
Filigrane : proche de Heawood 73.
Collection Tessin-Hårleman : THC 8540.

Bibliographie Comparative : Souchal (F.), *Les Slodtz*, Paris, 1967, p. 624, pl. 76 a et b ; Verlet (P.), « L'Ancien mobilier de Versailles, son étude et ses méthodes », *G.B.A.*, 1937.
Exposition : *300 Dessins*, (1951), n° 118.

Traditionnellement, ce dessin a été regroupé avec ceux de Ballin et de Launay concernant le mobilier royal en argent massif. Le style du dessin paraît en avance par rapport à ce qui se faisait entre 1670 et 1680 : en fait, il est très voisin de celui de Jean Bérain. De toute évidence, il s'agit d'une œuvre destinée à l'usage du Roi et peut-être pour Versailles. Il faut y voir un projet destiné à remplacer, dans les Grands Appartements, les meubles en argent fondus en 1690.

Auquel cas, il serait l'unique témoignage d'un décor qui nous est inconnu aujourd'hui. Ce qui soutiendrait cette idée, qui n'est encore qu'une supposition, c'est la similarité entre de nombreux détails de ce guéridon et ceux conçus par Slodtz, pour la Salle du Trône de Versailles et livrés en 1743. On pourrait dire qu'il s'agit d'un style intermédiaire entre Ballin et Slodtz ou que quelque chose de similaire a pu influencer Slodtz. Une certaine lourdeur, en particulier dans les parties inférieures fait plus 1700 que les pieds rococo des guéridons de Slodtz.

## M 9

### Dessinateur Français Attaché aux Gobelins

DESSIN D'UN CHANDELIER D'ARGENT POUR LA CATHÉDRALE DE STRASBOURG

Crayon et lavis gris.
H. 465, L. 165.
Filigrane : proche de Heawood 690.
Inscriptions : 1) 4 pieds 8 pouces de haut. 2) dessin des chandelliers que le Roy a fait faire pour l'ornement de la cathedral de Strasbourg aux gobelins cette anne cy.
Collection Tessin-Hårleman : THC 1127.

Bibliographie : R.A. Weigert, « Un don de Louis XIV à la Cathédrale de Strasbourg », *Archives Alsaciennes histoire de l'art* 10ᵉ année, 1931 pp. 161–171, fig. 1.

Ce dessin est d'une grande rareté, ayant probablement été réalisé par un orfèvre des Gobelins. Le style plutôt libre contraste avec ceux de l'argenterie décrits ci-dessus. Weigert raconte l'histoire du don de Louis XIV en 1698.

M9

M 10

# M 10

Charles Le Brun

1619–1690

DESSIN D'UN GUÉRIDON AVEC
CHÉRUBINS, DAUPHINS, ETC.

Calque rouge, lavis gris.
H. 378, L. 238.
Filigrane : B ? ODERR (encadré)
Verso : étude de deux chevaliers (calque rouge).
Collection Cronstedt : CC 1751.

Bibliographie : Bjurström (P), *French Drawings*, etc., Stockholm,
   1976, n° 498.
Expositions : *300 Dessins*, (1951) n° 123 ; Le Brun (1963) n° 96.

Jennifer Montagu et Per Bjurström ont du démontrer que ce dessin sans doute de la main de Le Brun, est une étude pour le mobilier de Vaux-le-Vicomte. On ne sait pas si ce meuble fut réellement exécuté, mais l'étude qui se trouve au verso est destinée à une peinture que Le Brun réalisa pendant qu'il travaillait à Vaux. Montagu a mis en évidence la différence qui existe entre la facture très vivante de cette œuvre et d'autres dessins que Le Brun devait faire plus tard pour des objets similaires. Nul ne sait ce qu'il advint du mobilier en argent de Vaux, ni même s'il fut jamais exécuté. Dans la dernière hypothèse, il a sans doute été acquis, en 1661, pour la collection royale, et donc amené à Versailles.

M 11

# M 11

## Claude Ballin (?)

1615–1678

### CHENET POUR COLBERT

Crayon, plume et encre noire ; lavis gris et brun.
H. 330, L. 220.
Filigrane : Armoiries de Colbert : Heawood 690.
Collection Tessin-Hårleman : THC 1134.
Provenance : envoyé au Tessin par Cronström en
1699 (?)

Bibliographie : Hernmarck, *G.B.A* 6:41, 1953, p. 109, fig. 5.

Il s'agit peut-être de l'un des trois dessins importants que Hernmarck a rattaché à la série envoyée à
Tessin par Cronström et Ballin. (cf. M 12 et M 13
du catalogue). Ici le style est très différent de celui
des nos M 1 à M 7, avec la prédominance d'un
travail au pinceau assez enlevé. La présence des
armes de Colbert permettent d'avancer une date
antérieure à 1672 (cf. remarques à M 1). Si l'on
admet que la technique utilisée ici (peut-être
proche de celle des travaux préliminaires exécutés
pour les Gobelins, voir cat. M 9) indique qu'il s'agit
d'un dessin de projet et non d'un dessin fait d'après
une œuvre, alors on peut attribuer cette planche à
Claude Ballin. Il est probable que M 11, M 12 et M
13 soient les deux ou trois dessins dont il est question dans la lettre que Cronström écrit au Tessin le
30 juin 1699 :

« J'ai aussi trouvé deux ou trois dessins de pièces
d'orfèvrerie du Sr Ballin, maistre du Sr de Launay.
Je vous les envoyeroy incessement avec d'autres si
j'en puisse trouvr. »

M 12

## M 12

### Claude Ballin (?)

1615–1678

### LUSTRE

Crayon, plume avec encre brune, lavis gris.
H. 336, L. 460.
Filigrane : Armes de Colbert, Heawood 690 : fili-
grane additionnel B (cœur) COLOMBIER en-
cadré
Collection Tessin-Hårleman : THC 813.

Bibliographie : Hernmarck, *G.B.A.* 6:41, 1953, p. 115.

Voici un des nombreux lustres qui se trouvent dans
la collection du Nationalmuseum (THC 814, CC
1551 – probablement de Bérain – et M 5 de ce
catalogue, CC 1549). Celui-ci est remarquable pour
les qualités de techniques et d'exécution qu'il par-
tage avec M 11 et M 13. Le papier est le même que
M 11. Les raisons d'attribuer M 11 à Claude Ballin
seraient également valables ici.

## M 13

### Claude Ballin (?)

1615–1678

### GUÉRIDON EN FORME DE MAURE

Crayon, plume avec encre brune ; lavis gris.
H. 337, L. 223.
Filigrane : Deux griffons tenant un écusson, etc.
Inscriptions : Cinq pieds et demy de haut.
Collection Tessin-Hårleman : THC 1125.

Bibliographie : Hernmarck, *G.B.A.* 6:41, 1953, p. 111, fig. 7 ;
Thornton, (1978) p. 26, fig. 25.

Thornton a attiré l'attention sur le fait qu'un guéridon fort semblable a été gravé par Jean Le Pautre
(† 1682). Il s'agit ici d'un dessin terminé avant
l'objet qu'il représente. La gravure diffère considérablement du dessin dans la façon dont sont traités
le pied et le chandelier sur la tête du maure. Cela
viendrait étayer l'argument selon lequel le dessin
fut réalisé avant l'objet et donc par le maître ou son
assistant.

M 13

# M 14

### D'après Claude Ballin (?)

1615–1678

## TABLE EN ARGENT

Plume avec encre noire et bistre.
H. 400, L. 560.
Mesures sur le coin en bas à droite.
Filigrane : Heawood 2432 ; filigrane additionnel :
B (cœur) COLOMBIER.
Collection Tessin-Hårleman : THC 1098.

Bibliographie : Hernmarck, *G.B.A.*, 6:41, 1953, p. 116 ; Thornton, (1978) p. 234, fig. 220 (selon Thornton, il s'agirait ici de
l'un des dessins que Cronström a envoyé à Stockholm en 1699.

L'ornementation comprend des chérubins portant des carquois, en guise de pieds de table, des trophées à l'intérieur des pieds, de nombreux masques, des harpes couronnées de cornes d'abondance, et, au centre, les armes de France. Ce dessin, de facture assez grossière, ne ressemble à aucun autre de ceux qui se trouvent à Stockholm. L'angle sous lequel il est fait semble indiquer qu'il ne fut pas utilisé pour la fabrication de la table. Toutefois il représente certainement l'une des pièces les plus importantes de l'ameublement en argent se trouvant dans la collection du Roi de France.

## M 15

### Dessinateur Anonyme

### TRÔNE EN ARGENT MASSIF DE LOUIS XIV

Crayon et encre noire.
H. 372, L. 246.
Filigrane : Heawood 715 ou 716.
Collection Cronstedt : CC 3218.

M

Cette esquisse rapide fut très évidemment réalisée d'après le trône et n'en montre qu'une partie. Il n'existe aucun autre témoignage semblable de ce siège, qui apparaît néanmoins sur le fond d'une ou deux peintures ainsi que sur une petite gravure représentant la Galerie des Glaces décorée à l'occasion de la réception de l'Ambassade du Siam. Mais cette étude ayant été fait dans un but d'information, elle est sans doute plus exacte que les représentations mentionnées ci-dessus. Tessin note :

« La chaise estait toutte d'argent, fort bien ordonné, avec un grand coussin rouge et or dessus ».

La description du *Mercure Gallant* (Décembre 1682) est plus détaillée:

« Un trône d'argent, de huit pieds de haut est au milieu (du Salon d'Apollon). Quatre enfants portant des corbeilles de fleurs soutiennent le siège et le dossier, qui sont garnïs de velours cramoisi, avec une campane d'or au relief. Sur le haut du cintre que forme le dossier, Apollon est en pied, ayant une couronne de laurier sur la tête et tenant sa lyre ; la Justice et la Force sont assises sur les deux tournants... »

Ici, on ne voit pas la figure dominante d'Apollon. Il est difficile de dire si elle a été omise, si elle avait été ôtée ou si elle n'était pas encore en place au moment où ce dessin fut exécuté.

Louis ne s'asseyait que rarement sur son trône. Les « Jours d'Appartements », il s'installait souvent sur les marches. Lors de la réception de l'Ambassade de Perse, quand un autre trône fut utilisé (ceci fut probablement fondu en 1690), on dit que le Roi ne s'était pas assis sur son trône depuis trente ans.

Ce siège était donc essentiellement ornemental. Les trônes d'argent étaient à la mode à l'époque. On peut encore voir, dans la Salle d'Etat du Palais Royal de Stockholm, celui de la Reine Christina, créé à l'occasion de son couronnement, en 1650.

# N | Argenterie et Services en Argent de la Table du Roi, à Versailles et à Marly

L'histoire de l'argenterie de Versailles était loin d'être terminée après la grande fonte de 1690. Alors que le mobilier d'argent ne fut jamais remplacé, une argenterie plus modeste quoi-que plus impressionnante était encore utilisée à la table du roi. Cette petite argenterie revêt un caractère particulier, n'étant pas nécessairement de la même provenance que les grands ouvrages exécutés au Gobelins, dont les ateliers furent d'abord sous le contrôle du peintre Le Brun, puis sous celui de l'architecte Desgodez. C'est le dessinateur du *Département de l'Argenterie et des Menus-Plaisirs de la chambre du Roi* qui conçut cette argenterie de table. C'était un étrange personnage, décrit par un auteur comme:

« ...(celui) qui, condoyant les grandeurs sans être duc et pair, parlant chaque jour au Roi sans être gentilhomme, tour à tour courtisan, comme ceux qui le commandaient, manouvre avec le petit monde qui lui obéisit, était envié et honoré de tous. »

Après 1670, c'est Jean I Bérain (1640–1711) qui occupe ce poste. Sans doute plus connu aujourd'hui pour ses décors de théâtre, c'était un homme de talents incroyablement variés. Apparemment, Nicodème Tessin, le jeune, le rencontra lors de son premier long séjour à Paris, vers 1670 et renoua cette amitié en 1687. Il écrivit alors :

« M. Bérain qui ordonne au mieux les theatres, les mascarades et toutes sorts d'ornements demeure au Louvre... Il est très habile dans les choses de ce genre le plus grand génie que j'ai connu de ma vie ». (*B.S.A.F.* 1936 Weigert, *Tessin*, p. 268). Pour tout ce qui concernait la décoration intérieure et les élégances d'une vie raffinée, Tessin s'en référait à Bérain. Au cours des années, il acquit des centaines de dessins, de l'ornementation des navires aussi bien que des costumes d'opéra. Mais le rôle de Bérain dans l'histoire de Versailles était aussi fort bien représenté dans la collection de Stockholm, ces dessins donnent peut-être l'idée la plus complète, qu'on puisse se faire de nos jours, de la table du Roi, de son argenterie et de ses objets en métal doré qui ornaient ses quartiers plus privés (sur les responsabilités de Bérain en ce domaine, voir Weigert, *Bérain*, 1936, vol. 1.) En novembre 1694, Cronström écrit à Tessin : « Il m'a promis de vous envoyer des matières singulièrs pour les tables à festins, pour des services, pour des buffets ». Un nombre important de dessins de cette argenterie se trouve dans les collections de Stockholm où ils ont du être envoyés.

En 1702, Tessin demanda à Cronström de lui fournir des descriptions détaillées du *Service du Roi*. Les termes de la transaction sont ainsi décrits (lettre du 15/25 Mai, 1702) :

...j'ay esté obligé depuis d'aller jusqu'au 3 fois à Versailles pour avoir tous les éclaircisements nécèssaires sur les mémoires et plans cyjoints, moyenans lesquels je crois que vous devez estre satisfait sur la pluspart des choses que vous me faites l'honneur de me demander dans vos lettres. J'ay eu beaucoup de peine à en venir à bout ; la pluspart des gens de chez le Roy estant misterieux, déffiants et jaloux de leur détail, mais enfin j'ay trouvé moyen de scavoir tout ce que vous désirerez à ce que je crois, ce que je feroy à mesure que j'en seroy requis ne voulant pas dans l'incertitude trop charger les paquets des lettres...

.... la vaisselle, qui est dessignée depuis vostre derniére, je l'ay fait dessigner en petit tout ce qui se peut dessigner ainsy avec les mesures en grand et les ornements. Les pièces qui doivent estre en grand le sont. Je vous en envoiroy les desseins par la poste lundy prochain. Toute celle du Roy et celle de Mr. le Duc Daumont y est.

.... C'est le Sr. Cousinet que j'ay employé pour ces desseins dez le comencement, mais j'ay eu de la peine à le faire aller à Marly et a Versailles, car il est fort occupé.

Dans sa lettre du 1er Juin, 1702, Cronström poursuit :

...Cy joint aussi les desseins de la vaisselle du Roy et de Mr. le Duc Daumont. J'ay cru que vous seriez bien aise de les recevoir avec toute la promptitude possible, le paquet n'estant pas trop gros pour la poste.

Et il conclut, le 22 Juin :

... Cy joint le dessein du cadenas, et du fruit de Marly et de Versailles, etc, que les officiers du goblet fruit m'ont donné eux mesmes ; ainsy il est très juste. J'ay vérifié le détail, non seulement moy mesme mais par des gens expres que j'y ay envoyés à mesure qu'il a esté nécessaire de le faire. Ces derniers desseins de fruit ne m'ont rien cousté, car les gens du Roy ne prenent rien ; pour Mr. Cousinet je l'ay payé et sa quittence suivra par le 1. ordinaire.

La plupart de cette argenterie fut fondue pour payer les dépenses de la Guerre de Succéssion d'Espagne, en 1707, mais quelques pièces personnelles du Roi ont pu être épargnées.

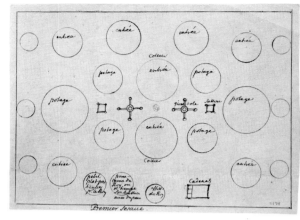

N 1

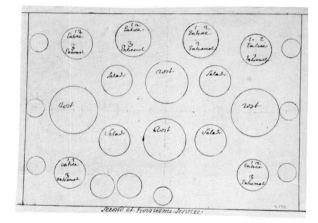

N 2

Aucune argenterie royale française de l'époque n'est parvenue jusqu'à nous. (Cf. Bouchot (Henri) *Cent modèles inédits de l'orfèverie de l'époque Louis XIV* (Paris) 1889.)

## N 1–2

### Dessinateur Anonyme

### SERVICE DU ROI À VERSAILLES

Plume sur papier.
H. 15, L. 20 (pour les deux dessins)
Inscription : N 1) Premier service ; ainsi que diverses inscriptions commentées ci-dessous
N 2) Second et troisesme service ; et d'autres inscriptions également commentées ci-dessous.
Collection Tessin-Hårleman : THC 2134, 2133.
Provenance : Envoyé par Cronström à Tessin en 1702 (?).

Il s'agit de notes concernant le service du dîner de Louis XIV et effectuées en 1701 (cf. N 3, N 4, N 6). La table rectangulaire était probablement dréssée dans la « Salle où le Roy mange », ou seconde antichambre de l'appartement du roi à Versailles. Au premier service, le « couvert du Roy » est au centre en bas du dessin, son coffret à couverts, à droite (cf. N 8). A sa gauche se trouve un grand plat, « porcelæne du Roy ou se trempe son bouillon avec du pain », et, plus loin à gauche, « un petit plat particulier pour le Roy ». Deux Girandoles (représentées en forme de X) et deux « salières » rectangulaires décorent le centre de la table. L'emplacement de six « potage » et de huit « entrée » est indiqué. Au verso de N 1, on peut lire : « Cette table 2 de hauteur 2 pieds 2 ponces de longeur 6 p. 4 p. le largeur 4 pieds ». Ainsi que : « la table du petit couvert » (qui n'est pas montrée) « hauteur 2,2; longeur 3,8 ; largeur 2, 4; » Au second et troisième service, 4 rôtis, 4 salades, 12 entrées et – entremets étaient placées dans une ordonnance similaire à celle du premier service. Un méméo au verso de N 2 explique que la disposition des plats, à Versailles, était bien moins conforme à l'étiquette qu'à Marly. (cf. article consacré à N 3).

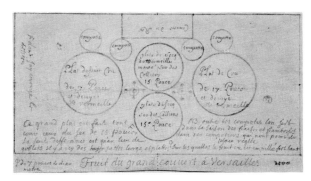

N 3

## N 3

### Dessinateur Anonyme

### FRUIT DU GRAND COUVERT À VERSAILLES

Crayon.
H. 9. 3. L. 1. 62.
Pas de Filigrane.
Inscriptions : 1) cf. le titre.
                2) voir commentaire ci-dessous
Collection Tessin-Hårleman : THC 2100
Provenance : Envoyé par Cronstedt à Tessin en 1702 (?)

Le « couvert du roy » est ici montré dans la partie supérieure du dessin. En face du roi se trouve un cercle avec l'inscriptions :
« plats de secq de (illisible) meille montré sus des colliers, 15 pouce ». Un plat semblable, juste endessous avec l'inscription : « plats de secq sus des Colliers, 15 pouce ». Deux immenses plats, à gauche et à droite du Roi avec l'inscription « Plat de fruit cru de 17 Pouce et demey de vermeille ». On peut lire sur la table cette inscription : « ce grand plat est fait tout comme ceuy du sec de 15 pouces La seule differance est qu'au bien de goblets il y a icy des jattes larges et plattes NB outre les compotes lon sert dans la saison des fraises et framboises dans des compotrers qui nont point de place reglée sur lesquelles le fruit cru est empillé fort haut ». Et : F (?) dont jay envoyé le dessein. »

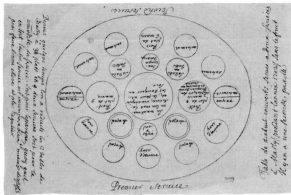

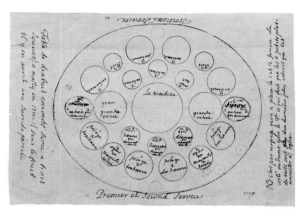

# N 4

Dessinateur Anonyme

## LE PREMIER ET SECOND SERVICE À MARLY

Plume sur papier.
H. 150, L. 225.
Inscriptions : nombreuses, au recto uniquement.
Certaines sont reproduites ci-dessous. « Premier
service » et « second service » sont inscrits le long
des deux côtés de la feuille.
Collection Tessin-Hårleman : THC 2099.
Provenance : Envoyé par Cronström à Tessin en
1702 (?).

Sur le bord droit de la page, on peut lire : « Table de
dixhuict couverts serure a deux services à Marly / :
pendant l'année 1702 : / sans le fruit... » Puis à
gauche : « Depuis quelques temps lon a reducts les
2 tables de Marly à 38 plats en deux services soit
pour la comodité du service soit pour lepargne... »
Et au centre : « La machine ou lon met le sucrier,
vinaigner etc. le poivre et les bougets au soir ».

Les emplacements réels semblent avoir été omis.
Les inscriptions pourraient indiquer qu'il s'agit
d'une table pour buffet, les convives étant assis
ailleurs, mais rien ne vient confirmer cette hypothèse.

# N 5

Dessinateur Anonyme

## DISPOSITION DE TABLE À MARLY EN 1700

Crayon, plume et encre noire.
H. 150, L. 222.
Pas de filigrane.
Collection Tessin-Hårleman : THC 2098.

Inscriptions : Table de dixhuit couverts servie a trois services / :
a Marly en 1700 : / sans le fruit Il y en avoit une seconde
pareille ; Premier et second service ; Troisieme service ; N.B.
C'est par meprise qu on a placé le 1 et 2 service du costé ou
devoit estre le 3e ce qui fait que les 4 petits plats de rosts sont
d'un diametre plus étroit que les marmitres à oglie.

Ce dessin vient compléter certains autres, car il
montre l'emplacement de chacun des 18 plats. Les
chiffres 1, 2, et 3 sont inscrits sur les grands plats du
centre pour indiquer les premier, second et troisième services. « La machine » au centre est intéressante. C'est probablement la même que celle montrée en cat. N 9.

Il est curieux que ce dessin, si semblable à ceux
de 1702, soit daté de 1700. Cela montre en tous cas
que l'intérêt de Cronström, pour la table royale,
dura plusieurs années. Il est fort possible que Tessin se soit inspiré de ce dessin quand il conçut sa
table de Drottningholm (1702, cf. N. Introduction),
qui fut crée avant que les dessins de 1702 n'arrivent
à Stockholm.

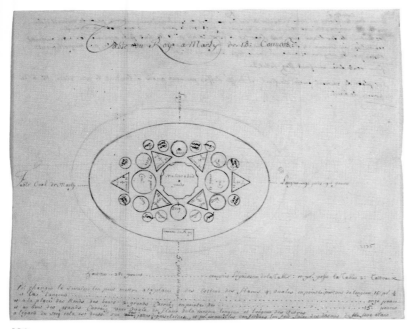

Inscription : (Recto) Table du Roy à Marly de 18 : Couverts ; Table Oval de Marly . . . Longeur . . . 9 pieds 9 pouces, largeur 5 pieds et demy ; Hauteur 28 : pouces . . . compris Lépaisseur de la Table ; Pour changer le service lon peut mettre a la place des estiere des flancs 4 : oval es en pointe. partant de longeur 15 : po. ½ et a la place des Ronds des bouts ; 2 grands Carréez en pointe de. . . 15 pouces et au bout des grands Carréez une Ovale en flane de la mesme longeur et largeur des Autres a légard du secq cela est dressé sur des jattes de porcelaine etc, et po. exauce les confitures lon fait. . .
(Verso) Le cru dans les etieres est servy en pyramide sur des jattes de porcelaines comme sur les plats de vermeil, de grandeurs convenable aux etieres, mais il n'y a pas deux estapes de jattes comme aux plats de vermeil. Les dosmes de fer blanc qu'on met dans les 6 jattes de porcelaines p(ou)r le sec sont faites comme les jattes mesmes renversées, on couvre ces dosmes de papiers et la dessus l'on pose les confitures seches par compartiments et non pas les unes sur les autres co(mm)e sur la tasse bleue cy jointe. Four veut dire *allehanda slags bakelse(r)*. Les plats de vermeil quand le fruit est dressé dessus peuvent avoir à l'endroit le plus élève 18 a 20 pouces de haut.
(Transcription par Danielle Gallet.)
Sur les plats, on peut lire le nom des mets qu'ils contiennent, ainsi que leur largeur.

Ce dessin peut être considéré comme une sorte de diagramme. Il semble représenter la table avec tous les plats servis en même temps, mais la montre sans doute servie tour à tour pour les premier et second services : 1) hors d'œuvres, potage, ogler en mormits ; 2) un mélange de hors-d'œuvres et de quelques entrées avec le troisième service (entrements et fromages). Les services à fromages ne sont pas montrés ici. A chaque extrémité de la table, se trouvaient des plats contenant des entrées, qui restaient là pendant les trois services.

## N 6

### Dessinateur Anonyme

#### TABLE DU ROI À MARLY

Plume et encre noire et brune, crayon.
H. 224, L. 274.
Pas de filigrane.
Collection Tessin-Hårleman THC 2135.

Ce dessin illustre la dernière partie du repas à Marly, montré par cat. N. 4. La curiosité de Tessin pour la table royale est facile à justifier : il s'efforçait d'éveiller chez le jeune Charles XII, le goût pour de telles élégances. Ces années virent d'importantes fêtes royales à Stockholm. Un plan de table par Tessin indiquerait qu'il cherchait des renseignements sur ce sujet (cf. Josephson, *Tessin*, I, fig. 171). Même avant l'arrivée des dessins ci-dessus, il écrivit à Cronström : « . . . . L'instruction qu'il vous a plû de me donner touchant les tables de la cour de France m'a fait un sensible plaisir. . . . » Puis il posait des questions sur les grandes tables ovales et carrées de Louis XIV, sur leur plats et sur ce qu'ils contenaient. Il demandait également des dessins de coffret à couverts et de nombreuses précisions sur les mesures.

Tessin semble avoir utilisé plusieurs de ces dessins de 1702, pour un plat royal suédois qu'il conçut plus tard, si l'on peut en croire un dessin de lui qui se trouve au Nationalmuseum (dessin, NM 54/1903, cf. Josephson, *Tessin*, I, fig. 179).

## N 7
### Jean I Bérain
1637–1711
### DESSIN DU COFFRET
### COUVERTS EN OR DE LOUIS XIV

Plume et encre brune, lavis gris.
H. 440, L. 555.
Pas de Filigrane.
Collection Tessin-Hårleman : THC 805.

Bibliographie : Thornton (1978) p. 289, fig. 282 (tel que dessiné par A.N. Cousinet).

Ce joli dessin de Bérain a été identifié par Hernmarck (oralement pour Thornton) comme représentant probablement le coffret en or massif, destiné à Louis XIV, en 1698. Il faisait vraisemblablement partie de la grande série de dessins que Cronström fit parvenir à Tessin le 1er Juin 1702 (cf. introduction à cette section « N » du catalogue). Son style et ses grandes dimensions font qu'il serait plutôt attribuable à Bérain qu'à Cousinet. On peut se demander s'il ne s'agit pas d'une des planches dont parle Cronström quand il mentionne : « Les trois desseins de.... Mr. Bérain sont du papier trop gros pour la poste... » Quoi qu'il en soit, ce dessin fut plié.

Ce coffret contenait les couteaux et les cuillères de Louis XIV. Sa place sur la table du roi est indiquée en N 1 de ce catalogue, mais il semble qu'il n'était pas en usage au moment où Cronström effectua ses recherches et commanda son dessin à N.-A. Cousinet (cf. cat. N 8).

## N 8
### Nicolas-Ambroise Cousinet
### DESSINS D'UN COFFRET
### ET DE CHANDELIERS
### POUR LE SERVICE DE TABLE
### DE LOUIS XIV EN 1702

Plume, encre noire et lavis gris.
H. 383, L. 245.
Inscriptions : 1) Profil du cadenas de Costé ; 2) Chandellier de huit la paire ; 3) Profil de cadenas de travers.
Collection Tessin-Hårleman : THC 818.
Provenance : Envoyé par Cronström, 1702 ; Tessin (1712).

Ceci est l'un de plusieurs dessins du même auteur qui décrivent le service du Roi et du Duc d'Aumont. Six autres dessins de Stockholm, (non-exposés ici, parce qu'étant à l'état de fragments) représentent les plats en argent, un plat creux en profil et une « soucouppe » du Duc d'Aumont (THC 868, 869, 870, 871, 872, et 873). Certains de ces dessins pourraient être ceux que Cronström persuada N.-A. Cousinet de réaliser en Mai 1702 (cf. ci-dessus l'introduction à la section « N »). Il s'agit sans doute ici du coffret à couverts (« cadenas ») que l'on voit à la droite du Roi dans cat. N. 1. Un autre dessin important du coffret contenait le couteau, la cuillère et la fourchette du Roi. On a souvent dit que Louis XIV n'utilisait jamais de fourchette pour des raisons de tradition royale. Apparemment il n'en était pas ainsi en 1702. Les trois motifs différents qui ornent le bord inférieur du chandelier pourraient indiquer que ce dessin represente plusieurs pièces sur la même feuille. Le coffret et les chandeliers étaient probablement dorés.

Cronström indique qu'un des coffrets n'est pas de la main de Cousinet. Il doit faire allusion à N 7, car celui-ci est très similaire aux autres dessins de Cousinet et doit être de lui ou de son atelier.

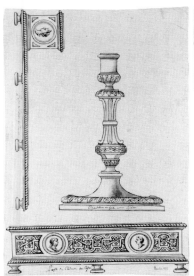

# N 9

## Nicolas-Ambroise Cousinet

**DESSIN D'UN CANDELABRE EN ARGENT DORÉ POUR LE CENTRE DU SURTOUT AVEC FONDAMENTS**

Plume, encre noire et lavis gris.
H. 325, L. 498.
Filigrane : Proche de Heawood 715, 716.
Verso : Plan et profil de la base du surtout.
Collection Tessin-Hårleman : THC 809, 810.
Inscriptions : (Recto) 1) Le jour lon met Dans ces bobesches des petits grouppes denfants aulieu de bougies 2) Pisce qui se met au milieu du surtout... (Verso) : 1) Plan du surtout par moitié 2) «Sur le tour de cette platteforme....» des récipients tels que «le vinagriorettes» (certains mots difficiles à déchiffrer)
Provenance : Envoyé par Cronström, 1702 ; Tessin (1712).

Bibliographie : Weigert R.-A., «Recherches sur quelques dessins de la vaiselle de grand roi», *Revue de l'Histoire de Versailles et de Seine et Oise*, 1931, pp. 206–221.

Le *surtout,* si l'on se fie aux informations fournies par N 1 et N 13, était en général utilisé à Marly et non pour le Grand Couvert du Roi. Ce dessin montre ce qui a du être l'une des pièces les plus remarquables de l'ornement en argent doré de la table royale. Les inscriptions sont de trois écritures différentes. Le papier est le même que celui de certains autres nᵒˢ de cette série.

# N 10

## Nicolas-Ambroise Cousinet

**DESSIN D'UN PLATEAU EN ARGENT DORÉ POUR LE PETIT COUVERT DU ROI ET UN «POT» À «OILLE»**

Dessin au crayon, fini à la plume, encre noire et lavis gris.
H. 510, L. 385.
Filigrane : proche de Heawood 715, 716.
Verso : Profil de saucière, salière et poivrière et une vue de dessus d'un confiturier.
Sur chaque pièce, recto et verso de la feuille, on peut lire : «Au Roy».

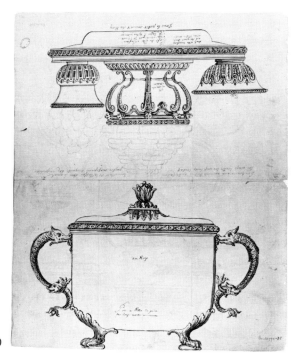

N 10

## N 11

### Nicolas-Ambroise Cousinet

DESSIN (PROFIL ET DESSUS)
D'UNE POIVRIÈRE « A TROIS »
EN ARGENT DU SERVICE DE
LOUIS XIV, ET « ENGIVE » POUR
LE DUC D'AUMONT

Plume et encre noire ; lavis gris.
H. 374, L. 500.

Inscriptions : (Recto) 1) Duc Daunomt. 2) Engive pour mette sur le buffet.... 3) Plan de la poivrière à trois 4) au Roy 5) profil de la poivrière (verso) 1) plan du plat au confiture... (plusieurs autres inscriptions sur le plan du demi plateau dessiné) 2) « Duc Daumont » (sur la théière) et « pot a thé.... »

Filigrane : Proche de Heawood 714, 715.

Collection Tessin-Hårleman : THC 2106, 2107, 2108.

Provenance : Envoyé par Cronström à Tessin, 1702 : Tessin (1712).

Collection Tessin-Hårleman : THC 774, 775.

Inscriptions : (entre autres) « Pour le petit couvert du Roy » ; « .... cette machine et d'argent doré et les tassus aussi » ; « Pot à Oille de douze mautins ».

Provenance : Envoyé par Cronström, 1702 : Tessin (1712).

Bibliographie : Weigert R.-A., *Revue de l'Histoire de Versailles et de Seine-et-Oise* (1931) pp. 206–221 pl. 1 ; Marie A. et J., (1972) II, pp. 329, 330.

Certaines inscriptions, précisent que ce plateau était utilisé pour les confitures, le massepain et les « biscuites ». Trois mains différentes ont écrit sur ce document, ce qui indique que l'acquisition de renseignements sur le couvert de Louis XIV était un travail d'équipe.

Un pot à « Oille » que l'on voit ici était pour « un ramas des plus excellents viandes que l'on fait cuire dans un pot de terrine.... »

La présence de deux objets de la table du Duc d'Aumont confirme le rapport de cette série de dessins avec ceux que Cronström commanda à Cousinet en Mai 1702. Nul ne sait pourquoi la cour de Suède souhaitait posséder des objets de la collection du Duc d'Aumont (en plus de ceux du Roi). Cela témoigne de sa renommée, sans pouvoir dire s'il s'agit d'œuvres de Bérain (comme l'étaient la plupart de ceux du roi), de de Launay, ou d'un autre artiste. N 11 (voir ci-après) montre une théière du service de la Duchesse de Lude, ce qui pourrait indiquer qu'un effort était fait pour trouver les meilleurs modèles d'un certain type d'objets, quelle que soit leur collection d'origine.

Tessin semble s'être inspiré du vase du Duc d'Aumont pour l'argenterie qu'il conçut plus tard à l'intention du Roi de Suède (cf. Josephson R., *Tessin I* fig. 179). Cela explique l'une des utilisations des projets de Cronström en 1702.

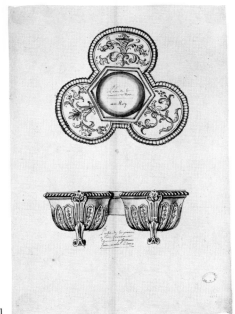

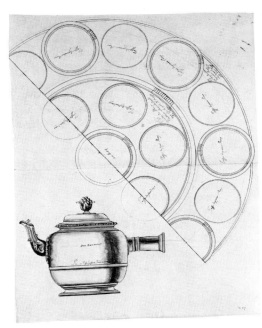

11

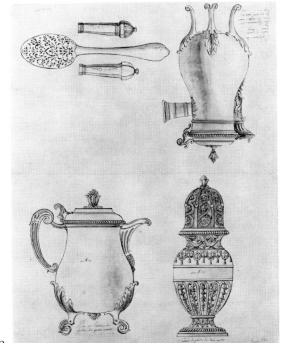

N 12

## N 12

Nicolas-Ambroise Cousinet

### DESSINS DE LA CAFETIÈRE, DU POT À BOUILLON, « SUCRIER » ET QUELQUES PLATS

Plume et encre noire, lavis gris et aquarelle.
H. 500, L. 385.
Filigrane : proche de Heawood 715, 716.
Collection Tessin-Hårleman : THC 833–836.
Inscriptions : L'inscriptions « au Roy » apparait sur les ouvrages nommés « Pot à Bouillon » et « sucrier ». D'autres inscriptions définissent l'usage des différents objets. Au verso, de nombreuses inscriptions identifient les trois jolis profils q y sont montrés : un grand dessin coloré montre un rafraîchissoir pour le roi, muni d'une anse (orné de façon recherchée et traitée en couleurs). On y voit également un chandelier et une théière (appartenent à la Duchesse de Lude) qui ne sont pas en couleurs.

au Roy

au Roy

N 12

Provenance : Envoyé par Cronström, 1702 ; Tessin
    (1712).

Bibliographie : Weigert R.-A., Revue historique de Versailles. . .
    (1931) pp. 206–221, pl. 5.

Le principal intérêt de ce document réside dans
l'emploi de trois couleurs (rouge-orangé, bleu pâle
et ocre) sur les objets (pot à bouillon et à eau froide,
sucrier) qui devaient être en argent qui était
émaillé, à moins que ces objets aient été en porcelaine. Cependant aucune des nombreuses notes de
cette feuille ne mentionne l'emploi d'un autre matériau que le métal : quand il s'agit de porcelaine sur
d'autres dessins de la même série, cela est spécifié.
Les inventaires (Guiffrey, Jules, Paris, 1885) parle
souvent de vermeil doré pour l'argenterie du roi.

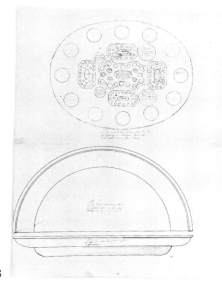

N 13

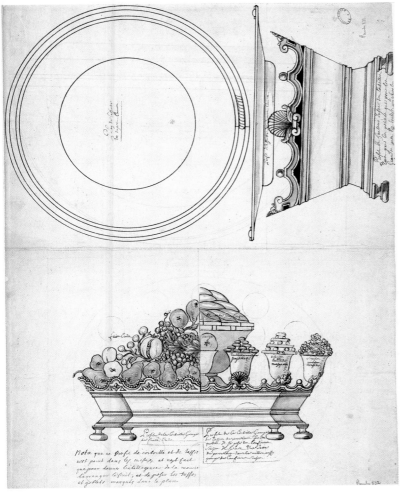

# N 13

## Nicolas-Ambroise Cousinet

### PLAN D'UN PLAT D'ARGENT ET PROFIL D'UNE CORBEILLE D'ARGENT UTILISABLE POUR LE POISSON OU POUR LES FRUITS

Plume, encre noire, lavis gris et aquarelle.
H. 550, L. 385.
Filigrane : proche de Heawood 715, 716.

Verso : Plan de la table du Roi à marly, Profil et plan d'un plat.
Collection Tessin-Hårleman : THC 831, 832.
Inscriptions : (Recto) Elles sont nombreuses et expliquent que l'ouvrage s'appelle « corboille » et n'est pas montré à l'échelle, mais il est décrit pour souligner les arrangements possiselon qu'il est utilisé pour les fruits ou pour les confitures. Sous la corbeille, on peut lire qu'elles peuvent contenir différentes choses, y compris du poisson. (verso) Elles sont nombreuses, expliquent des détails de la table de Marly et que ce plat fait partie du service de ce château.
Provenance : envoyé par Cronström, 1702 ; Tessin (1712).

Bibliographie : Weigert R.-A., *Revue historique de Versailles...* (1931), Pl. 5, pp. 206–221 ; Marie A. et J., (1972) II, fig. p. 329.

Les dessins colorés des tasses en porcelaine contenant des desserts (THC 828, non-exposé) peuvent être considérés comme une étude détaillée de la partie inférieure (colorée) de cette feuille. Encore une fois, les annotations sont de trois écritures différentes.

Un autre dessin de Stockholm, THC 802 (non-exposé) montre le profil de la corbeille à l'échelle exacte. Il montre également, à l'échelle, une mouchette de chandelles (Monelyotte?) et sept des plats du roi.

Au verso, le plan de la table de Marly a pour but de montrer que la corbeille était utilisée au centre et placée sur un plateau rectangulaire, incurvé aux quatre coins et au milieu de chaque côté. 24 tasses étaient placées sur ce plateau, qui était entouré par quatre autres petits plateaux portant des corbeilles et des tasses. Cet arrangement est sensiblement différent de celui qui apparait en cat. N 5.

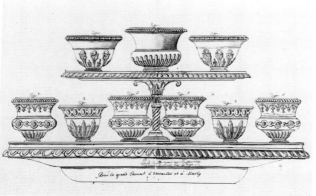

# N 14

Nicolas-Ambroise Cousinet (?)

## DESSIN POUR UN PLATEAU EN ARGENT À DEUX NIVEAUX POUR CONFITURES

Plume et encre noire, lavis gris.
H. 383, L. 498.
Inscription : 1) Pour le grand couvert à Versailles
et à Marly. 2) Profile du plat du premier rang a
Confissure. . . .
Filigrane : A (coeur) R.
Collection Tessin-Hårleman : THC 798.
Provenance : envoyé par Cronström, 1702 ; Tessin
(1712).

Bibliographie : Weigert R.-A., *Revue historique de Versailles...*
(1931). Pl. 1, pp. 205–226.

Ce dessin montre l'une des grandes pièces du service de table de Louis XIV. Il est de la même main
que N 8–13. Les inscriptions sont de deux écritures
différentes. Rien ne figure au verso, ce qui est
exceptionnel pour cette série. Est-ce le dessin « du
fruit de Marly et de Versailles » mentionné par
Cronström le 22 Juin? Cela pourrait expliquer un
peu la différence entre ce dessin et le group de
Cousinet (cf. Introduction du catalogue section
'N').

# N 15

Dessinateur Anonyme

## NEF DU ROI LOUIS XV

Sanguine.
H. 180, L. 262.
Pas de filigrane.
Collection Tessin-Hårleman : THC 2113.

Bibliographie : Verlet, Pierre, « Louis XV et les grands services
d'orfèvreries parisienne de son temps », *Panthéon* XXXV. 2
(1977).
Exposition : *300 Dessins* (1951), n° 40.

Ce dessin a été fait d'après une pièce d'argenterie,
en forme de bateau, appartenent à la table du roi.
De tels objets, en général en argent doré, étaient
utilisés pour contenir les *utiles du roi pour la table* et ce
depuis le Moyen Âge. Au temps de Louis XIV, les
coffrets à couverts (ou *cadenas*, cf. N 7, 8) remplis-
saient cette fonction, mais la nef semble avoir subsisté pour certains repas d'apparat. Ce dessin montre un ouvrage dont le style daterait du règne de
Louis XV.

On peut voir les L croisés des Bourbons. Une
couronne royale apparait à la proue du bateau,
alors qu'au centre se trouve une sculpture de Neptune chevauchant un dauphin. Quelques sil-
houettes de tritons ajoutent au caractère maritime
de l'ornementation.

# O | Deux Autres Groupes de Dessins Concernant l'Argenterie de Table de Louis XIV

La collection de Stockholm est extraordinairement riche en dessins faits pour, ou d'après, l'argenterie du temps de Louis XIV. Ils pourraient tous être qualifiées de « Bérainesque » (cf. Weigert, *Bérain*, 1927, fig. XVIII). Cela n'est guère surprenant dans la mesure où Cronström ne cache pas que Bérain lui fit parvenir toutes sortes de dessins, et pas seulement des dessins d'argenterie (pour ce genre d'ouvrage, Cronström préférait de Launay à Bérain, cf. ci-après). On peut distinguer deux types de dessins à la plume et au lavis gris : Un groupe A, de qualité très soignée, qui n'est pas sans ressembler aux dessins de de Launay pour l'argenterie Ballin. De fait, ils pourraient être de de Launay ou de son atelier. (Cf. Weigert, R.-A., *Revue de l'histoire de Versailles....* (1931) pp. 220–221 : Livraisons de vaiselle précieuse au Roi par Nicolas de Launay, de 1709 à 1715, document publié.) L'autre groupe, B, est à la fois moins raffiné et plus audacieux. Toutefois, il ne semble pas qu'il puisse être attribué à Bérain lui-même, mais peut-être à son atelier. Mais il ne faut pas écarter la possibilité qu'il s'agirait d'un tout autre orfèvre. Quelques exemplaires les plus intéressants de chacun des deux groupes sont représentés ici, mais pour être exact, il faut préciser que, à Stockholm, A. et B. comprennent : THC 776, 777, 778, 779, 788, 789, 790, 791, 812, 838, 839, 840, 849, 851, 854, 855. L'une de ces planches porte l'inscription, ou la signature, 'L'aunay (cf. cat. O 1,

THC 790). Malheureusement, elle ne fait pas partie d'une série numérotée qui comprend tous ces dessins d'argenterie, à l'exception de quatre. Seul le dessin signé semble être de la même main que n° O 2, THC 812.

O1

## O 1

Nicolas de Launay (?)

(† 1727)

### DESSIN POUR UN PICHET D'ARGENT

Plume et encre noire, lavis gris.
H. 402, L. 267.
Inscription : L'aunay, (à l'encre brune).
Collection Tessin-Hårleman : THC 790.

Cronström commença à collectionner les dessins d'argenterie juste avant 1700. de Launay était son « orfèvre » favori. Il n'est donc pas surprenant de trouver ce dessin à Stockholm. Il semble cependant être un dessin isolé et ne pas appartenir à une série. Il n'est pas possible de determiner la date de son acquisition.

## O 2

Nicolas de Launay (?)

(† 1727)

### DESSIN POUR UN CANDELABRE EN ARGENT

Plume et encre noire, lavis gris.
H. 395, L. 352.
Filigrane : B (coeur) C, dans un cartouche.
Collection Tessin-Hårleman : THC 812.

Ce dessin s'inscrit facilement dans la tradition de Launay-Ballin, telle qu'on l'a vu dans la section « M ». La fonction exacte de cet objet est difficile à définir. Il n'est pas certain que le « pot » qui le surmonte au centre ait une fin utilitaire ou ornementale. La couronne au-dessus de l'écusson vide indique que l'objet n'était pas destiné à l'usage du roi ou de la reine, et ni même à celui d'un mécène français.

## O 3

Artiste du Groupe « A »

### DESSIN D'UN PLATEAU d'ARGENT SURÉLÉVÉ (SOUCOUPE) ET DE TROIS VERRES

Crayon, plume et encre noire, lavis gris.
H. 205, L. 252.
Inscription : 4.
Filigrane : proche de Heawood, 1785.
Collection Tessin-Hårleman : THC 849.

Ce dessin est caractéristique de ce groupe : légèrement dessiné au crayon, puis repassé à gros traits de plume et enfin délicatement modelé au lavis. L'effet est fort délicat et se retrouve sur n° O 4 et O 5 de cette exposition, ainsi que sur les planches numérotées THC 779 (une terrine), THC 788 et THC 789 (pots à bouillon et à thé) THC 791 (un pichet), THC 852 (un bol), THC 838 (un gobelet), THC 839 (un récipient en forme d'urne, avec poignée, ressemblant à une chope de bière), THC 854 (salière et bol) et THC 851 (un sucrier). THC n° 791, 838, 839 et 840 sont sur le même papier.

L'auteur du dessin et de l'idée originale de cette argenterie sont tous deux inconnus. Cette planche doit faire partie de la grande série acquise par Tessin vers 1700, mais qui n'a pas encore été identifiée. Cela montre en tous cas l'importance de cette collection.

## O 4

Artiste du Groupe « A »

### DESSIN D'UN CHAUFFE-PLAT EN ARGENT

Crayon, plume et encre noire, lavis gris.
H. 190, L. 260. (Non exposé)
Inscription : 2.
Filigrane : proche de Heawood 1785.
Collection Tessin-Hårleman : THC 840.

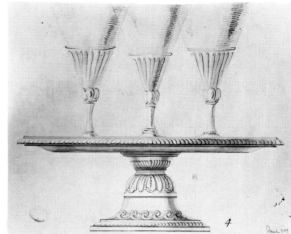

O 3

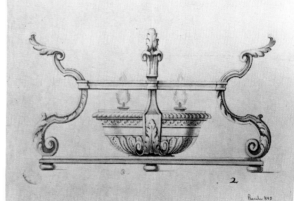

O 4

O 2

## O 5

Artiste du Groupe « A »

DESSIN D'UN RAFRAICHISSOIR
À VIN EN ARGENT

Crayon, plume et encre noire, lavis gris.
H. 297, L. 250. (Non exposé)
Inscription : 2.
Collection Tessin-Hårleman : THC 776.

Ce dessin ne possède pas de filigrane sur son papier,
mais les commentaires de O 3 restent valables.

O 5

# O 6

## Artiste du groupe « B »

### DESSIN D'UN SALADIER EN ARGENT

Plume, encre noire et lavis gris.
H. 215, L. 270.
Inscription : « 6 Salladiers c'est a dire tan pour les sallades que pour les Compotes ».
Filigrane : C D G.
Collection Tessin-Hårleman : THC 853.

Des contours épais à l'encre grisâtre et des dégradés audacieux, plutôt grossiers, caractérisent ce groupe « B ». Si certaines pièces sont très originales par leur forme, elles semblent toutes moins ornementales que celles du groupe « A ». Sur ces dessins, les numéros ne se rapportent pas à une série, comme dans le groupe « A », mais au nombre d'éléments utilisés dans le service. Ce groupe inclut 0.7 de ce catalogue, ainsi que THC n° 792 (un pichet), 806 (sceaux), 817 (chandelier), 837 (huiliers), 848 (poivrier), 850 (salières), et 857 (soucoupe).

D'après les deux filigranes, ces dessins sont effectués sur le même papier que ceux du groupe « A », mais leur auteur et probablement leur créateur sont différents. Toutefois ces deux groupes semblent témoigner de la même intention de s'informer sur l'argenterie française.

Pour la plupart, ces planches de Stockholm semblent avoir été faites par la même main ; chacune est annotée ou numérotée de la même façon. Cela permet d'avoir une idée de la façon dont la collection fut constituée : Cronström découvrit un dessinateur et, comme il l'avait fait avec Cousinet (cf. section N.), il le fit travailler. Ni les dessins du groupe « A », ni ceux du groupe « B » ne semblent avoir été de l'argenterie royale.

# O 7

## Artiste du Groupe « B »

### DESSIN d'UN « RECHAUD » en ARGENT

Plume et encre noire ; lavis gris.
H. 245, L. 420. (Non exposé)
Inscription : 2 Reschauds.
Filigrane : O 6 CDG.
Collection Tessin-Hårleman : THC 807.

Par son style et son origine, ce dessin est très semblable à O 6. L'intérêt de cet objet, c'est qu'il montre un service fort différent de ceux du groupe « A ». Il s'agit sans doute d'un autre auteur, qui ne serait pas non plus de Launay ou Bérain.

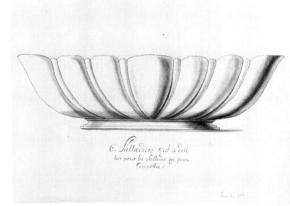

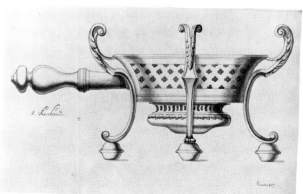

O

# P | Consoles Dorées des Cabinets du Roi

Lors de sa visite à Versailles en 1687, Tessin décrivit en ces termes les cabinets (1684), situés au nord du salon central de l'appartement privé du roi (la partie qui devait être transformée en cabinet de conseil) : «.... chambres, assez ornées des glaces». Les dessins qui nous sont restés de ces salles, telles qu'elles existaient alors, indiquent des murs recouverts de miroirs. La taille de ceux-ci étant limitée à l'époque, ce genre de décor nécessitait l'usage de consoles où les différents miroirs se rencontraient, verticalement et horizontalement. À partir de 1680, ces consoles devinrent un élément décoratif important et Tessin lui-même en fit usage dans l'appartement officiel de son palais à Stockholm. Quelques-unes de ses consoles sont encore en place. Il existe à Stockholm (cf. cat. P 1 et P 2) deux dessins de ce type de consoles dans le style de Bérain. En général, elles étaient en bois et soutenaient des porcelaines. Cependant, certains des dessins de Stockholm utilisent la technique de grisaille des orfèvres de l'époque. Trois de ces dessins, brillamment traités à la sanguine et en jaune vif (cat. n° P 4, P 5, P 6) présentent un aspect surprenant de la collection. Cela indiquerait que certaines consoles, et en particulier celles des cabinets du roi, étaient executées en bronze ou même en argent doré. Dans ce cas, et si les dessins en question concernaient les chambres du roi, on pourrait avancer qu'il s'agit de dessins de, ou d'après Bérain, qui en a réalisé de cette sorte (cf. cat. P 7). Une autre possibilité a été suggérée, selon laquelle Bérain lui-même aurait fourni des dessins pour que Tessin les utilise au Palais Royal de Stockholm. Les planches colorées en rouge et jaune confirmeraient cette dernière hypothèse car l'une d'elles (THC 1115) représente une horloge aux armoiries du roi de Suède.

Il n'est pas impossible que ces feuilles colorées soient de Jacques de Meaux, un artiste français et étudiant de Bérain, qui travailla pour Tessin à Stockholm. (Cf. P 6 et P 7). Sa participation à ces œuvres peut être confirmée par la présence d'une cassolette «Bérain» au milieu d'un des murs de la chambre à coucher dans l'appartement de parade du Palais de Tessin, où Meaux travailla. Ces dessins jaunes pourraient être une adaption, fidèles aux originaux, de certains dessins de Bérain. Il semble qu'il existe, au Nationalmuseum des adaptions aussi bien que des originaux.

P 1

P 1

Jean I Bérain

1637–1711

PAIRE DE CONSOLES SERVANT
DE SUPPORT À UN MUR DE MIROIRS

Plume, encre brune et lavis brun.
H. 469, L. 290.
Filigrane : proche de Heawood 1236.
Collection Tessin-Hårleman : THC 8611.

Bibliographie : Marie (1976), p. 205, fig. 87.
Exposition : *300 Dessins*, (1951), n° 133.

Marie pense avoir reconnu la console supérieure. Il
l'a découverte sur une photo qui montre la remise
en place de certaines parties du salon Octogonal de
la Ménagerie de Versailles. Il n'a peut-être pas tort,
mais ce genre d'éléments se trouvaient dans le
Cabinet du Conseil (1684, restauré 1701), le Cabinet des Termes et la Salle de Billard. D'ailleurs les
dessins de Bérain n'étaient pas toujours faits à des
fins précises.

P 2

Jean I Bérain

1637–1711

CONSOLE SERVANT DE SUPPORT
À UN MUR DE MIROIRS

Plume, encre brune et lavis brun.
H. 283, L. 272.
Filigrane : P (cœur) C encadré.
Sceau de Hårleman (deux fois).
Collection Tessin-Hårleman : THC 1073.

Exposition : *300 Dessins* (1951) n° 132.

Il s'agit d'une variation de la console supérieure
montrée en cat. P 1.

## P 3

Disciple de Bérain

DESSIN DE CONSOLE

Plume et encre noire, lavis gris.
H. 263, L. 265. (Non exposé)
Filigrane : Heawood 1785 (partie visible, papier anglais)
Collection Tessin-Hårleman : THC 1131.

Il existe un autre dessin si semblable à celui-ci qu'on pourrait supposer qu'il s'agit d'une variante (THC 1132). Les deux sont en grisaille et semblent se rapporter aux dessins de Bérain commentés plus haut (P 1 et P 2). Toutefois, ils sont plus simples et pourraient avoir été réalisés en Suède. On trouve des consoles semblables dans le palais de Tessin.

P 2

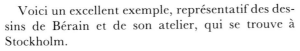

Voici un excellent exemple, représentatif des dessins de Bérain et de son atelier, qui se trouve à Stockholm.

## P 4 et P 5

### Disciple de Bérain

CONSOLES ET VASES DORÉS

Sanguine sur lavis jaune réhaussé de lavis sanguine.
H. 340, L. 205.
Filigrane : prôche de Heawood 1785 (papier anglais).
Collection Tessin-Hårleman : THC 823, 825.

L'un des vases possède des poignées en forme d'aigle et est orné d'une tête de Diane dans le motif de rayonnement de lumière que l'on trouve généralement à Versailles, associé à la tête d'Apollon. L'autre vase est orné d'un masque de femme ; des têtes de satyres soutiennent les poignées. Les deux vases semblent avoir été réalisés en Suède, d'après des dessins de Bérain qu'aurait suivis l'un de ses disciples tel que Jacques de Meaux. *(Voir fig. 6)*

## P 6

Disciple de Bérain

### DESSIN D'UN PICHET DORÉ

Sanguine sur lavis jaune, rehaussé de lavis sanguine.
H. 470, L. 256. (Non exposé)
Les deux coins du bas ont été coupés en arrondi.
Collection Tessin-Hårleman : THC 824.

Ce superbe dessin, luxueusement doré, est curieusement travaillé à la manière des grands maîtres flamands et allemands de la fin du dix-septième siècle. On peut se demander si l'utilisation de ce style n'apparenterat pas ces dessins du chef-d'œuvre de Bérain à Versailles : Le Cabinet des Curiosités. Tessin nous a laissé une description minutieuse de cette pièce (cf. cat. K 1). On y trouvait des objets d'une grande richesse dont les effets étaient réfléchis par les miroirs et les dorures. Le même artiste ayant fait un dessin d'une horloge aux armoiries suédoises, de même style et de même procédé, il est plausible que ce dessin soit une copie faite en Suède (cf. cat. P 4, P 5).

D'après ces dessins, on peut imaginer l'aspect des vases fantastiques de Bérain, (P 1, P 2) s'ils avaient été exécutés en métal doré. (*Voir fig. 6*)

## P 7

Disciple de Bérain

### DESSIN D'UN BRÛLEUR DE PARFUM DORÉ

Sanguine sur lavis jaune, réhaussé de lavis sanguine.
H. 470, L. 345.
Filigrane : proche de Heawood 1785 (papier anglais).
Collection Tessin-Hårleman : THC 826.

Bibliographie : Thornton, *Interior Decoration,* 1978, p. 326, fig. 318 (comme ouvrage français datant apparemment du dernier quart du 17ème siècle).

Si l'on compare ce dessin et la peinture de Yvart à Versailles représentant une œuvre similaire, il apparait que ceci ne fait pas partie du mobilier du Grand Appartement. Mais l'imagination de Bérain n'en est pas absente et l'on peut supposer que cet objet était destiné aux quartiers privés du roi, où Bérain reignait en maître suprème. Il est également possible que ce dessin ne soit que l'expression de la fantaisie d'un artiste dont la position ne lui permettait pas de participer au plus grand décor en argent de l'époque. Ce dessin est de la même main que P 5, P 6 et P 7. Cette série devrait aussi comprendre THC 820 et 821 (deux urnes splendides, peut-être destinées à être placées sur une cheminée) ; la couleur et le dessin sont très semblables à ceux du document ci-dessus, et il pourrait s'agir d'un artiste travaillant en Suède.

Ce dessin pourrait avoir servi de point de départ à l'élément central du panneau au milieu d'un mur de la chambre à coucher de l'Appartement de Parade, au Palais de Tessin, Stockholm. Selon Agneta Börtz-Laine, Jacques de Meaux pourrait être l'auteur de cette peinture murale. Il pourrait également être l'auteur de cette planche. (*Voir fig. 6*)

P 6

P 7

*Panneau de la chambre à coucher au Palais de Tessin, Stockholm.*

# Q | Importants dessins d'argenterie par Nicolas de Launay

Selon Daniel Cronström (Mai, 1696), de Launay était le plus grand orfèvre de l'époque : « car Bérain, tout habile qu'il est selon moy bien inférieur à de Launay dans les desseins exécutables en argent... ». Et aussi tard qu'en 1703, il notait, à propos d'un surtout : « il n'y a que Mr de Launay qui puisse s'aquitter de pareille morceau.... » de Launay a livré des quantités impressionans d'argenterie pour le table du roi entre 1709 et 1715. (Document publié par Weigert, R.-A., *Revue historique de Versailles....* (1931) pp. 220–221.)

de Launay, toujours selon Cronström, avait un caractère difficile. Ce dernier écrivait, le 2 Octobre 1693, que de Launay avait signé un dessin qu'il savait être de la main de Ballin « pour se faire honneur... » (cf. cat. M 1). Et quand Tessin demanda à Cronström de se procurer huit dessins d'un service de toilette en argent destiné à la Comtesse Stenbock-Oxenstierna, ce fut le début d'un long drame. En Janvier 1696, après bien des atermoiements, Cronström annonça la bonne nouvelle : de Launay lui-même acceptait de faire ce travail. Il fallut attendre Mai pour que les dessins arrivent.

Cronström raconte :

« Maintenant que cette commission est faite je puis me vanter que ny moy n'y d'autres n'en seroit à bout. J'ay employé 3 personnes inutilement près de Mr. de Launay, la 4e le persuada à la fin. Si je n'ay pas esté chez lui 60 ou 70 fois, je n'y ay pas esté vu ; si je ne parle pas des esperances que je luy ay donnees, des ouvrages considerables et encore moins de 15 Louis qu'il m'a couste et dont je vous conjure absolument de ne jamais dire un mot, pas mesme a Me Vostre femme... »

Dans cette histoire compliquée, Cronström n'était pas tout à fait honnête :

« ....Launay est persuadé que cecy est pour La Reyne.... » (21/31 Mai 1696).

Mais sa duperie ne fut pas découverte et il n'éveilla apparemment aucun soupçon quand il demanda d'inclure des têtes de boeufs et de béliers dans l'ornementation du service. En Février 1696, Cronström écrit : « La Capricorne de cette Teste de boeuf sont des armes bien ingrattes à mettre sur une toilette. Il faut en user bien sobrement. »

de Launay était très apprécié et donc difficile à engager, même par un émissaire d'un grand allié de la France. C'est ce que Cronström explique, en Avril 1696 :

« Mr. de Launay est présentement l'homme du royaume le plus occupé pour tout sortes de desseins et d'ouvrages par la Cour et par les particuliers. C'est un des beaux génies que la France ait produite ; cela vous fait comprendre que ses productions sont malaisée a luy arracher.... »

Cronström eut un autre problème à résoudre : comment obtenir des dessins d'un orfèvre aussi réputé, sans lui commander l'exécution de ses projets.

«. . . . il y a eu beaucoup de peine a se determiner à faire des desseins pour faire exécuter par d'autres. Ces Messrs n'en donnant querre que pour exécuter eux mesmes. . . .»

La récente découverte, par l'auteur de ce catalogue, de cette importante série, serait une raison suffisante pour les exposer ici. Mais en outre, de Launay ayant énormément travaillé pour la Cour, il semble presque certain que des argenteries similaires se trouvaient à Versailles.

Henri Nocq, *le poinçon de Paris,* vol. 3, 1928, illustre d'autres dessins de de Launay, au Cabinet des Estampes de la Bibliothèque Nationale. Il est probable qu'une grande partie des œuvres de de Launay pour Versailles fut fondue. Donc cette série de dessins est un reste important d'un grand artiste français dont les œuvres sont presque inconnues.

Q1

Q2

# Q 1

## Nicolas de Launay

(† 1729)

### LA TOILETTE OXENSTIERNA : BOÎTE À POUDRE EN ARGENT

Plume et encre noire, lavis gris, crayon.
H. 225, L. 137.
Filigrane : (pas dans Heawood) Couronne fermée, surmontée d'une fleur de lys avec un écusson quadrillé ou un monument en-dessous. La même marque apparait sur le papier de Q 3.
Inscriptions : 120 (livres), la boicte a poudre.
Collection Tessin-Hårleman : THC 843.
Provenance : Lettre de Cronström du 21 Mai 1696 ; Tessin (1712).

Tessin mentionna huit dessins pour un service de toilette en argent, et donc Weigert ne mit pas en question cette attribution. Mais les fait sont racontés par Cronström. Tessin avait avancé le nom de Bérain pour un service destiné à la Comtesse Oxenstierna-Steenbock (l'une des grandes héritières de la Suède). Cronström commanda les dessins à de Launay : « Launey est persuadé que ceci est pour la Reyne quoi que j'y aye fait mettre les armes d'Oxenstierna et Steenbock... » La couronne de la Comtesse apparait sur le poudrier, mais sans ses armoiries, ce qui n'a pas facilité l'identification de cette série. Mais sur ce poudrier, on peut voir le « bock » de Steenbock et la tête de boeuf des Oxenstierna, ce qui laisse peu de doutes sur l'appartenance.

L'ornementation est très caractéristique de l'époque (1696) : les profils antiques qui apparaissent fréquemment dans cette série et particulièrement au centre du couvercle de la boîte, semblent avoir été un motif favori dans la décoration des services destinés aux dames.

Le petit chérubin aux joues gonflées d'air serait une référence amusante à la nécessité de souffler pour débarasser la houppette d'un excès de poudre.

# Q 2

## Nicolas de Launay

(† 1729)

### LE SERVICE de TOILETTE OXENSTIERNA : LE POUDRIER
(vue des extrémités et des côtés)

Profil : plume, encre brune et noire, lavis brun et gris.
Extrémités : plume et encre noire, lavis gris.
H. 259, L. 208.
Pas de filigrane.
Inscription : 200 (livres) La Plotte.
Collection Tessin-Hårleman : THC 842.
Provenance : cf. Q 1.

Bibliographie : Weigert R.-A., *Jean I Bérain*, Paris, 1937, fig. 35 (comme par Bérain).

A l'extrémité de la boîte, on peut voir un écusson vide, surmonté d'une couronne de comtesse (cf. cat. Q 1). Le reste de la décoration semble assez hétéroclite : sphinx, têtes et pattes de chien, masques, médaillons, et même une silhoutte allongée en relief. Tout ceci semble n'être qu'ornemental. de Launay ne connaissant pas l'identité de la destinataire, il est vraisemblable que cette décoration n'a pas été faite selon une certaine cohérence. Le détail des têtes animales et humaines laisse transparaître un humour grinçant.

Il existe à Stockholm, un autre dessin presque identique (THC 844, non-exposé). Il est aussi marqué du prix de 200 livres. Il n'y a pas d'explication évidente à cette duplication.

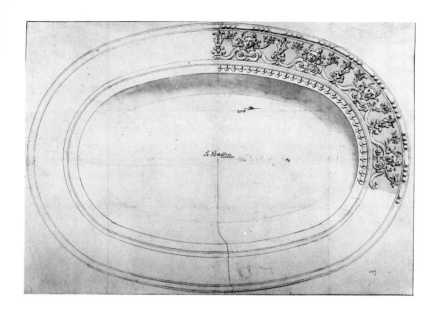

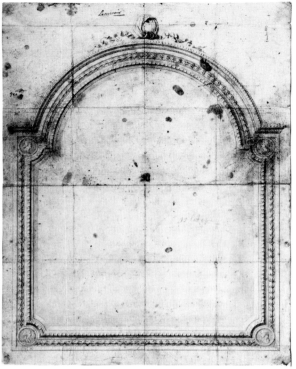

## Q 3

Nicolas de Launay

(† 1727)

### CUVETTE DE LA TOILETTE
### DE LA COMTESSE OXENSTIERNA

Plume, encre grise et noire, lavis gris.
H. 340, L. 471.
Filigranes : B (coeur) Colombier dans un cartouche
   et armoiries comme en Q 1.
Inscription : 200 (livres) ; Le Bassin.
Collection Tessin-Hårleman : THC 1099.
Provenance : la même que Q 1.

Ce dessin appartient à la même série que Q 1 et Q 2
par son style et la similarité des inscriptions. Il
serait l'un des huit ouvrages mentionnés par
Tessin.

## Q 4

Nicolas de Launay

(† 1729)

### LE MIROIR DE LA COMTESSE
### OXENSTIERNA

Plume, encre noire et grise, lavis gris et bleu.
H. 586, L. 442.
Filigrane : Raisins dans un cercle inscrit : Colom-
   bier.
Inscription : 320 (livres) ; Le miroir.
Collection Tessin-Hårleman : THC 803.
Provenance : la même que Q 1.

Cette feuille est jointe à la série Oxenstierna pour
les mêmes raisons que cat. Q 3.

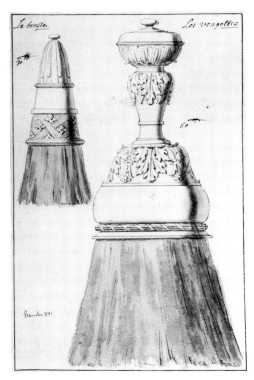

Q5

Q6

## Q 5

Nicolas de Launay

† 1729

### FLACON EN ARGENT DE LA TOILETTE OXENSTIERNA
(profil et vue du dessus)

Plume et encre noire, lavis gris.
H. 275, L. 99.
Filigrane : Heawood n° 3293a
Inscription : 100 (livres) ; Le flacon
Collection Tessin-Hårleman : THC 851
Provenance : la même que Q 1.

Cette feuille est jointe à la serie Oxenstierna pour les mêmes raisons que cat. Q 3.

## Q 6

Nicolas de Launay

† 1727

### BROSSES DE LA TOILETTE OXENSTIERNA

Plume et encre noire, lavis gris.
H. 287, L. 176.
Filigrane : comme pour Q. 1 (pas dans Heawood).
Inscriptions : 30 (livres) ; La brosse ; 60 (livres) ;
    Les vergettes.
Collection Tessin-Hårleman : THC 841.
Provenance : la même que Q 1.

Cette feuille est jointe à la série Oxenstierna pour les mêmes raisons que cat. Q 3.

Q 7

## Q 7

Nicolas de Launay

EQUIERE DE LA COMTESSE
OXENSTIERNA
(profil)

Plume, encre noire et lavis gris.
H. 262, L. 203.
Filigrane : Heawood n° 1805.
Collection Tessin-Hårleman : THC 856.
Provenance : la même que Q 1.

Cette feuille est jointe à la série Oxenstierna pour
les mêmes raisons que cat. Q 3.

# R | Projet de décoration de Jean Bérain pour le carrosse de gala de Charles XI de Suède et le carrosse de la Duchesse d'Orléans

Parmi les projets que Jean Bérain réalisa pour Charles XI figure la décoration d'un carrosse de gala. La cause de ce projet de carrosse était le grand incendie qui en Février 1696 dévaste les Écuries Royales à Stockholm détruisant le carrosse de couronnement de Charles XI et tous les autres carrosses habituellement utilisés. Nicodème Tessin le jeune qui était responsable de l'acquisition des carrosses du Roi s'adressa au résidant de Suède à Paris, Daniel Cronström, pour s'informer du dernier cri en matière de carrosse. Cronström lui répondit que la famille royale de France ne possédait pas de carrosses récentes, et que le carrosse le plus moderne qu'il avait vu avait été fabriqué quelques années auparavant pour la Duchesse Chartes, carrosse dont il envoya un peu plus tard les dessins (n° R 10, R 11 du catalogue).

L'intention de Tessin était de se procurer à Paris des dessins d'après lesquels plusieurs carrosses pourraient ensuite être fabriqués à Stockholm. Les carrossiers parisiens ayant cependant la réputation d'être plus habiles que leurs homologues suédois, Tessin décida, sur les conseils de Cronström, de faire fabriquer un grand carrosse à Paris. L'armature de la caisse du carrosse fut réalisée par un menuisier-carrossier, mais ses épures devaient être mises au net avant d'être transmises à Jean Bérain qui avait accepté, en se basant sur ces dessins, de concevoir la décoration. Cronström lui servit de conseiller pour les allégories ayant trait à la Suède et à Charles XI. Les lions et couronnes des armes de la Suède, le chiffre du Roi et les étoiles qui faisaient allusion à sa devise « Nescit occasum » devaient être utilisés le plus largement possible.

Bérain travailla sur le projet durant l'été 1696. Les dessins furent mis au net dans son atelier et au mois d'Août (14/14) six feuilles (actuellement au Nationalmuseum, THC 924, 925, 928, 929, 930, 943) furent envoyées par Cronström à Stockholm pour approbation, accompagnées d'une lettre qui expliquait les allégories et donnait des précisions sur le choix des matériaux. Début 1697, Tessin reçut encore deux feuilles présentant les projets de Bérain pour l'arrière du carrosse et pour un pilastre (THC 926, 927). La décoration du carrosse est un exemple remarquable du style de Bérain à son apogée.

Pendant ce temps le carrosse avait été fabriqué et en Novembre 1696, les différentes parties avaient été chargées dans le port de Rouen pour être transportées par mer à Stockholm. A l'emplacement des sculptures des parties de bois assez importantes avaient été laissées brutes. Les quatre roues, les vitres en verre de cristal et le plancher en marqueterie Boulle avaient cependant été réalisés à Paris.

En raison de diverses circonstances malheureuses, de la mort de Charles XI et de l'incendie du château en 1697, le carrosse ne fut terminé qu'en 1699. Il fut alors décoré par des artistes français appelés en Suède pour travailler à la décoration intérieure du nouveau château de Stockholm. Le projet de décoration de Bérain fut en partie suivi, mais des modifications furent apportées sur des points essentiels. L'aspect initial du carrosse est analysé dans une thèse à paraître prochainement par l'auteur du présent article, consacrée à l'histoire et à l'importance internationale de ce carrosse (« Le carrosse de couronnement – œuvre d'art et trésor du patrimoine culturel »).

Le carrosse subit une modernisation en 1751 et fut durant les 18ème et 19ème siècles utilisé à l'occasion des couronnements. Il est conservé au Cabinet Royal des Armes (N° 5722 : 1).

Astrid Tydén-Jordan

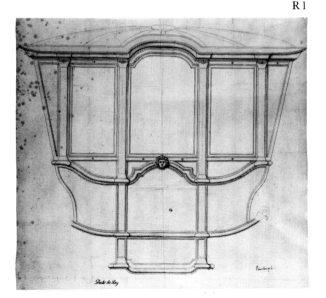

R 1

# R 1

## Maillard l'aîné/François II Francart (attribué à)

### CAISSE DU CARROSSE DE GALA DE CHARLES XI DE SUÈDE

Dessin à l'encre aquarellé.
H. 395. L. 424.
Filigrane : Grappe de raisins.
Sceau : KM inscrit dans un cercle.
Collection Tessin-Hårleman : THC 916.
Inscriptions : « pieds du Roy », « Planche 916 ».
Rabat avec autre proposition pour la moulure de la porte.

Bibliographie : Voir R 2.

Le dessin est ici exposé pour la première fois.

Pour la réalisation de la caisse du carrosse, Daniel Cronström fit appel au menuisier qui travaillait pour le sellier de Louis XIV. Les épures du menuisier durent ensuite être mises au net par un architecte. Les originaux furent remis à Bérain pour servir de base à son projet de décoration. La présente feuille fut envoyée à Stockholm en Mai 1696, en même temps que trois autres dessins des différents côtés de la caisse.

Le cintre que forme la corniche au-dessus des portes constituait une innovation jamais vue jusque là sur les carrosses. Pour la moulure avec mascaron sur la porte, une proposition alternative est donnée sur un rabat collé sur la feuille.

D'après Rudolph Wackernagel, le menuisier-carrossier pourrait être Maillard l'aîné. Astrid Tydén-Jordan avance l'hypothèse que la mise au net des dessins de la caisse du carrosse pourrait être l'œuvre de François II Francart. Francart était en effet très apprécié par Cronström, qui lui avait la même année confié, pour le compte de Tessin, la mise au net du projet du Bernin pour le Louvre.

A.T.-J.

R 2

## R 2

### Atelier de Jean I Bérain

PROJET DE DÉCORATION POUR
LA CAISSE DU CARROSSE DE GALA
DE CHARLES XI DE SUÈDE

Dessin à l'encre aquarellé.
H. 447, L. 587.
Sceau : KM inscrit dans un cercle. Au verso
« Nationalmuseum » dans un ovale.
Filigrane : A    Riberolle.
Inscription : « Planche 943 ». Au verso : « II » au
   crayon.
Collection Tessin-Hårleman : THC 943.

Bibliographie : Carl Hernmarck, «Jean Berains förslag till gala-kaross för Karl XI », Kunglig prakt från barock och rokoko, Nationalmusei handteckningssamling V, Malmö 1948. Ibidem « 1699 års kröningsvagn », Livrustkammaren VI : 1–2, 1952. R.-A. Weigert et Carl Hernmarck « L'art en France et en Suède 1693–1718. Extraits d'une correspondance entre l'architecte Nicodème Tessin le jeune et Daniel Cronström », Stockholm 1964. Rudolf H. Wackernagel « Der französische Krönungswagen von 1696–1825 », Berlin 1966, p. 66 et suite. Astrid Tydén-Jordan « Kröningsvagnen – konstverk och riks-klenod », thèse universitaire en manuscrit, Stockholm, Avril 1985.
Expositions : *La Suède et Paris*, Musée Carnavalet 1947, n° 155.

La feuille est une mise au net d'après les esquisses de Berain réalisée durant l'été 1696. Cronström l'envoya à Stockholm le 14/24 Août de la même année, en même temps que les projets pour les panneaux de devant et de fond du carrosse, la crépine et les broderies sur le panneau arrière et le plafond intérieurement.

Le long côté de la caisse était ce qui remarquait le plus du carrosse et il constituait donc la partie dont la décoration importait le plus. Bérain adapta le décor à la forme de base donnée au carrosse par le menuisier-carrossier (n° R 1 du catalogue). Dans la partie supérieure de la feuille, il proposa différentes solutions pour l'ornementation des coins de la voiture et de la corniche. Sur la porte les armes de la Suède et en-dessous un dieu de la mer. Les allégories des panneaux latéraux font allusion aux progrès des arts et à la renommée de la Suède sous le règne de Charles XI.

Différentes techniques étaient proposées pour l'exécution des panneaux : broderie, reliefs sculptés, peinture ou moulage en métal. Les bordures bleues étaient prévues en lapis-lazuli. Lorsque, trois années plus tard en 1699, le carrosse fut effectivement réalisé, on choisit de peindre les panneaux tout en s'éloignant sur plusieurs points du projet initial de Bérain.

A.T.-J.

R 3

R 3

Atelier Jean I Bérain

PANNEAU DE DEVANT DU CARROSSE DE GALA DE CHARLES XI

Dessin à l'encre aquarellé.
H. 412, L. 284.
Filigrane : A      Riberolle.
Sceau : KM inscrit dans un cercle. Au verso « Nationalmuseum » dans un ovale.
Inscription :
Collection Tessin-Hårleman : THC 929.

Bibliographie : Voir R 2.

La feuille est une mise au net d'après les esquisses de Jean I Bérain. Elle fut envoyée à Stockholm par Cronström le 14/24 Août 1696. La partie inférieure du panneau montre, sur fond à la mosaïque, Constantia tenant un blason aux armes de la Suède dans un char de triomphe tiré par quatre lions. Au-dessus une grande fenêtre. La partie supérieure de la caisse présente différentes propositions pour les coins de la voiture, sans décor aucun ou avec des putti.

A.T.-J.

## R 4

Atelier de Jean I Bérain

PANNEAU DE FOND DU CARROSSE
DE GALA DE CHARLES XI

Dessin à l'encre avec lavis.
H. 422, L. 285.
Filigrane : Grappe de raisins.
Sceau : KM inscrit dans un cercle.
Inscription : « Planche 924 ».
Collection Tessin-Hårleman : THC 924.

Bibliographie : Voir R 2.

La feuille est une mise au net d'après les esquisses de Jean I Bérain de 1696. Elle fut envoyée à Stockholm par Cronström le 14/24 Août de la même année. La partie supérieure montre un baldaquin avec un manteau d'armes tenu par deux hermès. Sur le blason couronné, le monogramme de Charles XI dessiné avec crayon rouge. Au milieu une Victoire. Au centre de la partie inférieure, sur un fond à la mosaïque avec des étoiles, Hercule supportant les armes à trois couronnes de la Suède, entouré de Justitie et de Prudentia. Trophés avec esclaves dans les coins.

A.T.-J.

## R 5

Atelier de Jean I Bérain

GARNITURE INTÉRIEURE DU
PANNEAU DE FOND DU CARROSSE
DE GALA DE CHARLES XI

Dessin à l'encre aquarellé.
H. 210, L. 202.
Filigrane : Grappe de raisins.
Sceau : KM inscrit dans un cercle. Au verso « Nationalmuseum » dans un ovale.
Inscription : « Le dosier », « Planche 925 ».
Collection Tessin-Hårleman : THC 925.

Bibliographie : Voir R 2.

Le dessin fut envoyé à Stockholm par Cronström le 14/24 Août 1696. Le dossier devait être brodé d'or et de soie sur velours bleu, instructions qui ne furent pas suivies lors de l'exécution en 1699. Les broderies furent alors réalisées en soies de couleur sur brocart d'or et d'argent. A l'exception de la bordure qui fut supprimée, le brodeur de la Cour Tobias Ley suivit le projet de Bérain. Le dossier est conservé au Cabinet Royal des Armes, Livrustkammaren No. 5722 : 1.

A.T.-J.

## R 6

### Atelier de Jean I Bérain

### GARNITURE INTÉRIEURE DE L'IMPÉRIALE DU CARROSSE DE GALA DE CHARLES XI

Dessin à l'encre aquarellé.
H. 198, L. 208.
Filigrane : Grappe de raisins.
Sceau : KM inscrit dans un cercle. Au verso « Nationalmuseum » dans un ovale.
Inscription : « L'Imperial », « Planché 930 ». Au verso, à l'encre : « Obs. detta broderi finns i NM samlingar. G Upk ».
Collection : Tessin-Hårleman : THC 930.

La feuille fut envoyée à Stockholm par Cronström le 14/24 Août 1696, accompagné d'instructions concernant le choix des matériaux. La garniture était prévue en velours bleu avec des broderies en or et en argent. Lors de l'exécution, les broderies, à la place du brocart d'argent et d'or, étant réalisées en soies de couleur. Pour le dessin, le brodeur de la Cour Tobias Ley se conforma au projet. L'ovale central parsemé d'étoiles devait représenter le firmament et faisait allusion à la devise de Charles XI. Le bordure répète en monogramme double le C (Carolus) du Roi.

La garniture est conservée au Cabinet Royal des Armes, Livrustkammaren No. 5722:1.

A.T.-J.

R

R 7

## R 7

### Atelier de Jean I Bérain

### CRÉPINE POUR LE CARROSSE DE GALA DE CHARLES XI

Dessin à l'encre de Chine avec lavis.
H. 213, L. 92.
Sceau : KM inscrit dans un cercle. Au verso « Nationalmuseum » dans un ovale.
Inscription : « La Crepine », « Planche 928 ».
Collection Tessin-Hårleman : THC 928.

Bibliographie : Voir R 2.

La feuille est une mise au net d'après une esquisse de Bérain. Elle fut envoyée à Stockholm le 14/24 Août par Cronström.

La crépine devait être fixée en bordure du plafond du carrosse et était prévue en velours bleu avec des broderies d'or et d'argent.

Elle ne fut jamais réalisée d'après le projet de Bérain.

A.T.-J.

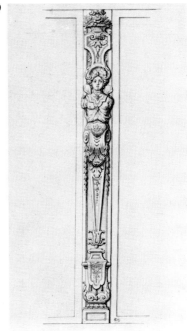

## R 8

Atelier de Jean I Bérain

### ARRIÈRE DU CARROSSE DE GALA
### DE CHARLES IX

Dessin à l'encre aquarellé.
H. 290, L. 362.
Filigrane : Grappe de raisins.
Sceau : KM inscrit dans un cercle. Au verso « Natio-
   nalmuseum » dans un ovale.
Inscription : « Planche 926 ».
Collection Tessin-Hårleman : THC 926.

Bibliographie : Voir R 2.

Le feuille est une mise au net d'après les esquisses
de Bérain. Elle fut envoyée à Stockholm au cours du
printemps 1697. Sur l'arceau transversal, deux
putti lèvent une couronne royale au-dessus d'une
représentation de Mars. Les lions couchés rappel-
lent les armes de la Suède, tandis que les étoiles
dans la moulure concave de la traverse du bas et sur
l'espagnolette font allusion à la devise de Charles
XI. Lorsque l'arrière du carrosse fut sculpté, le
projet ne fut pas suivi en ce qui concerne la partie
supérieure.

A.T.-J.

## R 9

Atelier de Jean I Bérain / Jean II Bérain
(attribué à)

### PILASTRE HERMÉTIQUE POUR
### LE CARROSSE DE GALA DE CHARLES XI

Dessin à l'encre avec lavis.
H. 270, L. 403.
Sceau : KM inscrit dans un cercle. Au verso
   « Nationalmuseum » dans un ovale.
Inscription :
Collection Tessin-Hårleman : THC 927.

Bibliographie : Voir R 2.

La feuille fut envoyée à Stockholm au cours du
printemps 1697 en même temps que le projet pour
l'arrière du carrosse. L'aspect des pilastres du carrosse fit l'objet d'une discussion entre Cronström et
Tessin et Bérain fut chargé d'élaborer une autre
proposition.

A.T.-J.

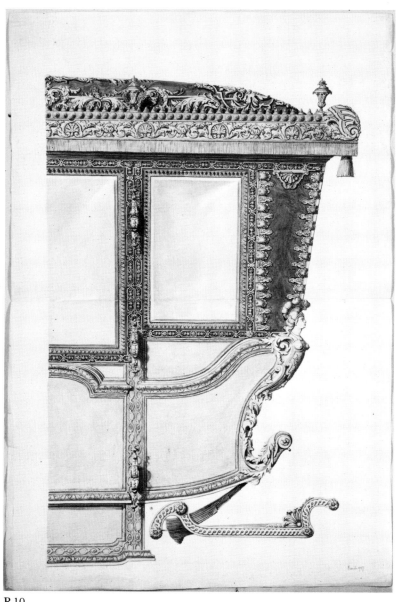

R 10

# R 10

### Dessinateur Anonyme

LA CARROSSE
DE LA DUCHESSE D'ORLÉANS
POUR LE MARRIAGE DU DUC
DE CHARTRES
(demi-vue latérale)

Crayon, aquarelle jaune et rouge.
H. 922, L. 584.
Filigrane : Heawood 1323.
Pas d'inscriptions.
Collection Tessin-Hårleman : THC 947.

Provenance : envoyé par Cronström, lettre du 21 Mai 1696 ;
    Tessin (1712) p. 29.
Bibliographie : Hernmarck C., *Kunglig prakt från barock och rokoko*
    p. 63 ff et fig. 64.
Exposition : *300 Dessins* (1951), nº 106.

Cronström écrit :

> ...j'enverrai aussi un dessin du Carrousse de
> mariage de Madame la Duchesse de Chartres.
> Ce carosse a été executé il y a 5 ans. Ses orne-
> ments de cuivre jaune et de broderie sont d'un
> extrême bon goût et faits avec la plus grande
> joliesse du monde. ».

Dans son catalogue de 1712, Tessin mentionne :
« Quatre grands dessins illuminés touchant le
Carosse pour le marriage du Duc de Chartres ». Les deux dessins de ce carrosse, exposés
ici, montrent un vehicule qui semble, d'après
Astrid Tydén-Jordan, plutôt démodé, comparé
à celui que Bérain conçut pour le Roi de Suède,
en 1696. Evidemment, il y eut de grands changements dans l'aspect des vehicules officiels au
cours des cinq années qui séparent ces deux
ouvrages.

Mais ces dessins sont parmi les rares documents qui nous renseignent précisément sur les
carrosses utilisés à Versailles par le Roi et ses
Princes.

R 11

# R 11

Dessinateur Anonyme

CARROSSE DE LA DUCHESSE D'ORLÉANS
VUE DU DEVANT ET DE L'ARRIÈRE
(une moitié de chaque)

Crayon et aquarelle jaune, rouge, brun et gris.
H. 910, L. 605.
Filigrane : Heawood 1323.
Pas d'inscriptions.
Collection Tessin-Hårleman : THC 946.

Provenance : envoyé par Cronström, lettre du 26 Mai 1696 ;
    Tessin (1712) p. 29.
Bibliographie : Hernmarck C., *Kunglig prakt från barock och rokoko*
    p. 63 ff, fig. 64.
Expositions: *300 Dessins* (1951), n° 105.

Les commentaires à R 1 s'appliquent ici. Les autres
dessins Orléans, THC 944 et THC 945 sont plus
détaillés. THC 944 montre l'aménagement intérieur, qui était très simple.

*Grand Mousquetaire en Sentinelle.* 377.

S1

*Grand Mousquetaire à la Suite du Roy.* 1394.

S2

# S | Les Uniformes à Versailles

Le 11 Janvier 1699, Nicodème Tessin le jeune écrivait à Cronström :

« Sa Maj:té (Charles XII) est fort curieuse destré informée en touttes choses de la Cour de France et selon ce qu'elle m'a questionnée je crois que ce seroit luy faire un sensible plaisir que de luy faire dessiner un peu en grand et en couleurs l'habillement de la maison du Roy, particulièrement des Grands Musquetairs et des Gardecorps, mais il faudroit que ça fut d'une grande justesse. . . . »

Quatre dessins, réalisés en réponse à cette demande, se trouvent à Stockholm (cf. Weigert, etc., *L'Art en France et en Suède, 1693–1718*, Stockholm, 1964, p. 225). Il convient de remarquer que le Roi Charles XII continuait de s'intéresser aux uniformes français et que plus tard il demande qu'on lui en fasse parvenir pour servir d'inspiration à ceux de l'armée suédoise. Ceux-la existent toujours dans la collection des Livrées Royales Suédoises. (Livrustkammaren, cf. le catalogue, *Les Grandes Heures de l'Amitié Franco-Suédoise*, Paris, 1964.)

## S 1

### Dessinateur Anonyme

### GRAND MOUSQUETAIRE EN SENTINELLE

Plume et encre noire, lavis gris et aquarelle rouge, bleue, jaune et brune.
H. 304, L. 214.
Inscription : la même que le titre ci-dessus.
Pas de filigrane.
Collection Tessin-Hårleman : THC 1397.

Provenance : Lettre de Tessin, 1699.
Bibliographie : Josephson R., *Tessin,* (1ère partie), fig. 163.
Exposition : *300 Dessins* (1951), n° 102.

## S 2

### Dessinateur Anonyme

### GRAND MOUSQUETAIRE À LA SUITE DU ROY

Plume et encre noire, lavis gris et aquarelle. Uniforme en rouge et bleu, chapeau noir.
H. 302, L. 212.
Pas de filigrane.
Inscription : la même que le titre ci-dessus.
Collection Tessin-Hårleman : THC 1394 ;

Provenance : Lettre de Tessin, 1699.
Bibliographie : Josephson R. *Tessin* (1ère partie), fig. 163.
Exposition : *300 Dessins* (1951), n° 99.

*Garde du corps en faction.* 1395

*Garde du Corps suivant le Carosse du Roy* 1396

## S 3

Dessinateur Anonyme

### GARDE DU CORPS

Plume et encre noire, lavis gris et aquarelle rouge,
  bleue et brune.
H. 295, L. 205.
Pas de filigrane.
Inscription : Garde du Corps en faction.
Collection Tessin-Hårleman : THC 1395.

Provenance : Lettre de Tessin, 1699.
Exposition : *300 Dessins* (1951), n° 100.

## S 4

Dessinateur Anonyme

### GARDE DE CORPS SUIVANT
### LE CAROSSE DU ROY

Plume et encre noire, lavis gris et aquarelle bleue,
  rouge, verte et brune.
H. 305, L. 216.
Pas de filigrane.
Collection Tessin-Hårleman : THC 1396.
Provenance : Lettre de Tessin, 1699

Exposition: *300 Dessins* (1951), n° 101.

# T | Album de quatre dessins et un plan du Petit Trianon

Le 5 Juin 1779, Marie-Antoinette écrivait au Roi Gustaf III :

« Mr. le baron de Stael m'yant fit connoitre que votre majesté, verroit avec quelque interet les plans du petit trianon, je me fais un grand plaisir de vous faires papér, je souhaite qu'ils vous paroisent digne de fixer quelques moments votre attention. Lorsque j'ai appris la nouvelle de la naissance du prince royal de suede j'étois à la veille de mes couches, et je crains de ne vous avoir pas temoigné par lors la part que je prenois a un evenement si interesant. J'espere que vous en êtes bien persuadé, e Monsieur ainsi que de la sincere amitie avec laquelle je suis, Monsieur mon frere et cousin de votre majeste... »
(Uppsala universitetsbibliotek, Gustavianska papperen F. 490)

L'album envoyé par la Reine est conservé à la Bibliothèque Royale de Stockholm. Ceci est un exemplaire d'un certain nombre de livres semblables. Si l'affirmation de Nolhac est correcte (*Trianon*, Paris, 1927, p. 303), Mique paya 700 livres à Châtelet, pour ce travail, le 16 Mai 1780.

Le livre ne montre pas le palais en détail, mais un plan et quatre vues du jardin avant l'édification du Hameau de Mique. Nous voyons probablement ici le jardin du Comte Caraman qui, bien que projeté en 1774, ne fut réalisé qu'en 1777, par Mique. La date étant relativement ancienne, il n'est pas possibles de dire si ces vues sont réelles ou des œuvres d'imagination.

En 1785, Châtelet reçut à nouveau 1500 livres, probablement pour un album plus travaillé, qui semble avoir été envoyé en Suède. Nul ne sait où il se trouve aujord'hui. Cette commande a du être faite à l'occasion de la visite à Paris de Gustaf III, alors Comte de Haga, en 1784.

T 1

*Vue du Temple, prise du Chateau.*

# T 1

## Claude-Louis Châtelet

1753–1795

### RECEUIL DE VUES DU TRIANON

Aquarelle.
H. 375, L. 530.
Bibliothèque Royale, Stockholm.

Bibliographie : Desjardins G., *Le Petit Trianon*, p. 55 ; Jallet M., Catalogue d'Exposition, Château de Versailles, *Marie-Antoinette*, 1955, p. 284, n° 975.

L'ironie a voulu que Châtelet, ardent contestataire et membre de la Tribune Révolutionnaire, soit le grand illustrateur de la retraite de Marie-Antoinette à Versailles : entre 1780 et 1786, il fut payé pour de nombreuses vues du Petit Trianon. Auparavant, Châtelet avait apporté sa collaboration à l'Abbé de Saint-Non sur le *Voyage pittoresque dans les royaumes de Naples et de Sicile*. Certaines des vues présentées ici ont le pittoresque de celles de la Villa d'Este, par Saint-Non.

Les quatre vues et le plan sont reliés en cuir rouge frappé des armoires de Gustaf III. Le plan est plié et s'ouvre pour être regardé. Les indications suivantes apparaîssent sur la carte : A. Château ; B. Temple ; C. Pavillon hydraulique ; D. Ruine ; E. Hermitage ; F. Belvédère ; G. Salle de spectacle ; H. Jeu de Bague ; J. Sallon de Concert ; K. Sallon frais. Les quatre vues portent les noms suivants (donnés dans l'ordre où elles apparaissent dans l'album) : 1) Temple prise du château (vue au-dessus de l'eau) ; 2) Vue du Belvedere, prise du château ; 3) Vue du Belvedere prise du pon (sic) et de la chute ; 4) Vue de la Ruine, prise du château.

Dans son catalogue, Jallet a commis une erreur en nommant cet album : « Vues du hameau de Trianon », car à l'époque le hameau n'était ni construit ni planifié. Il apparait plus tard, sur les dessins du Châtelet, par exemple dans l'Album de Modène de 1786, confectionné à l'intention de l'Archiduc Ferdinand à l'occasion de la visite qu'il rendit à sa soeur, en France (cf. Huisman et Jallet, *Marie-Antoinette*, New York, 1971, pp. 132–136). Plus proche, mais bien plus important que le recueil de Stockholm, l'album des Harrach (avec ses 7 aquarelles et ses 13 plans) est daté de 1781. Il se trouve aujourd'hui dans une collection privée, en Angleterre. (Plusieurs planches furent illustrées pour un catalogue de vente : Bibliothèque Raphaël Esmerian, 3ème partie, Paris, 6 Juin 1973, figs : XLI, XLII, XLIII, XLIV.) Les vues du Belvédère et du Temple sont similaires. Toutefois, l'absence de la Ruine souligne le fait que l'un des dessins de Stockholm n'était sûrement qu'un projet. Certes une ruine était prévue dans les plans de 1774 du Comte Caraman, mais elle fut finalement abandonnée (Nolhac, pp. 89 et 102), sans doute pour des raisons économiques.

Nolhac raconte que, au cours de la construction, et surtout par manque de fonds, la tendance était à la simplification. Dans la mesure où cette « ruine » indique qu'il s'agit de déssins plus ambitieux que réels, ces trois vues doivent être considérées comme des témoignages approximatifs de ce que l'on pouvait voir au Trianon en 1779.

# T 2

## Marie-Antoinette, Reine de France

1755–1794

### LETTRE AU ROI GUSTAF III DE SUÈDE

Datée du 5 Juin 1779.
Ce texte est cité dans l'introduction à la section « T » de ce catalogue.
Gustavianska papperen : n° 490, Uppsala Universitetsbibliotek.

*Vue du Belvedere prise du pont et de la Chûle.*

# Meubles, livrées, arts décoratifs des Collections Suédoises et Danoises

Catalogue par
Mogens Bencard
Barbro Hovstadius
Astrid Tydén-Jordan
Guy Walton

AA1

# A A | Les Meubles Bielke

Le Comte suédois, Nils Bielke (1644–1716), était un grand francophile. A 18 ans, en 1661, il reçut la mission d'apporter les félicitations du Roi de Suède auprès de Louis XIV, à l'occasion de la naissance du Dauphin. Il séjourna donc en France entre 1661 et 1663. Un autre voyage le conduisit à Paris entre 1666 et 1668, où il revint, en mission royale en 1675. De 1679 à 1682, il occupa les fonctions d'Ambassadeur de Suède en France. Militaire brillant et chef de grande envergure, il reste célèbre en Suède pour le rôle qu'il a joué dans la rattachement de la province méridionale de Skåne au royaume suédois.

Malgré son image de héros national, sa politique pro-française finit par lui être nuisible. Il fut jugé pour trahison et condamné à l'exil sur ses terres à Salsta, dans le Uppland, quelque 25 kilomètres au nord d'Uppsala.

Le nom de Bielke apparait souvent dans l'histoire du mobilier français du XVIIème siècle. Son lit, probablement un présent de Louis XIV et aujord'hui au Nationalmuseum, de part sa haute qualité et son état de conservation, presque miraculeux, a toujours été considéré comme l'une des pièces les plus magnifiques du mobilier français de cette période à avoir survécu.

Moins connu, mais tout aussi important, il existe trois ensembles de fauteuils et un lit de repos, qui sont toujours à Salsta, dans un palais presque désert, et que l'État suédois vient de recevoir, ainsi que le palais, sous forme de don de la famille von Essen. Peter Thornton a découvert des factures indiquant que les fauteuils et le lit furent exécutés précisémment en 1680, par deux « menuisiers » importants : Nicolas Lefèvre et Jacques Dufour. Lefèvre est probablement le même artisan qui fournit, quelques années plus tard, le mobilier de la nouvelle Orangerie de Versailles. Le fauteuil de Lefèvre est si élégant que Charles Le Brun choisit de poser, pour son portrait peint par Largillière, installé dans un siège du même modèle, et ce, juste avant 1683.

Ces fauteuils sont les seuls ouvrages de « menuisiers » royaux qui soient parvenus jusqu'à nous et qui puissent être attribués à des maîtres spécifiques, ainsi que datés avec certitude.

Aujourd'hui, ces pièces se trouvent dans le grand salon du deuxième étage à Salsta. Mais, selon toute vraisemblance, quelques-unes faisaient partie, à l'origine, du mobilier d'une autre pièce : la Chambre Isabelle. Là, les murs, restés miraculeusement intacts après le redécoration de ca. 1680, sont tapissés d'un tissu et d'une passementerie semblables ceux des fauteuils.

La légende familiale raconte que la pièce fut décorée en hâte pour une visite de la Reine de Suède, qui n'eut pas lieu. L'explication de cette légende est claire : la chambre possède quatre portes, apparemment de fabrication française, chacune ornée d'un encadrement pour recevoir le portrait d'une Reine de France. De gros clous dépassent aux angles et autour des embrassures, ce qui indique avec quelle hâte la chambre fut installée.

Elisabet Stavenow-Hidemark, qui a récemment étudié ce moblier de Salsta (cf. article à paraître) a découvert un grand nombre d'informations dans les inventaires de Bielke, aujourd'hui à Sturefors.

Elle a d'abord découvert que les fauteuils furent envoyés à Stettin, en Poméranie, où Bielke avait été nommé Gouverneur, en 1687. Les meubles furent emballés en 1705 et transportés en Suède juste après mais certainement avant 1713 : un inventaire à cette date mentionne la présence d'un lit de repos couvert du même tissu, qui avait également été à Stettin. L'inventaire de 1720 en registre 6 fauteuils et 6 chaises (bleues et dorées, avec du damassé Isabelle) qui doivent certainement concerner nos cat. AA 1 et AA 2.

A partir des inventaires existants, il est impossible de dire si la chambre Isabelle fut crée avant l'Ambassade en Poméranie, puis envoyée en Allemagne, ou si elle est postérieure à 1705. Dans la mesure où Hidemark et Thornton notent la présence d'un motif similaire dans l'anti-chambre de la Reine à Ham House, aux alentours de 1680, il est bien possible que cet élégant mobilier français ait d'abord été installé à Salsta.

Il existe des photos prises avant 1904 qui montrent les fauteuils avec ce qui semble être leur tapisserie d'origine, en lambeaux. Ceci prouve qu'ils furent très bien restaurés dans un tissu remarquablement proche de l'original, et que la plus grande partie de franges est d'origine. Selon Elisabet Hidemark du Nordiska Museet, le tissu de 1904 est parfaitement conforme à l'original, la seule différence se trouvant dans la largeur du point.

Les panneaux muraux de la Chambre d'Isabelle sont toujours recouverts de leur soie damassée d'origine, couleur ivoire (aujord'hui plutôt brune claire) et peuvent témoigner de l'authenticité de la restauration effectuée par la Baronne von Essen.

Au début du dix-neuvième siècle, les meubles de la Chambre d'Isabelle furent transportés dans la Salle des Banquets, toute proche. Le lit de jour fut démonté et on se servit de son canapé pour couvrir la partie du mur contre lequel il se trouvait (cf. cat. AA 4).

Il est probable que tout ceci fut rapporté en Suède, en 1682, dans les bagages de l'Ambassadeur. Une telle quantité de fauteuils ne peut vraisemblablement, avoir été réalisée pour la Chambre de la Reine. Ils doivent donc avoir fait partie du mobilier de l'Ambassade de Suède à Paris. De nombreuses pièces semblent avoir été déménagées en même temps, pour permettre aux Bielke de reproduire leur démeure parisienne dans la campagne suédoise.

Lars Sjöberg, Conservateur au Nationalmuseum, affirme que les meubles Bielke revêtent une grande importance dans l'histoire du mobilier suédois. Ils apportèrent dans ce pays un nouveau modèle, français, d'un style très différent de celui venu d'Allemagne ou des Pays-Bas qui avait prédominé jusque là.

Nous remercions Mme. Hidemark de nous avoir communiqué son article avant sa parution.

# A A 1

## Nicolas Lefèvre

### UN FAUTEUIL, APPARTENANT À UNE SÉRIE DE CINQ

Hêtre et noyer, peint en bleu foncé, et partiellement doré. Soie damassée brun clair. Frange de velours bleue, violette, rouge et blanche. Le tissu d'origine a été remplacé, en 1904, par une bonne réplique. La plus grande partie de la frange semble être d'origine.
H. 1070, L. 640, P. 500.
Salsta Slott (n° 9, illustré).

Bibliographie : Thornton Peter, «The Parisian Fauteuil of 1680», *Apollo*, Février 1975, pp. 102–107. Thornton (1978) p. 35. (Les deux articles reproduisent des photographies des fauteuils avant leur restauration.) ; Stavenow-Hidemark E., «The Isabelle Chamber at Salsta, a Swedish Bedroom in the French taste», (à paraître).

Le livre de quittances de Nils Bielke mentionne, pour 1681 : «Le soubsigne confesse avoir reçu de monseigneur lombassader de Suède parles mains de son argentier la Somme de cent soixante livres pour six fauteuils et six chaises – a Paris le 18 janvier 1680 Nicolas Lefever» (Riksarkivet, Stockholm ; E 2192 d).

Quand Lefèvre signe plus loin dans le même livre, il est désigné comme «Mons. Le Faiver menuysie de la fauborg St. Antoen». Ce livre enregistre également une avance sur paiement pour ces douze fauteuils.

Thornton a fait justement remarquer qu'il existe un siège de même modèle dans le portrait de Le Brun, par Largillière. Cette série fut livrée avec 6 chaises, dont 5 se trouvent encore à Salsta (cf. AA 2).

La coloration d'origine des fauteuils et des textiles peut être établie à partier des notes contenues dans les différents inventaires publiés par E. Hidemark qui précise également : «.... Le motif consiste en de grandes feuilles en palmette, avec parfois «fleur de lis» inscrit à l'intérieur de ces fleurs. Il en faut quatre pour former un motif et deux motifs s'inscrivent dans la largeur du tissu (54 à 55 cm) ; en dessus et en dessous, diagonalement, apparaissent des motifs semblables, orientés dans d'autres directions. »

# A A 2

## Nicolas Lefèvre

### UNE CHAISE APPARTENANT À UNE SÉRIE DE CINQ

Hêtre et noyer, peint en bleu foncé, et partiellement doré. Soie damassée brun clair. Frange de velours bleue, violette, rouge et blanche. Le tissu d'origine a été remplacé, en 1905, par une bonne réplique. La plus grande partie de la frange semble être d'origine.
H. 1080, L. 550, P. 500.
Salsta Slott n° 17, illustré.

Bibliographie : cf. AA 1.

Voir l'article consacré à AA 1. Thornton a publié une illustration de l'une de ces chaises sous son aspect d'origine (1976), p. 35.

A A 2                    A A 3

# A A 3

## Jacques Dufour

### UN FAUTEUIL
### APPARTENANT À UNE SÉRIE DE QUATRE

Hêtre et noyer, doré. Restauration de 1905. Mêmes
tissu et frange que AA 1 et AA 2.
H. 100, L. 66, P. 55. (Non exposé)
Salsta Slott n° 3 illustré.

Bibliographie : cf. AA 2.

Ces fauteuils sont mentionnés sur deux documents
(Riksarkivet, Stockholm, E 2192 c). L'un est un
reçu daté du 11 septembre 1680, pour quatre fauteuils et un lit de repos payés à un certain Jacques
(nom de famille illisible) qui travaillait, comme
Lefèvre dans le quartier St. Antoine. En Décembre
1680, une certaine Anne du Four fut payée pour le
même travail. Thornton a noté qu'un certain Nicolas Dufour travailla pour la Maison Royale entre
1685 et 1697. Il en conclut qu'Anne aurait pu être
la mère de Nicolas, épouse du défunt Jacques.

Toutefois, ces fauteuils ne font pas directement
partie de la Maison Royale, à la différence de ceux
de Lefèvre.

# A A 4

## Jacques Dufour

### LIT DE REPOS

Bois, doré. Restauré en 1905. Même tissu et franges
que AA 1, AA 2, et AA 3.
H. 730, L. 1970, P. 770.
Salsta Slott, n° 1.

Bibliographie : Söderberg Bengt, G., *Manour Houses and Royal
Castles of Sweden*, Malmö, 1975, p. 87, fig. ; Thornton, « The
Parisian Fauteuil of 1680 », *Apollo,* Février 1975, P. 107, note
15 ; Stavenow-Hidemark E., « The Isabelle Chamber at Salsta, a Swedish Bedroom in the French Taste » (à paraître).

Un lit de repos, ou divan, de ce type est mentionné
dans les documents Dufour (cf. AA 3), mais Thorn-

A

ton n'a pas tort de dire que ce superbe divan
« cache une énigme ». Le problème réside dans la
grande différence de style entre le divan et les fauteuils, aussi bien ceux de Lefèvre que ceux de Dufour.

Elisabet Hidemark n'est pas la seule à avoir mis
en évidence que le tissu recouvrant le divan est
probablement celui d'un autre lit royal ayant disparu. D'ailleurs une partie de son baldaquin subsiste aujourd'hui, monté sur un mur de la Chambre
Isabelle à Salsta. Jusque récemment, deux lits se
trouvaient aux extrémités de la plateforme, au lieu
d'un seul au milieu de celle-ci. Il semble que, au
moment où un enleva le lit royal, on ait eu besoin de
tissu pour recouvrir la partie du mur restée découverte et que l'on utilisa celui de l'ancien baldaquin.
La couverture du lit a dû alors remplacer la couverture d'origine du divan, qui était usée.

La soie damassée Isabella fut sans doute replacée
en 1904, mais les anciennes appliques furent probablement récupérées et ré-utilisées. Quoi qu'il en soit
il s'agit ici d'une pièce extrêmement bien conservée.
En tout cas ce tissu n'a rien à faire avec ce lit de
repos.

Parfois, des divans comme celui-ci étaient utilisés
comme lit d'appoint dans les chambres, pour la
sieste, ou ailleurs, pour se reposer ou s'asseoir. (cf.
P. Thornton, « Couches, Canopies and Chairs of
State », *Apollo,* 1974). Quinze ans plus tard, le 7
Janvier 1695, Cronström écrivait au Tessin : « Il n'y
a maintenant point de chambre où il n'y en ait ici
(en France) ». Leur emplacement, autour de 1680
est plus incertain.

# B B | Les Fauteuils de Bérain pour Carl Piper, 1695–1697

On peut voir dans cette exposition une broderie d'un fauteuil en haute lisse, d'après un dessin de Jean Bérain. Il représente la seconde pièce, en importance, de mobilier réalisé par les artisans au service de la couronne de France sous Louis XIV qui soit parvenue jusqu'à nous.

L'histoire des meubles du Comte de Piper (1647–1716) commence par une lettre de 1695, dans la correspondance entre Tessin et Cronstedt (T. C., 1964, p. 64). Cronström trouva deux ensembles de tapisseries pour la maison de Piper : Les Grotesques de Bérain, faites à Beauvais (probablement celles se trouvant aujourd'hui à l'Hôtel de Ville de Stockholm) et quelques Ports de Mer (maintenant au Château de Björnstorp, à Skåne). De plus, Thornton a illustré une Portière Grotesque qui faisait certainement partie de cet ensemble (et aujourd'hui à Sövdeborg, cf. Seventeen-Century Interior decoration, New Haven-London, 1978, p. 256, fig. XIV).

A propos de L'appartement de Mme Piper, Cronström écrit :

« . . . . Si l'on aime mieux dans ces deux pièces avoir des chaises de tapisseries du dernier dessin de Mr. Berain, elles y viendront parfaitement bien. Je fais présentement faire une chaise pare Mad$^e$ Berain sur le dessin dernier de son mary, car il n'y a qu'elle qui les puisse d'abord bien exécuter ; quand elle sera faite, je l'envoiroy avec le dessein. Cependant, j'en feroy faire icy une demie douzaine. . . . »

On travaillait encore à ces chaises en Avril. En Mai, Piper accepta les dessins de Bérain et demanda que les chaises soient réalisées en noyer.

Ce même mois, Cronström écrivait que chaque fauteuil coûterait 66 livres. Il nota aussi que, ne connaissant pas les armoiries de Piper, il allait demander à Bérain de représenter la couronne de Marquis et les initiales de Piper, au centre. En Juin la discussion porte sur le nombre de sièges – 8 où 12 – et Cronström finit par conseiller d'en faire douze, après avoir vu le plan de la pièce à laquelle ils étaient destinés.

En Janvier 1696, alors que les sièges étaient presque terminés, certains durent être refaits, car ils n'étaient pas tous exactement semblables. Cela retarda la livraison. Ce n'est qu'en Juillet que huit des broderies furent achevées et que le travail d'ébénisterie put commencer. Il fut prêt en octobre. Quelques sièges, sans doute huit, furent envoyés en Suède avant Juin 1697.

Trois fauteuils, avec les tapisseries de haute lisse de Piper, se trouvent dans la Collection Altman, au Metropolitan Museum. Les tapisseries sont certainement authentiques, mais les fauteuils ne semblent pas être ceux envoyés par Cronström. Leur style se rapproche plus de 1730 et ils sont dorés. La date apparente et les dorures empêchent d'affirmer qu'il s'agit d'originaux. La haute lisse était presque toujours

# B B 1

## GARNITURE DE CHAISE

Tapisserie des Gobelins en laine et soie.
Sur fond gris-jaune, manteau d'armes couleur lilas
 couronné d'un pavillon d'armes avec lambrequin
 en gris, entouré d'ornements en bleu, rouge, lilas
 et blanc.
Sur le manteau, médaillon oval en bleu et blanc
 avec CP en monogramme double.
Réparée et complétée par endroit.
73 × 73 cm.
NM 62/1933.

Dessinée par Jean Bérain en 1695 pour Carl Piper,
 exécutée par Mme Bérain.

Barbro Hovstadius

utilisée avec du bois nondoré. Il faut également tenir compte du fait que Piper avait demandé du noyer. La mode pour la combinaison de dorure et de tapisserie date de la fin du 19ème siècle (selon Christian Baulez, communication orale). Cela peut expliquer le transfert des tapisseries. Un examen scientifique de ces fauteuils du Metropolitan s'étant avéré impossible, il est difficile d'affirmer qu'ils sont du dix-huitième siècle ou qu'ils ont été faits ultérieurement pour recevoir les tapisseries.

Les circonstances dans lesquelles la tapisserie exposée ici est parvenue au National-museum ne sont pas claires. On doit espérer que le siège dont elle est originaire sera retrouvé un jour (peut-être dans l'une des collections de la famille Piper). Si le bois et sa tapisserie pouvaient être rassemblés, l'ensemble représenterait certainement le siège le plus précieux du dix-septième siècle français à être parvenu jusqu'à nous.

# C C | Un Lustre Suédois

## C C 1

### LUSTRE EN BRONZE ARGENTÉ

Armature de lustre avec tores ornés d'un décor gravé, godronné et cannelé avec trois mascarons moulés. Dans le bas un rebord rond avec six avancées où sont fixées six appliques. Les appliques sont travaillées dans le style ornemental de Bérain. Sur les bobèches et les douilles ornementation gravée. Sur la face de dessous du rebord, six boutons de feuilles moulés et au centre un bouton avec godronnage et feuilles ciselées.

En haut, épaisse chaîne d'ancre en anneaux de bronze.

H. 34 cm.

Diam. 42 cm.

Longeur chaîne 81 cm.

N° d'inv. NM 341/1984.

Bibliographie comparative : Hernmarck, Claude Ballin et quelques dessins de pièces d'argenterie du Musée National de Stockholm, *Gazette des Beaux Arts* 1953, p. 103–118.

Fabrication probablement suédoise d'après modèle français. Début 18ème siècle.

Barbro Hovstadius

D D

# D D | Service de toilette de la duchesse Hedvig Sofia

Gudmund Boesen, qui a publié « Le service de toilette français de Hedvig Sofia », a élaboré une théorie selon laquelle celui-ci serait identique à un service en vermeil acheté en 1680 chez l'orfèvre Pierre Marcadé à Paris et que la mère, Ulrika Eleonora, aurait ramené du Danemark. Boesen put démontrer que Hedvig Sofia avait hérité de ce service mais d'autres raisons l'ont amené à rejeter cet hypothèse. Par ailleurs, le service ressemble de près, pour ce qui est du nombre et du poids, à un autre service que la grand'mère de la Princesse, la Reine-Mère Hedvig Eleonora, avait acheté chez Johan Nützel, orfèvrer à la cour de Stockholm en 1689. La théorie de Boesen, selon laquelle celui-ci serait identique au dit service, impliquerait ainsi que la Reine-Mère aurait acheté un service de toilette français plus ancien pour en faire cadeau à sa petite-fille de 9 ans.

Il s'avère que les pièces 15, 16 et 20 ont disparu. Il semblerait également que le service soit composé d'une part de pièces décorées de styles différents et qu'il soit, d'autre part, l'œuvre de plusieurs orfèvres. Sept pièces, notamment les deux jeux de boîtes (Nos. 2 et 3 et 4 et 5), le plateau (No. 6) et les deux brosses (Nos. 8 et 9), présentent des moulures de feuilles de vigne de styles presque identiques. Les autres ornements des deux jeux de boîtes présentent également de fortes similitudes. En outre, quatre de ces ouvrages (les 2, 6, 8 et 9) sont marqués du même poinçon, celui d'un orfèvre pari-sien non-identifié portant les initiales AR. Trois autres pièces, notamment le pot (7), le flacon (No. 17) et l'écuelle avec couvercle (Nos. 18 et 19), sembleraient assorties, car la sobriété de leur décoration, par le style pris sur pièce aux feuillages unis, est caractéristique. Le flacon, ainsi que l'écuelle, sont tous deux frappés de la lettre annale G, correspondant à Paris 1675–76, outre le Poinçon du fermier Vincent Fortier. Le Poinçon CB se référerait à l'orfèvre parisien Charles Bourget qui devint maître orfèvre en 1673, poinçon qui d'ailleurs fut gravé et décrit qu'à partir de 1681. Le poinçon de maître de l'écuelle avec couvercle n'est pas identifié avant cette date mais doit être attribué à Louis Pluviers, maître à Paris en 1675 (E. Benque et M. Frapsauce : Diction-naire des Poinçons – No. 1432). Le même style sobre et uni orne le grand plat (No. 12) et les mouchettes avec plateau (Nos. 10 et 11) mais ni ces pièces ni les précédentes n'ont en com-mun entre elles ou avec les deux autres groupes qu'un vague style d'époque. A l'instar d'autres services de toilette français de cette période, il semblerait que ledit service soit un assemblage de pièces disparates et qu'il n'ait pas été exporté en tant que service complet.

Il n'est rendu compte ci-dessus que de quel-ques-uns des poinçons argent identifiables de ce service. Dans les descriptions, une partie comporte la mention « martelés ». Ces inscrip-tions ont en commun ceci qu'elles sont mal conservées, que leur relief est peu profond et que le bord du poinçon lui-même est à peine visible. Quelques-unes (les lettres annales P pour 1659–60 ; V pour 1665–66, et O (?) pour 1658–59 sont suffisamment bien conservées pour être identifiables. Si le service avait présenté quelque usure et si les poinçons avaient été mal placés on aurait pu penser qu'ils se soient effacés à l'usage ou au polissage. Or, il n'en est rien. A part le plat et les mouchettes avec plateau, le service paraît n'avoir jamais servi et la plupart des poinçons sont situés de manière à être protégés. Une explication possible serait que les poinçons relèvent d'un emploi antérieur de l'argent et qu'ils n'aient pas été correctement effacés, juste démarqués pour transformation. On pourrait peut-être s'étonner d'une telle négligence envers des articles de luxe destinés à une clientèle de qualité. Cela coinciderait néanmoins avec l'aspect général de l'ensemble. On relève, par exemple, de nombreux jets de fonte sur toutes les parties coulées des pièces. On aurait au moins pu s'attendre à ce que ces marques fussent effacées avant de quitter l'atelier de l'orfèvre. Si nous pouvons admettre une telle explication, cela signifie que nous pouvons exclure ces poinçons comme repères chronologiques. Restent donc le poinçon de garantie et les deux poinçons de maître qui concordent bien avec la lettre annale de 1675–76. Il faut ajouter que le poinçon de garantie devint obligatoire à Paris en 1672, ce pourquoi les pièces qui n'ont que le poinçon de maître AR ont du être exportées avant cette date.

Le service de toilette est présenté dans l'ordre des numéros gravés sur les pièces.

Mogens Bencard

Service de toilette argent.

Gravé au monogramme reflété HS et numéroté de 1 à 22, dont 18 pièces conservées.

Don de la Galerie royale à la Collection Rosenborg (1867).

L'inventaire de 1775 de la Galerie royale (p. 226) mentionne les 18 pièces avec indication de leur livraison en 1767 et leur provenance : Schloss Gottorp, 1764.

Ces données confirment que le service de toilette appartenait bien à la Princesse Hedvig Sofia, fille du Roi Charles XI de Suède et de la Reine Ulrika Eleonora, née Princesse du Danemark. En 1698, âgée de 17 ans, Hedvig Sofia épouse le Duc Frédérik IV de Holstein-Gottorp.

Collection : Collection royale, Château de Rosenborg, Copenhague.

Bibliographie : Gudmund Boesen, Le Service de Toilette français de Hedvig Sofia, Opuscula in Honorem, C. Hernmarck, Stockholm 1966 p. 22–38.

1

**DD 1** *Miroir de toilette*

Hauteur d'ensemble 61,1 cm. Cadre 44,2 × 48,3 cm. Poids total 5200 grammes.

Rectangulaire, cadre mouluré ajouré, orné d'amours, de carquois croisés et de torches ; dans les angles et l'axe médian vertical, des faces coiffées de diadèmes. Fronton couronné mouluré comportant relief de femmes assises flanquant un cartouche gravé au monogramme HS. Au dos, le chiffre 1 gravé et un anneau de suspension en argent. Dossier et socle en acajou.

Inv. No. 8–56.                              M.B.

**DD 2** *Jeu de deux boîtes*

Haut. 8,8 ; long. 27,7 ; larg. 21,7 cm. Poids : 1995 et 1915 gr.

Forme rectangulaire, plaques moulurées. Fond plat décoré de feuilles d'acanthe ciselées en creux. Faces verticales ornées en relief de deux putti flanquant vase de fleurs et entourés de paniers remplis de grappes de raisins et de feuilles. La partie centrale du couvercle, réhaussée et de forme rectangulaire montre deux putti brandissant rubans et couronnes de feuillages comportant initiales HS ; autour, frise en relief ornée de putti assis, flanquant couronnes de feuillages avec têtes de femmes à l'antique et entourés de carquois croisés ; dans les angles des feuilles d'acanthe. Deux poinçons sur le couvercle (partie médiane et bord) de la boîte No. 2 : Fleur de Lys couronnée, deux grains, AR, globe royal. Chiffres 2 et 3 gravés sous le fond.

M.B.

**DD 3** *Jeu de deux boîtes*

Haut. 6,6 ; diam. de fond 13,0 cm. Poids 548 et 536 gr.

Forme cylindrique. Plaque moulurée. Fond plat. Côtés décorés en relief ainsi que bâte du couvercle. La partie centrale du couvercle, saillante, forme un cercle dans lequel apparaissent deux putti autour d'une couronne ovale de feuillages comportant initiales HS bordées de grappes de raisins et de feuillages. Sous le fond poinçon (martelé) : P couronné (No. 4) et chiffres 4 et 5 gravés. Inv. no. 8–60 et 8–59.

M.B.

**DD 4** *Plateau*

Haut. 5,8 ; long. 28,0 ; larg. 23,0 com. Poids : 800 gr.

Socle et tige unies de forme ovale. Motif de feuillages en relief coulé. Paysage représentant homme assis muni d'un arc et d'un carquois. Au deuxième plan un

2      3

4

tournesol au-dessus duquel voltige un amour (Apollon et la nymphe Clytie). La frise, dont le bord, ébreché, est orné de lauriers entrelacés, agrementée de grappes de raisins et de feuillages. En haut et en bas, des surfaces unies comportant initiales HS. Poinçon à la droite du tournesol comportant chiffre 2.

Inv. No. 8–61.

                                   M.B.

**D D 5**   *Pol*

Haut. 20,5 cm. Poids 1020 gr.

Coupe transversale circulaire. Pied moulé orné de relief acanthe ; tige et col polis, noeud godronné. Corps uni, moulure de couronne de feuilles d'acanthe à la base, et ceinturé à mi-hauteur d'une couronne de feuilles de laurier. Bec verseur haut et fermé ; anse perlée et moulurée. Couvercle uni à charnière avec fretel façonné, orné d'un pris sur pièce. Corps gravé au monogramme HS et chiffre 7.

Inv. No. 8–62.

                                   M.B.

**D D 6**   *Brosse*

Haut. 26,0 cm. Poids total : 575 gr.

Coupe transversale circulaire. Brosse à poils de sanglier. Manche moulé décoré en relief de grappes de raisins, de feuillages et de feuilles d'acanthe. Surface unie comportant l'inscription 8. En dessous, l'inscription 2 insculpée de travers, seule la partie supérieure des initiales AR est visible.

Inv. No. 8–63.

                                   M.B.

**D D 7**   *Brosse*

Haut. 15,9 cm. Poids total : 165 gr.

Forme de cône. Brosse à poils de sanglier. Manche moulé orné de grappes de raisins et feuilles en relief. Chiffre 9 insculpé sur graine polie. Chiffre 2 inscrit dans le bas.

                                   M.B.

5, 12, 11
6, 7
8

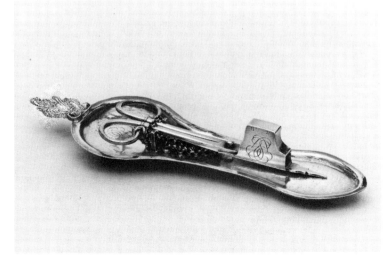

235

DD 8 *Mouchette avec plateau*
Mouchettes : long. 15,6 cm. Poids : 98 gr.
Plateau : long. 24,7 cm. Poids : 120 gr.
Mouchettes unies, avec chaîne en argent. Plateau uni, muni de trois pieds coulés et d'une anse coulée en forme de feuille d'acanthe. Plateau gravé aux initiales HS avec chiffre 10 ; les mouchettes : HS et chiffre 11.
Inv. No. 8–65.

M.B.

DD 9 *Plat*
Haut. 3,2 ; long. 43,0 ; larg. 30,5 cm. Poids : 1190 gr.
Ovale, avec bord chantourné orné moulure de feuilles d'acanthe, coquilles de moules et têtes à l'antique d'hommes et de femmes. Partie unie gravée aux initiales HS et chiffre 12. Côté postérieur : 2 poinçons (martelés) : O (?) couronné et trace de Fleur de Lys couronné et serpents.
Inv. No. 8–66.

M.B.

DD 10 *Jeu de deux flacons*
Haut. 14 ; fond 6,2 × 6,2 cm. Poids (la pièce) : 334 gr.
Coupe transversale en carré. Col cylindrique. Fond uni. Faces verticales et col décorés en relief. Sur faces verticales têtes de femmes à l'antique en médaillons ovales ornés de feuillages et de feuilles d'acanthe. Cannelures en spirale sur col et épaules ; ornement feuillage dans les angles. Bouchon poli surmonté de trois graines et chaînette d'argent attachée aux épaules.
Sous fond du No. 13 poinçon (martelé) : V couronnée. Sous No. 14 deux poinçons (martelés) : couronne et Fleur de Lys couronné.
Inv. No. 8–68 et 8–67.

M.B.

DD 11 *Flacon*
Haut. 9,1 cm. Poids : 74 gr.
Coupe transversale ovale. Col en forme de cône. Corps uni gravé aux initiales HS et chiffre 17. Sur les épaules deux masques en relief avec pitons et chaînette d'argent. Bouchon à visser surmonté de trois graines. Sous le fond trois poinçons : G couronné ; A couronné entouré de trois lys ; et Fleur de Lys couronnée, deux grains, CB, marguerite.
Inv. no. 8–69.

M.B.

DD 12 *Écuelle avec couvercle*
Haut. 5,6 cm. diam. d'embouchure : 8,2 cm. Poids : 176 gr.
Coupe transversale circulaire. Pied façonné. Corps uni avec ornementation de feuillage pris sur pièce à la base. Bords dotés d'anses verticales opposées ornées de moulure de feuillages et perlé. Couvercle voûté agrémenté de feuillages pris sur pièce autour de frelet façonné. Sous le fond l'inscription 18, corps gravé aux initiales HS et couvercle aux mentions HS et 19. Trois poinçons insculpés sur bâte extérieure du récipient et dans couvercle : G couronné ; A couronné entouré de trois lys ; Fleur de Lys couronnée, deux grains, LP, ancre.
Inv. No. 8–70.

M.B.

DD 13 *Jeu de deux chandeliers*
Haut. 13,5 cm. Poids 338 et 332 gr.
Pieds carrés avec frise relief ornée de fleurs, de dauphins et de couronnes. Les tiges articulées présentent coupe transversale circulaire et deux rubans en relief. Moulure de fleurs ornant bobèches ovales opposées. Surfaces unies des pieds gravées aux initiales HS No. 21 et HS No. 22.
Sous fond des deux pieds : deux poinçons martelés dont seule est visible une Fleur de Lys couronnée.
Inv. No. 8–72 et 8–71.

M. B.

10

13

DD9

# E E | Harnachement français – Partie du présent politique de 1673

Cabinet royal des Armes (Livrustkammaren), N°
d'inv. 3879.
Bibliographie : Torsten Lenk « En storpolitisk gå-
va », Historiska bilder I, Stockholm 1949.
Expositions : La Suède et Paris 1947, n° 88. Les
Grandes heures de l'amitié Franco-Suédoise,
1964, n° 234 (harnachement n° 9 pour le cheval
« Le Gaillard »). Cabinet royal des Armes 1978,
p. 32–33.

Le harnachement faisait partie du cadeau offert par Louis XIV à Charles XI de Suède en 1673 et a appartenu au cheval nommé « Le Crusque ».

La coutume des relations internationales officielles voulait que l'on offre des présents. Lorsque la France eut besoin d'un allié contre la Hollande, Louis XIV tenta un rapprochement avec la Suède et envoya au nouvel an 1673 le marquis Isaac Pas de Feuquières comme ambassadeur en Suède pour entamer des pourparlers. Celui-ci informa rapidement la France du goût du Roi de Suède pour les chevaux et en Avril de la même année Paris lui répondit que Louis XIV avait l'intention d'envoyer un cadeau composé de douze des plus beaux chevaux des Écuries Royales. Les selles et les housses étaient en cours de confection et l'on prévoyait, pour accompagner chaque cheval, deux pistoles et un fusil.

Les douze chevaux espagnols, magnifiquement équipés, furent remis le 12 décembre 1673. Parmi eux il y avait le cheval blanc « Brillant » que Charles XI devait monter à la bataille de Lund en 1676. Dès le lendemain le Roi offrit deux des chevaux, l'un à l'amiral Gustav Otto Stenbock, l'autre au maréchal Nils Bielke. Des parties importantes de ce présent sont toujours conservées au Cabinet royal des Armes où l'on peut voir sept selles avec leurs housses, douze couvertures de selle et plusieurs armes. Une selle se trouve au château de Skokloster.

Au moment de la remise du présent, il fut à plusieurs reprise souligné par voie diplomatique que Louis XIV souhaitait acquérir du cuivre suédois pour couvrir des toitures et l'on sait que du cuivre provenant de la mine de Falun fut plus tard utilisé pour la couverture du château de Versailles.

Astrid Tydén-Jordan

## Selle

garnie de velours « coleur de feu ». Tiges d'acanthe et trophés brodés en relief avec des fils d'or et d'argent et de soies rouge et bleue. Sur le siège et les côtés intérieurs des arçons, décoration matelassée de feuillages, le long des bordures frange d'or. Sur les bords des arçons, clous dorés avec trophées. Pommeau de selle en cuivre doré en forme de tête de bélier. Liséré en fil d'or autour du quartier.

## Housse

en même matériau et de même travail que le quartier. De chaque côté trophés et au milieu à l'arrière un mascaron avec des yeux en verre noir et des dents en pièces de métal.

## Fontes de pistolets

en maroquin rouge avec des couvre fontes en même matériau et de même travail que le quartier et la housse, avec trophées et décor d'acanthe.

## Paire d'œillères

en même matériaux et de même travail que le quartier de selle. Les œillères sont divisées en quatre sections par un décor de galons en fils d'or torsadés, avec un trophée dans chaque section. Doublure en velours « couleur de feu ».

## Bride

en maroquin rouge avec plaques de cuivre doré décorées en alternance, une sur deux, avec des trophées et des tiges d'acanthe. Garnitures rondes, garnitures d'extrémité et boucles de même travail. *Mors* en fer avec dorure très usée. Longues branches ajourées. Deux garnitures rondes bombées en cuivre doré avec ornements de trophées aux extrémités de l'embouchure. *Rênes et longe* en fils tressés d'or, d'argent et de soie rouge. Bouton oblong à une extrémité et gland en même matériau à l'autre bout.

## Poitrail, croupière et étrivières

en même matériau que la bride. Devant, au milieu du poitrail, grande plaque avec trophées et acanthe.

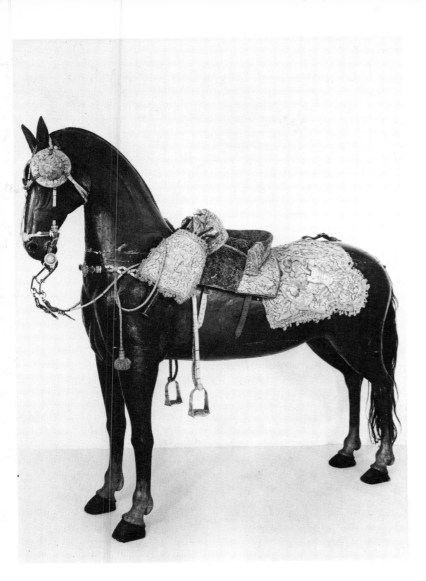

### Étriers

en cuivre doré avec grilles rondes ajourées. Mascaron et têtes de lion sur les branches des étriers. A la boucle de l'étrivière, garniture métallique décorée, notamment, d'un blason et d'une tête de Méduse.

### Couverture de selle

en velours bleu avec broderie en relief d'or et d'argent de l'armoirie de Charles XI, bordée de franges en or et en argent. La couverture de selle était jetée par dessus la selle lorsqu'on conduisait le cheval à la main.

Dans les fontes de pistolets :

### Paire de pistolets

Cabinet royal des Armes n° 3886 (3542–3543) signés «Champion». Canons à âme lisse en acier bleu avec riche décoration en or rapporté. Platines à silex françaises en acier avec ornement d'acier gravé. Fût en noyer avec de riches incrustations d'argent ciselé à décor végétal. Pièce de pouce avec l'armoirie des trois couronnes. Calotte à décor gravé. (Non exposée)

### Fusil à pierre

Cabinet royal des Armes n° 1337 (3627) avec canon rond à âme lisse en acier avec chambre octogonale gravée. Platine à silex avec figures gravées, signée «PIRAVBE AU GALLERIE A PARIS». Fût en noyer de Grenoble avec veinage très accentué, type de fût français. Plaque de couche à longue pointe avec gravure aux armes de la Suède. Pièce de pouce en argent en forme de tiges ajourées avec fleur de lys français entourant un monogramme composé de quatre C surmontés d'une couronne.

A.T.-J.

FRANCOISE ANGELIQVE
DE LAMOTTE DAVDENCOVR
DVCHESSE DAVMONT.

242

# F F | D'autres Objets d'Art

F F 2

**F F 1**

Artiste anonyme

PORTRAIT DE MADAME LA DUCHESSE
D'AUMONT À CHEVAL

Huile sur toile.
H. 680, L. 560.
Collection Skokloster : Skokloster 3144
Provenance : Donné par Louis XIV au Comte Nils
Bielke pendant son ambassade à Paris.

Exposition : *La Suède et Paris* (1947) Musée Carnavalet N° 93.

**F F 2**

David Klöcker Ehrenstrahl

1629–1698

BRILLANT, PORTRAIT D'UN CHEVAL
DU ROI CHARLES XI

Huile sur toile.
H. 2690, L. 2550.
Collection Gripsholm : Grh 124.

Charles XI commandait le peintre du Roi, D. K.
Ehrenstrahl, des portraits sur une échelle vraie de
ses environ vingt chevaux favoris. Il en reste
toujours dix-sept, l'un d'eux est « Brillant », peint
en 1680.

**F F 3**

Martin van Mytens

1695–1770

**PORTRAIT DE KARL HÅRLEMAN
(1700–1753), ARCHITECTE DU ROI,
COLLECTIONNEUR**

Huile sur toile.
H. 820, L. 660.
Collection Gripsholm : Grh 157.

**F F 4**

Georges Desmarées

1697–1776

**PORTRAIT DE NICODÈME TESSIN LE
JEUNE (1654–1728), ARCHITECTE DU ROI,
COLLECTIONNEUR**

Huile sur toile.
H. 1460, L. 1100.
Collection Gripsholm : Grh 1022.

Exposition : *La Suède et Paris* (1947) No 150.

## F F 5
Charles Guillaume Cousin

1707–1783

PORTRAIT DE CARL JOHAN CRONSTEDT
(1709–1777), ARCHITECTE DU ROI,
COLLECTIONNEUR

Moulage plâtre.
H. 752.
Après l'original, signé en 1743, à l'Académie
Royale des Beaux-Arts de Stockholm.
Collection Institut Tessin, S 15.

Exposition : *La Suède et Paris* (1947), No 409.